Ce que les gens dise
Bouillon de poulet pour l

« Dans ce nouveau bol de *Bouillon de poulet pour l'âme* mijote des idées nourrissantes pour fortifier l'âme et la détermination d'une femme. Une recette des plus utiles et encourageantes pour le développement personnel et l'harmonie spirituelle. »

EVELYN H. LAUDER
Vice-présidente principale, The Estee Lauder Companies

« J'adore pouvoir prendre un 2e bol de *Bouillon poulet pour l'âme de la femme* et, en quelques minutes, lire une histoire qui ouvre mon cœur et me montre le monde sous son meilleur jour. »

RUTH BROWN
Chanteuse, gagnante des Prix Tony et Grammy

« Merci pour *Bouillon de poulet pour l'âme de la femme II* — c'est une belle collection d'histoires inspirantes qui célèbrent l'amour, la force et la beauté du cœur de la femme. »

PICABO STREET
Skieuse olympique et championne du monde

« *Bouillon de poulet pour l'âme de la femme II* nous montre la profondeur et l'endurance du cœur de la femme. On y parle d'amour, de sagesse, d'humour et de magie! »

RACHEL NEWMAN
Rédactrice en chef, *Country Living Magazine*

« Quel plaisir de passer quelques minutes chaque matin avec un 2e bol de *Bouillon de poulet pour l'âme de la femme.* Je souris pendant tout le trajet vers le bureau en pensant aux femmes magnifiques dont on parle dans ces histoires. »

CAROLYN ELMAN, Directrice administrative,
The American Business Women's Association

« *Bouillon de poulet pour l'âme de la femme II* est une splendide tapisserie de la féminité! Chaque histoire me rappelle la riche diversité des femmes et la beauté de leur âme. »

SUZE ORMAN
Auteure du best-seller du *New York Times*,
The 9 Steps to Financial Freedom

« Rien n'est plus satisfaisant qu'un deuxième bol de "bonne soupe". C'est exactement ce qu'est *Bouillon de poulet pour l'âme de la femme II* — satisfaisant. Cette collection d'histoires inspirantes suscite en nous des larmes de joie et des sourires sincères. »

DEBBYE TURNER
Miss America 1990, animatrice à la télévision

« Quel plaisir de s'asseoir pour lire *Bouillon de poulet pour l'âme de la femme II!* Les histoires sont chaleureuses et inspirantes. Elles honorent la richesse et la profondeur de l'âme de la femme et la force de notre lien commun. »

RENÉE Z. POSNER
Présidente, Girlhood Journeys

« Quand j'ai lu les pages de *Bouillon de poulet pour l'âme de la femme II,* je me suis sentie comme si j'étais dans une pièce avec mes meilleures amies à partager nos histoires! J'ai pleuré, j'ai ri, j'ai été inspirée. »

JOAN BORYSENKO, PH.D.
Auteure, *A Woman's Book of Life*

« Pendant une journée chargée et mouvementée, la lecture d'une ou deux histoires de *Bouillon de poulet pour l'âme de la femme II* me rappelle la force et la détermination sans bornes du cœur et de l'âme de la femme. »

KATHLEEN DUFFY
Consultante en changements organisationnels

Jack Canfield
Mark Victor Hansen
Jennifer Read Hawthorne
Marci Shimoff

D'autres histoires pour ouvrir le cœur
et raviver l'âme de la femme

Traduit par
Fernand A. Leclerc et Lise B. Payette

SCIENCES ET *CULTURE*
Montréal, Canada

L'édition originale de cet ouvrage a été publiée sous le titre
A SECOND CHICKEN SOUP FOR THE WOMAN'S SOUL

Health Communications, Inc., Deerfield Beach, Floride (É.-U.)
ISBN 1-55874-622-6

Réalisation de la couverture : Alexandre Béliveau

Dépôt légal : 4e trimestre 2002
Bibliothèque nationale du Québec
Bibliothèque nationale du Canada

ISBN 2-89092-291-X

Éditions Sciences et Culture
5090, rue de Bellechasse
Montréal (Québec) Canada H1T 2A2
(514) 253-0403 Fax : (514) 256-5078
Internet : www.sciences-culture.qc.ca
Courriel : admin@sciences-culture.qc.ca

Nous reconnaissons l'aide financière du gouvernement du Canada par l'entremise du Programme d'Aide au Développement de l'Industrie de l'Édition pour nos activités d'édition.

IMPRIMÉ AU CANADA

Table des matières

4. Le mariage

5. La maternité

6. Changer les choses

7. Surmonter les obstacles

Les citations

Pour chacune des citations contenues dans cet ouvrage, nous avons fait une traduction libre de l'anglais au français. Nous pensons avoir réussi à rendre le plus précisément possible l'idée d'origine de chacun des auteurs cités.

Avec gratitude,
nous dédions ce livre
à Mère Teresa et à toutes les femmes
qui répondent à l'appel
de partager leur cœur et leur amour.

Remerciements

Il a fallu plus d'un an pour écrire, compiler et éditer *Bouillon de poulet pour l'âme de la femme II*. Ce fut une véritable œuvre d'amour pour chacun de nous. Une des grandes joies de la création de ce livre a été l'occasion de travailler avec des gens qui ont consacré à ce projet non seulement leur temps et leur attention, mais aussi leur cœur et leur âme. Nous aimerions remercier les personnes suivantes pour leur dévouement et leur contribution; sans elles ce livre n'aurait pu voir le jour :

Merci à nos familles, qui nous ont donné amour et soutien pendant toute la durée de ce projet et qui ont été un bouillon de poulet pour *notre* âme!

Merci à Dan Hawthorne, dont l'acceptation inconditionnelle, l'enthousiasme pour notre travail et le grand sens de l'humour nous ont toujours incités à aller plus loin. Merci d'être un de nos plus fervents admirateurs.

Aussi à Amy et William Hawthorne, pour avoir partagé leur point de vue de jeunes et pour leurs encouragements.

Et à Maureen H. Read, qui nous a toujours soutenus.

À Louise et Marcus Shimoff, qui pensent toujours à nous et nous donnent amour et soutien à tous les niveaux.

Merci à Georgia Noble, pour son amour et son soutien bienveillant pendant que nous travaillions à ce projet.

À Christopher Noble Canfield, pour avoir partagé avec nous son innocence, ses dessins, ses chants, son jeu, ses merveilleuses étreintes et son amour débordant de la vie.

À Patty Hansen, et Elisabeth et Melanie Hansen, pour avoir une fois de plus partagé avec nous et nous avoir encouragés dans la naissance d'un autre livre.

À Patty Aubery, celle grâce à qui tout fonctionne au bureau central de *Bouillon de poulet pour l'âme.* Ton grand cœur, ton souci de la précision et ton dévouement sont une inspiration constante, et nous apprécions toujours pouvoir compter sur toi.

À Beverly Merson, qui a mis son cœur et son âme dans ce projet. Nous vous sommes reconnaissants pour votre talent extraordinaire de recherchiste, vos solutions originales aux problèmes et pour votre engagement total dans ce livre. Merci du fond du cœur.

Merci à Elinor Hall, dont le travail extraordinaire nous a aidés à lire et à rechercher des histoires pour ce livre. Nous apprécions grandement ton soutien, ton amour et ton amitié.

À Carol Kline, qui a si bien contribué à la recherche, à la rédaction et à la révision des histoires de ce livre. Carol, tu es une rédactrice géniale et nous sommes reconnaissants pour tes talents et ton amitié indéfectible.

À Cynthia Knowlton et Sue Penberthy, pour avoir loyalement soutenu et pris soin de Jennifer et Marci. Merci de nous avoir gardés sains d'esprit. Nous n'aurions pu réussir sans vous deux.

À Sharon Linnéa, Erica Orloff et Wendy Miles, pour avoir si magnifiquement révisé de nombreuses histoires. Votre touche de réviseuses a bien saisi l'essence de *Bouillon de poulet*. Merci à Joanne Cox, pour son beau travail de traitement de texte et la préparation de notre manuscrit initial. Merci de ton souci du détail et de ta loyauté envers ce projet. À Craig Herndon, notre héros dans la gestion de l'information, qui nous a aidés à la préparation du manuscrit initial.

À Suzanne Thomas Lawlor, pour son excellente contribution à la recherche et à la lecture des centaines d'histoires qui nous avaient été soumises.

À Jeanette Lisefski, pour avoir su faire fonctionner impeccablement certaines sections de notre bureau.

Merci à Peter Vegso et Gary Seidler de Health Communications, Inc., nos extraordinaires éditeurs, pour leur vision et leur détermination à offrir au monde *Bouillon de poulet pour l'âme*.

À Heather McNamara, directrice de la série *Bouillon de poulet pour l'âme*, pour avoir travaillé avec nous pendant le processus d'élaboration de ce livre et pour avoir préparé et dirigé notre manuscrit final. Tu es une vraie professionnelle et c'est un plaisir de travailler avec toi.

À Nancy Mitchell, pour avoir géré le processus toujours difficile de l'obtention des autorisations de publier les histoires de ce livre — et d'avoir réussi malgré tout à rester saine d'esprit. Merci pour ton aide inestimable.

Merci à Leslie Forbes, qui a toujours répondu à l'appel avec le sourire aux lèvres et beaucoup d'amour dans le cœur. À Veronica Romero et Robin Yerian, pour avoir fait en sorte que le bureau de Jack fonctionne bien pendant la production de ce livre. À Rosalie Miller, qui a assuré le flot harmonieux des communications pendant ce projet. Ton sourire et tes encouragements constants ont allégé notre cœur. À Theresa Esparza, qui a si brillamment coordonné les conférences, les déplacements et les entrevues à la radio et à la télévision de Jack pendant cette période. À Kimberly Kirberger, pour son soutien constant dans tous les domaines.

Merci à Larry et Linda Price, qui, en plus d'assurer le fonctionnement harmonieux de la Foundation for Self-Esteem de Jack, continuent de gérer le projet Soup Kitchens for the Soul qui distribue gratuitement chaque année des milliers d'exemplaires de *Bouillon de poulet pour l'âme* dans des maisons de transition, des refuges pour les sans-abri, des refuges pour femmes battues et des écoles de quartiers défavorisés, de même qu'à des détenus.

À John et Shannon Tullius, John Saul, Mike Sacks, Bud Gardner, Dan Poynter, Bryce Courtney, Terry Brooks et tous nos amis de la Maui Writers Conference and Retreat, qui nous inspirent et nous encouragent chaque année.

À Christine Belleris, Matthew Diener, Lisa Drucker et Allison Janse, nos réviseurs chez Health Communications, de leurs généreux efforts pour avoir amené ce livre à un haut degré d'excellence. À Randee Goldsmith, directrice des *Bouillon de poulet pour l'âme* chez Health Communications, pour avoir coordonné et soutenu de main de maître tous les projets de *Bouillon de poulet*.

Merci à Terry Burke, Irene Xanthos, Jane Barone, Lori Golden, Kelly Johnson Maragni, Karen Baliff Ornstein et Yvonne zum Tobel, l'équipe de Health Communications responsable de la vente et de la promotion des livres *Bouillon de poulet*. À Kim Weiss, Larry Getlen et Ronni O'Brien, de Health Communications, pour leur travail en publicité et en marketing.

À Andrea Perrine Brower, de Health Communications, pour avoir fait preuve de tant de patience et de coopération pendant la préparation de la couverture de ce livre. À Robbin O'Neill, et George et Felicity Foster, pour leur apport artistique et leurs idées précieuses pour le design de la couverture de ce livre.

À Rochelle Pennington, qui nous a aidés avec les citations.

Merci à Sandra McCormick Hill et Lynn Ramage, de *Reader's Digest*, et Maria Porzio, de Economics Press, qui ont fait des efforts extraordinaires pour nous aider.

À Jim Rubis et à la bibliothèque publique de Fairfield (Iowa), et à Tony Kainauskas, Arnie Wolfson et Shirley Norway de 21st Century Bookstore, pour leur contribution exceptionnelle à la recherche.

À Fairfield Printing, particulièrement à Stephanie Harward et Cindy Sharp, pour leur appui enthousiaste.

À Tom Simmons et Sherry Johnson du bureau de poste de Fairfield, pour leur aide exceptionnelle.

À Jerry Teplitz, pour sa méthode originale de tester le design du manuscrit et de la couverture.

À John Reiner, dont les plats exquis ont nourri nos corps et nos âmes pendant les dernières semaines de ce projet. À Robert Kenyon, dont l'amour, l'humour et le soutien ne se sont jamais démentis. À Debra Poneman, pour son inspiration. Merci à Terry Johnson et Bill Levacy, pour leurs sages conseils sur certains aspects de ce projet. À M., pour ses cadeaux de sagesse et de connaissance. À Ann Blanchard, pour sa force, sa clarté et ses conseils remplis d'amour.

Aux personnes suivantes, pour leur appui et leur encouragement en cours de projet : Ron Hall, Amsheva Miller, Paul et Susan Shimoff, et Lynda Valles.

Nous exprimons notre gratitude aux personnes suivantes qui se sont acquittées de la tâche monumentale de lire le manuscrit préliminaire de ce livre, de nous aider à faire le choix final, et pour leurs commentaires inestimables sur la manière d'améliorer ce livre : Christine Belleris, Carolyn Burch, Diana Chapman, Linda DeGraaff, Lisa Drucker, Leslie Forbes, Mary Gagnon, Randee Goldsmith, Elinor Hall, Amy Hawthorne, Carol Jackson, Allison Janse, Carol Kline, Jeanette Lisefski, Kathy Karocki, Cynthia Knowlton, Robin Kotok, Ariane Luckey, Barbara McLoughlin, Karen McLoughlin, Heather McNamara, Barbara McQuaide, Beverly Merson, Holly Moore, Sandra Moradi, Sue Penberthy, Maureed H. Read, Wendy Read, Karen Rosenstein, Heather Sanders, Marcus et Louise Shimoff, Belinda Stroup et Lynda Valles.

Nous aimerions aussi remercier les personnes suivantes qui ont pris le temps de faire connaître ce livre et nous ont aidés à entrer en communication avec d'autres auteurs : Terry Marotta, Marsha Arons, Jean Ravenscroft, Rob Spiegel, Eddy Hall, Marilyn Strube, Melanie Hemry, Maxine Holder, Marlene Bagnull, Bob Lightman, Carol Zetterberger, Pam Gordon, Ray Newton, Marion Bond West, John Fuhrman, Robyn Weaver, Susan Osborne, Meera Lester, Reg A. Forder, Elaine Colvin Wright, Elizabeth Klungness, Anita Gilbert et Marden Burr Mitchel.

Nous sommes reconnaissants à tous les coauteurs des *Bouillon de poulet pour l'âme*, qui nous apportent la joie de faire partie de cette famille de *Bouillon de poulet* : Patty Aubery, Marty Becker, Ron Camacho, Irene Dunlap, Patty Hansen, Kimberly Kirberger, Tim Clauss, Carol Kline, Hanoch McCarty, Meladee McCarty, Nancy Mitchell, Maida Rogerson, Martin Rutte, Barry Spilchuk et Diana von Welanetz Wentworth.

Nous désirons aussi remercier les centaines de personnes qui nous ont fait parvenir des histoires, des poèmes ou des citations pour inclusion possible dans *Bouillon de poulet pour l'âme de la femme II*. Même si nous n'avons pu utiliser tout le matériel que vous nous avez envoyé, nous avons été très touchés par votre intention sincère de partager votre vie et vos histoires avec nos lecteurs et nous. Il est possible que nous utilisions plusieurs de ces histoires dans les livres futurs de *Bouillon de poulet pour l'âme*. Merci!

Comme ce projet était gigantesque, nous avons probablement oublié quelques personnes qui nous ont aidés en cours de route. Si c'était le cas, sachez que nous vous appréciions tous infiniment. Nous sommes véritablement reconnaissants envers toutes les mains et tous les cœurs qui ont rendu ce livre possible. Nous vous aimons tous et toutes!

Introduction

Bienvenue à *Bouillon de poulet pour l'âme de la femme II : d'autres histoires pour ouvrir le cœur et raviver l'âme de la femme.*

Depuis la parution du premier *Bouillon de poulet pour l'âme de la femme*, les réactions des lecteurs du monde entier ont dépassé toutes nos espérances. Le livre a dominé les plus importantes listes de best-sellers aux États-Unis et il continue d'être lu par des millions de personnes.

Cependant, nous avons été plus particulièrement touchés par les réactions sur la façon dont les histoires ont touché la vie de femmes du monde entier. En écrivant ce livre, nous voulions ouvrir les cœurs et toucher l'âme des femmes de partout. De toute évidence, nous avons réussi.

Plusieurs lecteurs nous ont dit que ces histoires sont comme des croustilles — une fois qu'on commence, on ne peut s'arrêter après une seule histoire. Les lettres et commentaires que nous avons reçus ont été tellement émouvants et inspirants que nous avons voulu en partager quelques-uns avec vous.

Des Bahamas : « C'est tout simplement un des meilleurs livres que j'ai lus depuis longtemps. Rendue à la moitié du livre, j'ai délibérément ralenti le rythme de ma lecture car je ne voulais pas que ces belles histoires se terminent. »

De la Nouvelle-Zélande : « ... après avoir lu ce livre, je peux honnêtement vous confier que je dis plus souvent merci, et lorsque j'entre dans mon lit chaud le soir, j'ai de la gratitude. »

Du Michigan : « Les histoires m'ont fait pleurer — pas de tristesse, mais de joie. Je me suis dit : "Qui sont ces femmes et comment se fait-il que je ne les connaisse pas? Elles me ressemblent tellement parfois; elles se battent mais avec un sens aigu de leur identité." Je me suis alors entendue dire, "Je les connais. *Je suis ces femmes.*" »

De la Californie : « Je souffre de dépression. Je n'ai jamais voulu prendre d'antidépresseurs à cause des effets secondaires. Vos livres me servent de médicaments. Quand je peux lire une histoire ou deux dans la journée, je me sens bien. Étant mère célibataire, la vie est déjà assez difficile, mais vos livres m'apportent ce dont j'ai besoin pour que les choses soient un tout petit peu plus faciles. »

On nous demande souvent pourquoi les livres *Bouillon de poulet pour l'âme* sont devenus un véritable phénomène. Notre expérience nous a appris que l'âme des gens semble avoir soif de spirituel. Plongés dans les mauvaises nouvelles à cœur de journée, ils sont soulagés d'entendre ces histoires vraies d'espoir, de courage, d'amour et d'inspiration. Elles nourrissent l'âme.

Mère Teresa a dit : *La pire maladie qui accable l'Occident de nos jours n'est pas la tuberculose ou la lèpre ; c'est le sentiment de n'être pas désiré, pas aimé et laissé pour compte. Nous pouvons guérir les maladies physiques avec la médecine, mais le seul remède contre la solitude, le désespoir et le sentiment d'impuissance est l'amour. Plusieurs personnes dans le monde se meurent d'avoir un peu de pain, mais plus nombreux encore sont ceux qui se meurent d'avoir un peu d'amour. La pauvreté de l'Occident est une autre sorte de pauvreté — ce n'est pas seulement la pauvreté de la solitude, mais aussi la pauvreté spirituelle. Il y a une soif d'amour…*

Les histoires racontées dans *Bouillon de poulet pour l'âme de la femme II* parlent de gens ordinaires qui font des choses extraordinaires. Nous sommes heureux de célébrer le bien chez les gens et nous souhaitons que ce « bouillon » aidera à apaiser, même de façon minimale, la soif d'amour dans le monde.

1

L'AMOUR

Personne, même les poètes, n'a jamais mesuré combien peut contenir le cœur.

Zelda Fitzgerald

Le portefeuille

En rentrant à la maison par une froide journée, je suis tombé par hasard sur un portefeuille que quelqu'un avait perdu dans la rue. Je l'ai ramassé et j'ai regardé à l'intérieur pour identifier son propriétaire et l'appeler. Mais le portefeuille ne contenait que trois dollars et une lettre chiffonnée qui semblait être là depuis des années.

L'enveloppe était usée et la seule chose visible était l'adresse de retour. J'ai commencé à ouvrir la lettre en espérant y trouver plus d'informations. Puis, j'ai vu la date — 1924. La lettre avait été écrite près de soixante ans plus tôt.

C'était une belle écriture féminine, sur du papier bleu poudre avec une petite fleur dans le coin gauche. C'était une lettre d'adieu qui annonçait à son destinataire, dont le nom semblait être Michael, que la signataire ne pourrait plus le voir car sa mère le lui interdisait. Malgré cela, avait-elle écrit, elle l'aimerait toujours. Et c'était signé Hannah.

C'était une belle lettre mais il était impossible d'identifier son propriétaire, sauf par le prénom Michael. Si j'appelais les renseignements, la téléphoniste pourrait me donner un numéro correspondant à l'adresse sur l'enveloppe.

« Madame, ai-je dit, j'ai une demande inhabituelle. Je cherche à retracer le propriétaire d'un portefeuille que je viens de trouver. Pouvez-vous me dire si vous avez un numéro de téléphone correspondant à une adresse qui apparaît sur une enveloppe dans le portefeuille? »

Elle m'a suggéré de parler à sa superviseure qui, après avoir hésité un moment, m'a dit : « Nous avons bien un numéro de téléphone pour cette adresse, mais je ne peux vous le donner. » Elle m'a offert, par courtoisie, d'appeler le numéro, d'expliquer mon cas et de demander à la personne qui répondrait si elle accepterait de me parler. J'ai attendu quelques minutes, puis la superviseure est revenue en ligne. « J'ai en ligne une personne qui accepte de vous parler. »

J'ai demandé à la femme à l'autre bout de la ligne si elle connaissait quelqu'un qui s'appelait Hannah. Elle a fait : « Oh! Nous avons acheté cette maison d'une famille dont la fille s'appelait Hannah. Mais, c'était il y a plus de trente ans! »

« Sauriez-vous où je pourrais rejoindre cette famille aujourd'hui? » ai-je demandé.

« Je me souviens que Hannah a dû placer sa mère dans une maison de retraite il y a quelques années, a dit la femme. Vous pourriez peut-être rejoindre la fille en leur parlant. »

Elle m'a donné le nom de la résidence et j'ai appelé. La femme au téléphone m'a dit que la vieille dame était morte plusieurs années auparavant, mais ils avaient le numéro de téléphone de l'endroit où vivait peut-être encore la fille.

J'ai remercié la femme de la maison de retraite et j'ai composé le numéro qu'elle m'avait donné. La femme qui m'a répondu m'a expliqué que Hannah était elle-même dans une résidence.

Tout ceci est stupide, me suis-je dit. *Pourquoi faire tant d'efforts pour trouver le propriétaire d'un portefeuille qui ne contenait que trois dollars et une lettre vieille de soixante ans?*

J'ai néanmoins appelé la résidence où était censé vivre Hannah et l'homme qui m'a répondu m'a dit : « Bien sûr, Hannah demeure avec nous. »

Même s'il était près de 22 h, j'ai demandé si je pouvais passer la voir. « Eh bien, a-t-il dit en hésitant, si vous voulez courir la chance, vous la trouverez peut-être dans la salle de séjour en train de regarder la télévision. »

Je l'ai remercié et je me suis rendu à la maison de retraite. L'infirmière de nuit et un gardien m'ont accueilli à la porte. Nous sommes montés au troisième étage du gros édifice. Dans la salle de séjour, l'infirmière m'a présenté à Hannah. C'était une douce petite vieille avec un chaleureux sourire et un petit regard malicieux.

Je lui ai raconté comment j'avais trouvé le portefeuille et je lui ai montré la lettre. Dès qu'elle a aperçu l'enveloppe bleu poudre avec la petite fleur du côté gauche, elle a soupiré profondément et dit : « Jeune homme, cette lettre est le dernier contact que j'ai eu avec Michael. »

Elle a regardé au loin, absorbée dans ses pensées, et elle a ajouté doucement : « Je l'aimais beaucoup. Mais je n'avais que seize ans et ma mère croyait que j'étais trop jeune. Oh! il était si beau. Il ressemblait à Sean Connery, l'acteur.

« Oui, a-t-elle poursuivi, Michael Goldstein était un être merveilleux. Si vous le retrouvez, dites-lui que je pense souvent à lui. Et », elle a hésité un moment, se mordant presque la lèvre, « dites-lui que je l'aime toujours. Vous savez », dit-elle en souriant, mais les larmes lui montant aux yeux, « je ne me suis jamais mariée. J'imagine que personne ne pouvait se comparer à Michael… »

J'ai remercié Hannah et je lui ai dit au revoir. J'ai pris l'ascenseur jusqu'au rez-de-chaussée, et le gardien m'a demandé : « La vieille dame a-t-elle pu vous aider? »

Je lui ai dit qu'elle m'avait mis sur une piste. « Au moins, j'ai eu un nom de famille. Mais je crois cependant que je vais laisser tomber pendant quelque temps. J'ai passé près d'une journée entière à essayer de retracer le propriétaire de ce portefeuille. »

J'avais sorti le portefeuille, un simple étui en cuir brun, avec un liséré rouge. Quand le gardien l'a vu, il a dit : « Attendez! C'est le portefeuille de Monsieur Goldstein. Je le reconnaîtrais n'importe où, avec ce liséré rouge vif. Il le perd tout le temps. J'ai dû le retrouver au moins trois fois dans le corridor. »

« Qui est Monsieur Goldstein? » ai-je demandé, la main tremblante.

« C'est un de nos anciens du huitième. C'est bien le portefeuille de Monsieur Goldstein. Il a dû le perdre pendant une de ses promenades. »

J'ai remercié le gardien et j'ai couru vers le poste des infirmières. Je lui ai répété ce que le gardien m'avait dit. Nous avons repris l'ascenseur. J'espérais que Monsieur Goldstein ne soit pas couché.

Au huitième, l'infirmière de l'étage nous a dit : « Je crois bien qu'il est encore dans la salle de séjour. Il aime lire le soir. C'est un charmant vieux monsieur. »

Nous sommes entrés dans la seule chambre où il y avait encore de la lumière et nous y avons vu un homme qui lisait un livre. L'infirmière est allée le trouver et lui a demandé s'il avait perdu son portefeuille. M. Goldstein a levé la tête, surpris, a tâté sa poche arrière et a dit : « Oh, il n'est pas là! »

« Ce bon monsieur a trouvé un portefeuille et il se demandait si ce ne serait pas le vôtre. »

J'ai tendu le portefeuille à Monsieur Goldstein. En le voyant, il a souri avec soulagement et dit : « C'est bien lui! Il a dû tomber de ma poche cet après-midi. Je veux vous donner une récompense. »

« Non, merci, ai-je dit. Mais je dois vous dire quelque chose. J'ai lu la lettre en espérant découvrir à qui appartenait le portefeuille. »

Son sourire a soudainement disparu. « Vous avez lu cette lettre? »

« Non seulement l'ai-je lue, mais je crois savoir où se trouve Hannah. »

Il blêmit soudainement. « Hannah? Vous savez où elle est? Comment est-elle? Est-elle toujours aussi jolie? Je vous en prie, dites-le-moi », supplia-t-il.

« Elle est bien... toujours aussi jolie qu'à l'époque où vous l'avez connue », dis-je doucement.

Le vieil homme a souri, se réjouissant d'avance, et a demandé : « Pouvez-vous me dire où elle se trouve? J'aimerais lui téléphoner demain. » Il prit ma main avant d'ajouter : « Vous savez, monsieur, j'aimais tellement cette fille que, lorsque j'ai reçu la lettre, ma vie a littéralement pris fin. Je ne me suis jamais marié. Je crois que je l'ai toujours aimée. »

« Michael, dis-je, venez avec moi. »

Nous avons pris l'ascenseur jusqu'au troisième. Il faisait sombre dans le corridor où une ou deux petites veilleuses éclairaient notre chemin jusqu'à la salle de séjour où Hannah regardait, seule, la télévision.

L'infirmière s'approcha d'elle.

« Hannah », dit-elle doucement en montrant Michael qui se tenait à la porte avec moi, « connaissez-vous cet homme? »

Elle ajusta ses lunettes, regarda pendant un moment, mais ne dit rien.

Michael dit doucement, presque dans un chuchotement : « Hannah, c'est Michael, te souviens-tu de moi? »

Elle eut le souffle coupé : « Michael! Je ne peux y croire, c'est Michael! C'est toi! Mon Michael! »

Il s'est approché lentement d'elle et ils se sont enlacés. L'infirmière et moi, les larmes au yeux, avons quitté la pièce.

« Et voilà! dis-je. Les voies du Seigneur sont impénétrables! Ce qui doit arriver, arrivera. »

Quelque trois semaines plus tard, j'ai reçu un appel à mon bureau de la maison de retraite. « Pouvez-vous vous libérer dimanche pour assister à un mariage? Michael et Hannah vont s'épouser! »

C'était un très beau mariage. Tous les résidents de la maison étaient tirés à quatre épingles pour assister à la cérémonie. Hannah était superbe dans sa robe beige pâle. Michael, très fier, portait un costume bleu nuit. J'étais leur garçon d'honneur.

La résidence leur a donné leur propre chambre. Il fallait voir cette mariée de soixante-seize ans et ce marié de soixante-dix-neuf ans se comporter comme un couple d'adolescents.

Une fin parfaite à une histoire d'amour qui a duré près de soixante ans.

Arnold Fine

Un cadeau pour Robby

Le petit Robby, le neveu de notre voisine, a soigneusement mis un peu de sa ration d'eau dans une soucoupe et s'est dirigé vers la porte. J'avais en horreur ce rationnement de l'eau. Nous devions nous laver sans savon dans le petit étang creux que nous partagions avec Jessy, notre vache. Elle était tout ce qui nous restait. Les puits étaient taris, les récoltes étaient en poussière et s'envolaient au vent avec nos rêves, à cause de la pire sécheresse que notre petite communauté agricole n'avait jamais connue.

J'ai tenu la porte moustiquaire pour Robby et je l'ai regardé en souriant descendre prudemment les marches. Des douzaines d'abeilles volaient autour de ses cheveux bruns ébouriffés, formant comme un halo d'ange. Il a imité leur bourdonnement, ce qui les a attirées vers la soucoupe pour y boire le précieux liquide.

J'entendais les paroles de sa tante :

« Je ne sais pas à quoi j'ai pensé en acceptant de le prendre. Les médecins ont dit qu'il n'avait pas été blessé dans l'accident qui a tué ma sœur, mais il ne parle pas. Il fait bien des bruits, mais ce ne sont pas des sons humains. Il est dans son monde, ce garçon, il ne ressemble aucunement à mes propres enfants. »

Comment ne pouvait-elle pas voir les dons magnifiques de ce petit garçon de quatre ans? Mon cœur souffrait pour Robby. Il avait pris une place précieuse dans notre monde, il m'aidait vaillamment à m'occuper du jardin et se promenait en tracteur avec mon mari, Tom, ou il l'aidait à rentrer le foin. Il était doté d'une nature aimante et il ressentait une profonde admiration pour toutes choses vivantes. Je savais aussi qu'il pouvait parler aux animaux.

Nous nous réjouissions des découvertes qu'il partageait avec nous. Ses yeux bruns, curieux et souvent espiègles, nous disaient qu'il comprenait tout ce que nous disions. Je voulais l'adopter. Sa tante l'avait très souvent laissé entendre. Nous nous appelions même maman et papa quand nous parlions à Robby. Avant la sécheresse, nous avions même entamé les discussions en vue de l'adoption. Mais les temps étaient si durs maintenant que je ne pouvais pas aborder le sujet avec Tom. Le fait d'avoir dû prendre du travail en ville pour pouvoir acheter de la moulée pour Jessie et le strict nécessaire pour nous avait durement touché son moral.

La tante de Robby avait accepté avec empressement quand nous lui avions demandé si Robby pouvait passer l'été chez nous. Il passait déjà toutes ses journées avec nous de toute façon. J'ai essuyé une larme en me souvenant combien frêle et impuissant il m'avait semblé quand elle avait rapidement mis sa main dans la mienne et m'avait remis un sac de papier brun tout froissé. Il contenait deux T-shirts délavés que nous lui avions achetés l'année précédente à la foire du comté et une vieille paire de short. En plus des vêtements qu'il portait, c'était tout ce qu'il possédait, à l'exception d'un bien très précieux.

Attaché à un cordon de soie à son cou pendait un sifflet fait à la main. Tom l'avait fait pour lui au cas où il se perdrait ou serait en danger. Il ne pouvait pas appeler au secours. Il savait très bien que le sifflet n'était pas un jouet. C'était seulement en cas d'urgence et souffler dedans nous ferait accourir tous les deux. Je lui avais raconté l'histoire du petit garçon qui avait crié au loup et je savais qu'il m'avait compris.

J'ai soupiré en essuyant et en rangeant la dernière assiette du souper. Tom est entré dans la cuisine et a pris la cuvette. Chaque once d'eau recyclée était employée dans un petit jardin de légumes que Robby avait semé près de la véranda. Il en était si fier, et nous faisions tout pour le sauver. Si la pluie ne venait pas bientôt, nous le perdrions aussi. Tom a déposé la cuvette sur le comptoir et s'est tourné vers moi.

« Tu sais, chérie, a-t-il commencé à dire, j'ai beaucoup pensé à Robby ces derniers temps. »

Mon cœur battait la chamade, mais avant qu'il puisse ajouter un mot, un son strident en provenance de la cour nous a fait sursauter. *Mon Dieu! C'est le sifflet de Robby!* Le temps que nous arrivions à la porte, le sifflet accéléra son rythme. En courant vers lui, je pensais à des serpents à sonnette. Quand nous l'avons rejoint, Robby pointait frénétiquement vers le ciel et nous ne pouvions pas lui enlever son sifflet de la bouche.

Nous avons regardé vers le ciel et nous avons vu quelque chose de magnifique : des nuages de pluie, de gros nuages de pluie dont le dessous était noir et menaçant!

« Robby, aide-moi vite! Nous avons besoin de toutes les casseroles de la cuisine! »

Le sifflet est tombé de ses lèvres pendant qu'il courait avec moi vers la maison. Tom a filé vers la grange pour en sortir une vieille baignoire. Quand tous les récipients eurent été étalés dans la cour, Robby est retourné en courant vers la maison. Il en est sorti avec trois cuillères en bois qu'il avait pris dans mon tiroir de cuisine et il nous en a donné chacun une. Puis, il a pris ma grosse casserole de fonte et s'est assis en tailleur. Il l'a retournée et s'est mis à la frapper avec la cuillère. Tom et moi avons chacun pris une casserole et nous l'avons accompagné.

« De la pluie pour Robby! De la pluie pour Robby! » chantai-je en suivant le rythme.

Une goutte d'eau a mouillé ma casserole, puis une autre. Bientôt, notre cour était couverte de pluie, de merveilleuse pluie. Nous avions tous le visage tourné vers le ciel pour profiter au maximum de ce luxe indispensable. Tom a pris

Robby dans ses bras et il a dansé autour des pots en poussant des cris de joie. C'est à ce moment que je l'ai entendu — d'abord faible — puis de plus en plus fort : le plus merveilleux, le plus tapageur des fous rires. Tom s'est tourné pour me montrer le visage de Robby. La tête en arrière, il riait à gorge déployée! Je les ai pris tous deux dans mes bras, des larmes de joie se mêlaient à la pluie sur mes joues. Robby a relâché son étreinte de Tom pour me prendre par le cou.

« W-W-Wobby! » a-t-il balbutié. En tendant une petite main pour attraper quelques gouttes, il a ri de nouveau « Wobby … pwuie… Maman », a-t-il murmuré.

Toni Fulco

Un miracle d'amour

Mon petit-fils, Daniel, et moi avons toujours été proches l'un de l'autre. Quand le père de Daniel s'est remarié après un divorce, Daniel, qui avait onze ans, et sa petite sœur, Kristie, sont venus vivre chez nous. Mon mari et moi étions plus qu'heureux d'avoir de nouveau des enfants à la maison.

Les choses allaient très bien jusqu'à ce que le diabète, dont je souffrais depuis l'âge adulte, commence à affecter mes yeux, puis, plus sérieusement, mes reins. C'est alors que tout a semblé éclater.

Je devais aller à l'hôpital trois fois par semaine pour être branchée à une machine à dialyse. J'étais vivante, mais je ne peux pas dire que c'était une vie — c'était une existence. Je n'avais aucune énergie. Je me traînais pour effectuer mes tâches quotidiennes et je dormais autant que je le pouvais. Mon sens de l'humour a semblé disparaître.

Daniel, qui avait dix-sept ans à ce moment, a été très affecté par ce changement chez moi. Il essayait de son mieux de me faire rire, de ramener la grand-maman qui adorait faire le clown avec lui. Malgré mon état déplorable, Daniel réussissait encore à me faire sourire.

Après une année entière en dialyse, mon état empirait. Les médecins croyaient qu'à moins d'une transplantation d'un rein dans les six mois, je mourrais certainement. Personne n'en avait parlé à Daniel, mais il le savait — il m'a dit qu'il n'avait qu'à me regarder. Pour comble de malheur, comme mon état empirait, il était possible que je devienne trop faible pour subir la transplantation. Les médecins ne pourraient alors plus rien pour moi. Nous avons donc entrepris l'attente énervante et désespérée d'un rein.

J'avais bien dit que je ne voulais pas recevoir le rein de quelqu'un que je connaissais. J'attendrais qu'un rein compatible soit disponible ou je mourrais en attendant. Cependant, Daniel ne l'entendait pas ainsi. Chaque fois qu'il m'accompagnait en dialyse, il faisait sa propre recherche secrète. Puis, il m'a communiqué ses intentions.

« Grand-maman, je te donne un de mes reins. Je suis jeune et en santé... » Il a fait une pause. Il voyait bien que son offre ne me faisait pas plaisir. Il a poursuivi dans un murmure : « De plus, je ne pourrais pas le supporter si tu n'étais plus là. » Sur son visage, on voyait un mélange de supplication et de détermination. Il peut être aussi têtu qu'une mule quand il veut quelque chose — mais, on m'a souvent dit que je pouvais, moi aussi, être plus têtue qu'une mule!

Nous avons discuté. Je ne pouvais le laisser faire. Nous savions tous deux que, s'il me donnait son rein, il devait aussi dire adieu au rêve de sa vie : jouer au football. Ce garçon en mangeait littéralement. De plus, il était doué. Daniel était co-capitaine et plaqueur défensif étoile de l'équipe de son école secondaire; il prévoyait demander une bourse de football et attendait avec impatience le moment de jouer au niveau collégial. Il adorait ce sport.

« Comment pourrais-je te laisser abandonner ce qui te tient tellement à cœur? » le suppliai-je.

« Grand-maman, a-t-il répondu doucement, ta vie est bien plus importante que le football pour moi. »

Je ne pouvais plus rien répondre après cela. Nous avons donc entrepris les démarches pour savoir s'il était un donneur compatible, puis nous en discuterions après. Les résultats des tests ont montré que Daniel était un donneur parfaitement compatible. C'en était fait. Je savais que je ne pourrais pas gagner cette discussion. Nous avons donc fixé une date pour la transplantation.

Les deux opérations se sont bien déroulées. Dès que je me suis éveillée de l'anesthésie, j'ai senti que les choses avaient changé. Je me sentais en pleine forme! Les infirmières aux soins intensifs devaient constamment me rappeler de me reposer — je n'étais pas censée être aussi pleine d'entrain! Je ne voulais pas dormir par peur de rompre le charme et m'éveiller comme j'étais avant l'opération. Le sentiment de bien-être ne s'est pas effacé et j'ai passé la soirée à rire et blaguer avec tous ceux qui voulaient bien m'écouter. C'était merveilleux de se sentir vivre à nouveau!

Le lendemain, j'ai quitté l'unité des soins intensifs pour une chambre sur le même étage que Daniel, à trois portes de lui. Son grand-père l'a aidé à marcher pour venir me voir dès que j'ai été installée dans ma chambre. Quand nous nous sommes vus, nous ne savions que dire. Mains dans les mains, nous nous sommes assis et nous sommes regardés pendant un long moment, envahis par ce sentiment d'amour profond qui nous unissait.

Finalement, il a parlé : « Cela valait-il la peine? »

J'ai eu un petit rire triste. « Certainement pour moi! Mais l'est-ce pour toi? » lui ai-je demandé.

Il m'a souri : « J'ai retrouvé ma grand-maman. »

Et j'ai retrouvé ma vie. J'en suis encore étonnée. Chaque matin, à mon réveil, je remercie Dieu — et Daniel — pour ce miracle. Un miracle né du plus pur amour.

Shirlee Allison

[NOTE DE L'ÉDITEUR : Le don désintéressé de Daniel lui a valu d'être choisi l'Athlète étudiant le plus courageux du pays. Il s'est rendu à Disney World pour la cérémonie de remise des prix. Pendant qu'il était là, il a fait la connaissance de Bobby Bowden, entraîneur de l'équipe de football de l'Université d'État de Floride, les Seminoles. Daniel a dit à l'entraîneur Bowden qu'il était un chaud partisan des Seminoles et qu'il avait toujours rêvé de faire partie de cette équipe. Bowden a été si touché par ses propos qu'il a décidé de réaliser le rêve du jeune homme. Au moment d'écrire ces lignes (en 1998), Daniel étudie à l'Université d'État de Floride — en vertu d'une bourse couvrant tous ses frais — et il est un des entraîneurs de l'équipe de football de l'université, un membre très estimé des Seminoles.]

Un rêve devenu réalité

Ils l'ont baptisé « Un rêve devenu réalité ». Le personnel d'Air Canada avait recueilli des fonds et des dons pendant un an pour emmener un avion plein d'enfants à Disney World pour une journée, et c'était aujourd'hui. Il était très tôt, bien sûr, plus tôt que le début d'une journée normale — 4 h du matin.

J'ai gratté le givre de mon pare-brise et j'ai démarré la voiture. On avait attribué dix places sur le vol *Un rêve devenu réalité* à la Société d'aide à l'enfance où je travaillais. Nous avions choisi dix enfants, la plupart d'entre eux en foyers nourriciers, avec une histoire de pauvreté, de négligence et de violence — des enfants qui n'auraient jamais l'occasion de visiter le Royaume enchanté. Dans mon sac, j'avais tous les documents légaux des enfants, des documents qui, dans leur langue officielle, ne parlaient pas des traumatismes que ces jeunes enfants avaient subis.

Nous souhaitions que ce voyage leur permette de voir un monde plus heureux, et leur donne la chance de vivre une journée où ils se sentiraient spéciaux et auraient du plaisir. Il régnait un désordre incroyable à l'aéroport où nous nous sommes retrouvés un peu avant l'aube. Chaque enfant avait reçu un sac à dos rempli de cadeaux, et le niveau d'excitation était indescriptible. Une petite fille avec deux tresses brunes m'a demandé, gênée, si elle pouvait vraiment garder le T-shirt dans son sac à dos.

« Tout est à toi, pour vrai », lui ai-je expliqué, en montrant le contenu de son sac à dos. « Pour toujours? » a-t-elle demandé.

« Pour toujours », ai-je répondu. Elle m'a remerciée avec un grand sourire. Plusieurs enfants se sont rués vers les toilettes pour endosser leurs nouveaux vêtements par-dessus ceux qu'ils portaient déjà. Je ne pouvais pas les convaincre qu'ils auraient trop chaud avec tous ces vêtements quand nous serions en Floride. Deux petites filles avaient trouvé un jeu de dames de voyage parmi leurs cadeaux et s'étaient assises sur le sol au beau milieu de l'aéroport pour jouer.

Il y avait aussi Corby. C'était un des enfants plus âgés, il avait près de douze ans. Il regardait les autres enfants qui sautaient autour de lui. Corby était dans une chaise, les bras croisés, son sac à dos sur le plancher. Quand je me suis approchée de lui, il m'a regardée sans dire un mot.

« Que se passe-t-il, Corby? » ai-je demandé. J'avais lu son dossier. Je savais qu'il avait été violenté et abandonné plusieurs fois par une mère qui allait et venait dans la vie au gré de ses fantaisies. Je ne crois pas qu'on savait qui était son père, Corby le premier. Il était pénible de voir tant de cynisme chez un si jeune enfant.

« Rien. » Il a regardé autour de lui. « Que se passe-t-il vraiment, ici? »

« Tu le sais. D'abord, nous allons prendre le petit-déjeuner. Puis, nous monterons à bord d'un avion et passerons la journée à Disney World. »

« Ouais. » Il a secoué la tête et s'est détourné.

« Corby, c'est la vérité. » Il ne me croyait pas. Avant que je puisse ajouter quoi que ce soit, le personnel d'Air Canada a commencé la distribution de jus et de muffins. Je me suis retrouvée en train d'essuyer les renversements et m'assurer que chacun avait assez mangé. Peu après, nous avons suivi les étoiles qui avaient été collées au sol pour nous mener vers le bon avion et j'ai presque oublié ma conversation avec Corby, alors que j'aidais les enfants à s'installer dans leurs sièges.

En m'assoyant, j'ai retrouvé Corby assis sur le siège juste à côté de moi. « Comme ça, dit-il, nous prenons vraiment l'avion. »

« C'est ce que je t'avais dit. »

« Où nous emmenez-vous, vraiment? »

« Corby, nous allons vraiment, sincèrement, à Disney World. » Il a de nouveau secoué la tête, pensant évidemment que, comme tous les enfants étourdis autour de lui, j'avais été dupée moi aussi.

Aucun des enfants de notre groupe n'avait jamais pris l'avion; alors le voyage a été presque aussi excitant que la visite à Disney World elle-même. Chacun a pu à son tour s'asseoir à côté de la fenêtre, aller visiter le pilote dans la cabine de pilotage et commander des boissons ou des friandises. Peu de temps après, nous étions de nouveau au sol par un 32 degrés de la Floride.

Je pouvais voir que Corby était stupéfait. Il s'est adressé à un employé qui aidait à décharger l'avion: « Est-ce vraiment la Floride? » a-t-il demandé. L'homme en bleu de travail a ri et l'a assuré que c'était bien, en effet, la Floride.

Au moment où les enfants s'engouffraient dans l'autobus qui devait nous emmener vers Disney World, Corby s'attarda. Il voulait encore s'asseoir avec moi. Après un long silence, il a dit : « Je sais ce qui va se produire. Vous allez nous abandonner ici, n'est-ce pas? »

« Non, pas question. Nous allons à Disney World maintenant. Et ce soir, nous rentrons à la maison. »

« Est-ce que je pourrai retourner vivre chez les Mullins? » Ils étaient sa famille d'accueil et avaient donné beaucoup d'amour à cet enfant souvent très difficile.

« Oui, tu retourneras chez les Mullins. Je parie qu'ils seront à l'aéroport quand nous rentrerons. »

« Ouais. » Là encore, il ne me croyait pas.

Le Royaume enchanté a exercé sa magie. Tous les enfants ont eu des oreilles de Mickey Mouse, ont essayé tous les manèges, parfois à deux reprises, se sont empiffrés d'aliments gras, ont parlé à Blanche-Neige, à Minnie Mouse et aux autres personnages, ont applaudi très fort aux spectacles et, en général, ont passé une journée parfaite. Les adultes étaient exténués à force de courir après les enfants, mais nous n'en avons perdu aucun. Même pas Corby, qui a esquissé un petit sourire à son deuxième passage dans « It's a Small World » et qui a aimé la Maison hantée.

Au moment où la nuit tombait sur le Royaume enchanté, nous avons réuni les enfants dans nos groupes et leur avons donné chacun un billet de vingt dollars. C'était pour acheter des souvenirs dans les boutiques de Main Street afin que chaque enfant ait un souvenir personnel de cette journée spéciale.

C'est là que j'ai vu s'exercer une autre sorte de magie. En premier lieu, la petite fille aux tresses m'a dit « Je veux acheter quelque chose pour mon frère, car il n'a pu venir. Que pensez-vous qu'il aimerait? » Je l'ai aidée à choisir un chapeau de Mickey Mouse et un yo-yo. Puis, un autre enfant m'a demandé de l'aider à choisir un cadeau « pour cette fille dans mon foyer d'accueil qui voulait vraiment venir mais n'a pu le faire. » Un autre voulait acheter un cadeau pour son professeur qui lui avait apporté une aide supplémentaire pendant l'année.

Et ainsi de suite, un enfant après l'autre. Mes yeux se remplirent de larmes en voyant chacun de ces enfants — des enfants qui avaient été choisis parce qu'ils venaient de milieux défavorisés — qui cherchaient le bon cadeau à rapporter à quelqu'un qui était resté à la maison. On leur avait donné un peu d'argent à dépenser pour eux-mêmes, ils ont choisi de le dépenser pour d'autres. Enfin, il y eut Corby.

« Nous rentrons vraiment à la maison? » demanda-t-il une fois de plus, mais cette fois, il souriait car il était certain de connaître la réponse.

« Nous rentrons vraiment à la maison », lui dis-je. « Dans ce cas, dit-il, je vais acheter des cadeaux pour les Mullins. » Je lui ai dit que c'était une merveilleuse idée et je me suis éloignée avant qu'il me voie pleurer.

Teresa Pitman

Le plus beau des cadeaux

« Je suis bien contente que tu viennes vivre avec nous, tante Emma », dit Jane, douze ans, en plaçant une étamine tricotée à la main dans la malle aux souvenirs d'Emma. Jane et sa mère aidaient tante Emma à préparer son déménagement. La mère était descendue pour empaqueter la cuisine d'Emma, laissant Jane avec Emma pour l'aider à emballer ses souvenirs personnels.

Jane interrompit son travail pendant un instant et regarda par la fenêtre ouverte à l'étage de la maison de ferme d'Emma. Elle voyait le toit de sa propre maison, à l'autre extrémité du champ de maïs. Le vent lui apportait le bruit des coups de marteau de son père qui terminait fièrement la construction des rallonges à leur nouvelle maison, y compris des pièces additionnelles pour Emma.

Emma soupira : « Cette vieille maison est trop grande pour moi maintenant que je suis seule. »

Le visage de Jane refléta l'angoisse qu'elle voyait chez Emma. Il était encore difficile de croire que le mari d'Emma et leurs quatre enfants ne monteraient plus l'escalier à la course. Ils étaient partis, emportés en l'espace d'une semaine par l'épidémie de diphtérie de l'année précédente.

Jane s'ennuyait des enfants d'Emma plus qu'on ne pouvait l'imaginer. Ils étaient comme ses frères et ses sœurs. Enfant unique, elle avait passé la plus grande partie de sa vie à faire équipe avec les deux filles pour se défendre contre leurs deux satanés frères plus âgés. Aujourd'hui, elle pleurait habituellement en rentrant à la maison à travers les rangs de maïs qui avaient autrefois été les sentiers qui liaient leurs vies.

« Je m'ennuierai tout de même de cette vieille maison. » Emma fit un geste vers le papier peint défraîchi et les boiseries usées. « C'est la seule maison que j'ai connue depuis que nous sommes partis de notre vieux pays. » Les yeux pleins d'eau, elle étreignait une courtepointe de lit de bébé avant de la ranger dans la malle.

« Raconte-moi encore votre départ d'Irlande avec maman et papa », supplia Jane, en espérant voir les yeux d'Emma s'animer, comme chaque fois qu'elle racontait cette aventure.

« Tu l'as entendue des centaines de fois », dit Emma, en s'assoyant dans une berceuse avec une pile de vêtements d'enfants sur les genoux.

« Mais j'adore ça! » supplia Jane. « Parle-moi encore de papa et maman à cette époque. » Même si elle ne pensait pas souvent au fait qu'elle avait été adoptée, Jane se demandait parfois si ce n'était pas ce qui expliquait son intérêt constant pour les vieilles histoires de famille. Elle s'assit sur le tapis tressé au pied de la berceuse et elle écouta.

« Eh bien, ta mère et moi étions de grandes amies — comme des sœurs — toute notre vie. »

Comme en réponse à un signal, Jane laissa échapper : « C'est pour cela que je t'appelle tante Emma, même si nous ne sommes pas parentes! »

Emma fit un clin d'œil et sourit. En vérité, après maman et papa, Jane aimait Emma plus que n'importe qui d'autre au monde.

« Ainsi, il était naturel que nos maris deviennent aussi de très bons amis », poursuivit Emma.

« Nous faisions tout ensemble, tous les quatre. Nous dansions... » La voix d'Emma se tut et sa tête se balança légèrement, comme si elle suivait la musique. Puis, ses yeux se mirent à danser eux aussi.

« Tous les quatre, nous partagions tout, les moments heureux et les moments malheureux. Ta maman a assisté à la naissance de chacun de nos enfants, même si elle ne pouvait pas avoir d'enfants à elle. » Emma fit sa pause habituelle et secoua la tête doucement.

« Jamais une femme n'a autant désiré ou mérité un enfant plus que ta mère. Elle voulait un bébé plus que tout au monde. »

« Je sais, murmura Jane, puis elle sourit. C'est pourquoi je suis si contente qu'elle m'ait eue. Elle m'appelle son cadeau bien spécial. »

Emma soupira. « Alors, lorsque mon mari, Patrick, a eu l'occasion de venir s'installer sur une ferme du Wisconsin, en Amérique, il n'a pas fallu beaucoup de temps pour convaincre tes parents de venir avec nous. Comme je l'ai déjà dit, nous partagions tout. » Emma se berçait en racontant le difficile voyage. Une tempête en mer avait ballotté le bateau pendant des semaines, plus longtemps que prévu. Tous les passagers avaient été malades.

« Surtout moi, geignit Emma. J'attendais notre cinquième enfant. Sans ta maman, je n'aurais pas pu survivre au voyage. Patrick et les autres étaient bien trop malades pour s'occuper de moi. Je sentais que j'allais perdre le bébé. » Elle s'arrêta et essuya ses larmes avec la chemise d'enfant qu'elle tenait. « Ta mère a quitté son propre lit de malade pour m'aider… » Sa voix se tut à nouveau. « Elle a été un ange. Sans elle, le bébé et moi serions morts sur-le-champ. »

Jane mit sa tête sur les genoux d'Emma. « Je suis si contente que tu t'en sois tirée. Ma vie n'aurait pas été la même sans toi. »

Jane regarda le visage d'Emma. Elle savait que cette partie de l'histoire était difficile à raconter pour Emma, alors Jane a poursuivi pour elle. « Grâce à maman, cette petite fille toute rose et mignonne est née sur ce vieux bateau! » Leurs visages se sont illuminés puis se sont attristés quand Jane ajouta : « Mais le lendemain, ton bébé est allé vivre avec les anges. »

Emma a secoué la tête. Elle s'est levée brusquement et a commencé à mettre les objets qu'elle tenait dans son coffre à trésors. Sans dire un mot, elle est allée vers un tiroir d'où elle a commencé à sortir d'autres vêtements d'enfants. Elle a mis les articles usés dans une boîte de bois. Les autres ont été placés avec respect dans la malle.

Le vieil escalier de bois a craqué quand maman est montée de la cuisine. Elle a pris la main de Jane et s'est assise à ses côtés sur le lit.

Du tiroir du bas, Emma a sorti un paquet enveloppé de toile de lin blanche et attaché avec un ruban de satin. Elle l'a mis sur le lit et a lentement commencé à le développer. Elle a déposé les vêtements blancs un par un sur le couvre-lit.

« Ce sont les robes de baptême que j'ai faites pour chacun de mes enfants avant leur naissance », dit-elle doucement.

Maman a pressé la main de Jane.

Les doigts d'Emma tremblaient pendant qu'elle lissait le tissu et redressait la dentelle sur chacune des robes délicates. « J'ai cousu chacune d'elle à la main et j'ai crocheté la bordure moi-même. »

Maman a pris la main d'Emma et l'a caressée, comme si elles savaient toutes les deux que le temps était venu de raconter *toute* l'histoire. Emma a pris chacune des robes tour à tour. « J'avais l'intention de les donner à mes enfants quand ils seraient grands pour les garder en souvenir. » Elle pouvait à peine parler. « Celle-ci était à Colin. Celle-là à Shane. Celle-ci à Kathleen. Et celle-là à Margaret. »

Ses larmes mouillèrent la cinquième qu'elle a remise à Jane. « Et celle-ci était la tienne. » Des pensées, des souvenirs et de vieilles histoires se bousculaient dans la tête de

Jane. Elle a scruté les yeux de sa mère avant de se tourner vers Emma.

« Que veux-tu dire, tante Emma? »

La voix d'Emma tremblait. « As-tu déjà remarqué que je n'ai jamais dit que cette petite fille était morte. J'ai simplement dit qu'elle était allée vivre chez les anges de Dieu? »

Jane secoua la tête: « Ce bébé, c'est moi? » Ses lèvres arborèrent un sourire hésitant : « Et maman et papa étaient les anges de Dieu sur terre! »

Emma hocha la tête. « Dans le vieux pays, c'était la tradition qu'une famille donne un de ses bébés quand une femme ne pouvait en avoir elle-même. J'aimais tellement ta maman... » Sa voix se brisa, alors maman termina la phrase.

« Alors, Patrick et elle nous ont donné le plus beau cadeau d'amour. »

Le sourire de Jane s'épanouit : « Ton cadeau spécial. » Elle étreignit sa maman.

Les larmes coulaient sur les joues de maman pendant qu'elle berçait Jane dans ses bras. « C'est comme si Dieu t'avait donnée à papa et à moi pour te sauvegarder. »

Emma pleurait doucement: « Oh! Jane... Je t'aurais perdue comme les autres. »

Jane caressa la robe de baptême, puis enlaça Emma en murmurant : « Merci. »

Le bruit du marteau de papa entrait par la fenêtre ouverte. Emma sourit et ses yeux dansaient. « Il y a douze ans, sur ce bateau, j'ai donné à tes parents le plus beau des cadeaux. Aujourd'hui, ils partagent ce cadeau spécial avec moi. »

LeAnn Thieman

L'étoile de Noël

C'était le premier Noël de ma grand-mère sans grand-papa, et nous lui avions promis, avant sa mort, que nous ferions de ce Noël le plus beau de sa vie. Quand ma mère, mon père, mes trois sœurs et moi sommes arrivés à sa petite maison dans les montagnes de la Caroline du Nord, nous avons découvert qu'elle avait attendu, sans se coucher de toute la nuit, notre arrivée. Après nous être embrassés, Donna, Karen, Kristi et moi avons couru dans la maison. Elle semblait un peu vide sans la présence de grand-papa, mais nous savions qu'il nous revenait de rendre ce Noël spécial pour elle.

Grand-papa disait toujours que l'arbre de Noël était la décoration la plus importante. Nous avons donc immédiatement commencé à assembler le superbe arbre artificiel qui était rangé dans la penderie de grand-papa. Même artificiel, c'était le plus réaliste des pins Douglas que j'avais jamais vus. Tout au fond de la penderie, il y a avait une panoplie de décorations spectaculaires dont une grande partie avait appartenu à mon père quand il était petit. À mesure que nous les déballions, grand-maman avait une histoire à raconter sur chacune d'elles. Ma mère a garni l'arbre de lumières blanches et d'une guirlande rouge; mes sœurs et moi avons délicatement posé les décorations dans l'arbre et, pour finir, papa a eu l'honneur d'illuminer l'arbre.

Nous nous sommes reculés pour admirer notre travail. À nos yeux, il était magnifique, aussi beau que l'arbre qui orne le Rockefeller Center. Mais, il manquait quelque chose.

« Où est ton étoile? » ai-je demandé. L'étoile était ce que ma grand-mère préférait dans l'arbre.

« J'imagine qu'elle est ici quelque part, répondit-elle en fouillant dans les boîtes. Ton grand-père emballait tout très soigneusement quand il démontait l'arbre. »

Nous avons vidé les boîtes les unes après les autres sans trouver l'étoile. Les yeux de ma grand-mère se sont remplis de larmes. Il ne s'agissait pas d'une décoration ordinaire, mais d'une étoile dorée très ouvragée, couverte de pierres multicolores et d'ampoules bleues qui clignotaient. Qui plus est, mon grand-père l'avait offerte à grand-maman quelque cinquante ans plus tôt, pour leur premier Noël ensemble. Aujourd'hui, pour son premier Noël sans lui, l'étoile avait disparu.

« Ne t'en fais pas, grand-maman, l'ai-je rassurée. Nous la trouverons pour toi. » Mes sœurs et moi avons entrepris les recherches.

« Commençons par l'armoire où étaient les décorations, dit Donna. La boîte est peut-être tout simplement tombée. » Cela semblait logique, alors nous avons monté sur une chaise et fouillé le placard de grand-papa. Nous avons trouvé des vieux albums de promotion, des photos de famille, des cartes de Noël des années passées, et même des robes de soirée et des coffrets à bijoux, mais point d'étoile.

Nous avons regardé sous les lits et sur les tablettes, dehors, dedans, jusqu'à ce que nous ayons épuisé toutes les possibilités. Nous voyions bien que grand-maman était déçue, même si elle faisait des efforts pour ne pas le montrer.

« Nous pourrions acheter une nouvelle étoile », a suggéré Kristi.

« Je t'en ferai une avec du papier de construction », a ajouté Karen.

Grand-maman a répondu : « Non. Cette année, il n'y aura pas d'étoile. »

Il faisait maintenant nuit et c'était l'heure d'aller au lit car le père Noël serait bientôt là. Nous nous sommes couchées. Dehors, la neige tombait doucement.

Le lendemain matin, mes sœurs et moi nous sommes éveillées tôt, comme à tous les jours de Noël — d'abord pour voir ce que le père Noël avait laissé sous l'arbre, et aussi pour voir l'étoile de Noël dans le ciel. Après le déjeuner traditionnel de crêpes aux pommes, la famille s'est rassemblée pour la distribution des cadeaux. Le père Noël m'avait apporté le four jouet que je désirais, et une poupée à Donna. Karen était très heureuse du landau de poupée qu'elle avait demandé et Kristi a reçu un service de thé en porcelaine. C'est papa qui distribuait les cadeaux pour s'assurer que chacun ait un cadeau à ouvrir au même moment.

« Le dernier cadeau est pour grand-maman de la part de grand-papa », dit-il d'une voix étonnée. « De qui? » La voix de grand-maman marquait la surprise.

« J'ai trouvé ce cadeau dans le rangement de grand-papa quand j'ai sorti l'arbre », a expliqué maman. « Comme il était déjà emballé, je l'ai mis sous l'arbre. Je croyais que c'était un des tiens. »

« Vite, ouvre-le! » dit Karen, excitée. Ma grand-mère a ouvert le cadeau en tremblant. Son visage s'est illuminé de joie quand elle a déplié le papier de soie pour y découvrir une magnifique étoile dorée. Il y avait une note. D'une voix tremblante, elle l'a lue :

Ne sois pas fâchée contre moi, chérie. J'ai brisé ton étoile en rangeant les décorations, et je ne pouvais me résoudre à t'en parler. J'ai pensé qu'il était temps d'en acheter une nouvelle. Je souhaite qu'elle t'apporte autant de joie que la première. Joyeux Noël.

Je t'aime, Bryant

C'est ainsi que grand-maman a eu son étoile, une étoile qui exprimait l'amour immortel que mes grands-parents éprouvaient l'un pour l'autre. Elle a ramené grand-papa dans le cœur de chacun d'entre nous pour en faire le plus beau des Noëls.

Susan Adair

Mon papa

Chaque fois qu'une personne rencontre mon papa, j'imagine qu'elle remarque d'abord sa beauté : des yeux bleus remarquables, des cheveux noir de jais et une fossette dans le menton. Ensuite, je suis certaine qu'elle remarque ses mains. Papa est menuisier professionnel; il a habituellement un ou deux ongles cassés, quelques coupures récentes, plusieurs autres en voie de guérison et des callosités partout. Ses doigts sont trois fois plus gros que ceux d'un homme moyen. Ce sont les mains d'un homme qui a commencé à travailler à l'âge de trois ans, à la traite des vaches. Son attitude dans une équipe de travail peut sembler bourrue; il s'attend à ce que les hommes travaillent fort et fassent ce qu'il faut pour terminer le travail, sans excuses.

Maman est morte il y a vingt-trois ans et cet homme est resté seul pour élever une fille de quatorze ans et un garçon de onze ans. Il lui a soudainement fallu devenir à la fois père *et* mère.

Au début, cela a semblé assez facile. J'étais une enfant aventureuse et je préférais jouer avec les garçons, faire des choses de garçon comme grimper aux arbres, construire des forts, jouer au football, au baseball et avec les G.I. Joes. J'avais bien une poupée Barbie, mais elle portait souvent des vêtements de G.I. Joe et elle combattait à ses côtés. J'ai même fait partie d'une équipe de hockey de garçons. Je me suis beaucoup amusée et j'ai appris beaucoup de ces activités. Cependant, aucune d'entre elles ne m'a préparée pour le jour où j'allais devenir une femme, ce qui devait arriver tôt ou tard.

Je me souviens distinctement d'une journée lorsque j'avais environ quinze ans. Nous nous rendions visiter ma tante en Géorgie, et sans raison apparente, tout ce que disaient ou faisaient papa et mon frère m'exaspérait! Je passais des larmes au rire sans raison, mais mon plus grand désir était qu'on *me foute la paix*. Il était clair qu'ils étaient tous deux perplexes devant cette étrange créature du genre Jekyll et Hyde qui voyageait avec eux.

Nous roulions lentement et nous avons dû passer la nuit dans un motel le long de l'autoroute. Une fois dans la chambre, papa a envoyé mon frère faire une course à la distributrice de boissons gazeuses. Restés seuls, il m'a demandé ce qui n'allait pas. Je ne pouvais faire autrement que d'avouer que j'étais menstruée pour la première fois de ma vie, pour ensuite éclater en sanglots.

Le miracle a été que malgré l'absence de toute documentation sur le sujet, papa savait qu'il devait simplement me prendre dans ses bras et me laisser pleurer mon enfance envolée.

Puis, il m'a offert d'aller au magasin pour acheter ce dont j'avais besoin.

Ce jour-là, nous avons tous deux traversé une sorte de pont : moi, j'allais vers la féminité et lui s'ancrait plus profondément encore dans son rôle de mère et de père. Je crois que certains hommes ont peur de laisser paraître leur côté féminin, comme si le fait de prendre soin de quelqu'un allait réduire leur masculinité. Tout ce que mon père a fait a été de m'aimer inconditionnellement; c'était l'attitude tout indiquée.

Quand est venu le temps de mon bal de graduation, je me suis trouvée dans l'heureuse situation de sortir avec un garçon qui habitait la ville voisine. Nous nous sommes invités à nos bals respectifs qui avaient lieu deux soirs consécutifs.

Papa voulait être certain que j'aie la robe parfaite, et je l'avais. C'était une robe longue, blanche, sans manches, à œillets et à encolure dégagée. Je me sentais comme une princesse. Papa approuvait, c'était certain! Je crois qu'il était fier que je quitte mon image de garçon manqué pour devenir une jeune fille — même si ce n'était que pour deux soirées.

Mais quelles soirées! La tradition à notre école était de passer la nuit avec les amis. Avec la permission de nos parents, mon cavalier et moi avons fêté jusqu'à 6 h 30. Je suis rentrée à la maison pour dormir un peu avant de me rendre chez ses parents.

Je n'oublierai jamais ma surprise de ce samedi matin quand, après m'être éveillée, je suis descendue en bas et ai trouvé ma belle robe de graduation fièrement étalée dans son enveloppe protectrice, comme neuve, prête pour une autre soirée de fête.

Il semble que pendant que je dormais, papa était entré dans ma chambre et avait trouvé ma robe de bal. Il l'avait lavée à la main dans un savon doux et l'avait repassée.

Mon papa ne parlait peut-être pas beaucoup quand il nous a élevés, mais il n'avait pas vraiment besoin de le faire. Quand je pense à ces mains calleuses de travailleur manuel lavant ma délicate robe de graduation, mon cœur se réchauffe et revit encore ce moment d'amour inconditionnel.

Il semblait que c'était le meilleur de ce que nous sommes censés apprendre de nos mères — et de nos papas.

Barbara E. C. Goodrich

Retrouvailles

« Êtes-vous Jenna? » demanda la voix au téléphone.

Jenna serra le combiné d'une main tremblante. La voix était exactement comme celle dont elle avait rêvé. Exactement comme celle de son père.

Jenna savait depuis trente ans que ce jour viendrait. Les enfants adoptés semblent toujours vouloir connaître leurs parents naturels. Pendant qu'elle parlait avec le jeune homme au téléphone, Jenna était envahie par des sentiments d'appréhension mêlés de grande joie.

En 1967, Jenna était amoureuse de David. Mais la famille de David venait d'un quartier très pauvre de la ville. Le père de Jenna était contrôlant et abusif, et ne lui permit pas de sortir avec David. Avec l'aide d'amis, ils se cachaient pour se voir.

Quand Jenna découvrit qu'elle était enceinte, son père devint enragé. Il forcat l'adolescente à aller vivre chez sa tante jusqu'à la naissance du bébé. Le cœur brisé, David s'enrôla dans l'armée et partit au Vietnam. Il a écrit des lettres à Jenna, mais son père les jetait. David a même essayé d'écrire à une des amies de Jenna espérant avoir des nouvelles de la fille qu'il aimait tant. Jenna ne reçut jamais les lettres et elle ignorait comment rejoindre David.

Jenna retourna à la maison après la naissance du bébé. Elle rêvait sans cesse de ce petit enfant qu'elle avait tenu un trop bref instant. Elle se demandait à quoi ressemblaient ses parents adoptifs, où ils habitaient et à qui ressemblerait le bébé en grandissant. Elle rêvait aussi du jour où, suffisamment âgée, elle pourrait quitter son père contrôlant. Après sa graduation, Jenna entra à l'université, puis trouva un bon emploi dans une grande ville. Elle n'est jamais retournée dans sa ville natale, toujours fâchée contre son père qui ne lui avait pas permis de garder l'enfant et d'épouser David.

Les souvenirs d'un amour perdu et d'un enfant qu'elle avait dû donner en adoption empêchèrent Jenna de se marier. Elle se gardait occupée grâce à son travail d'enseignante. Elle se passionna aussi pour la cause des femmes battues et des mères célibataires. Toute sa vie d'adulte, Jenna travailla très fort pour aider les autres.

Pourtant, au fond d'elle-même, elle avait toujours su que ce jour allait venir. Son fils la trouverait et voudrait savoir pourquoi elle ne l'avait pas assez aimé pour le garder.

« Pouvons-nous nous rencontrer bientôt? » demanda le jeune homme. Il s'appelait Bradley. Jenna accepta qu'il prenne l'avion pour venir la rencontrer. Il avait trente ans, était marié et avait deux enfants.

Après avoir raccroché, Jenna souhaita lui avoir demandé s'il avait pu retracer David. Elle chassa cette idée et commença à se préparer pour la visite de son fils, dans deux semaines.

Les jours s'éternisaient. Les émotions de Jenna volaient dans toutes les directions. Elle passait de l'excitation de rencontrer enfin son fils à la crainte qu'il ne l'aime pas ou qu'il ne comprenne pas.

Enfin, le jour arriva. Jenna se rendit à l'aéroport deux heures à l'avance. Elle était trop nerveuse pour rester seule à la maison. Elle faisait les cent pas et se rongeait les ongles.

On annonça le vol de Bradley. Jenna s'approcha aussi près que possible de la barrière, s'étirant le cou pour voir la famille qu'elle allait bientôt récupérer. Les cauchemars et les regrets de toute une vie emplissaient son esprit.

Soudain, il était là, juste devant elle. Après trente ans, son premier contact avec son fils a été une étreinte si forte qu'il la leva de terre. Ils se sont étreints et ont pleuré pendant de longues minutes. Puis, un petit garçon a tiré sur la chemise de Bradley.

« Papa, j'ai soif. » Jenna serra son petit-fils dans ses bras, ensuite elle fit de même avec sa grande sœur. Elle étreint sa bru et repris Bradley dans ses bras de nouveau. Le petit garçon se mit à crier en courant vers un autre homme. « Grand-papa! » cria-t-il.

Jenna s'immobilisa et fixa. *Ce n'est pas possible. Mais comment? Est-ce vraiment lui?*

Bradley déposa un léger baiser sur la joue de Jenna. « Oui, c'est bien lui. Je l'ai retrouvé la semaine dernière et il était en visite à la maison. Il était très excité de savoir que j'allais te rencontrer aujourd'hui. Il ne s'est jamais marié, lui non plus, tu sais. »

David prit le petit garçon, puis ses yeux ont croisé ceux de Jenna. Doucement, il posa le petit garçon. L'instant d'après, il était devant Jenna. Elle resta longtemps dans ses bras avant qu'ils se séparent pour se regarder.

Le week-end passa trop vite. Bradley et sa femme firent promettre à Jenna de venir leur rendre visite dans quelques semaines. Quand ils arrivèrent à l'aéroport, David aida la famille de Bardley à s'orienter.

« Quel vol prends-tu? » demanda Jenny.

« Je ne pars pas, répondit-il. J'ai prolongé mes vacances. Nous avons beaucoup de temps à rattraper. »

Cette année-là, à Noël, Bradley put assister au mariage de ses parents.

Oui, il y a vraiment des retrouvailles qui finissent bien.

Mary J. Davis

L'amour en action

On peut considérer qu'un ami est un chef-d'œuvre de la nature.

Ralph Waldo Emerson

Un soir, un homme est venu à notre maison et m'a dit : « Il y a une famille de huit enfants. Ils n'ont pas mangé depuis des jours. » J'ai pris de la nourriture et je suis partie avec lui.

Quand je suis enfin arrivée dans cette famille, j'ai vu le visage de ces enfants ravagé par la faim. Il n'y avait pas de tristesse ou de chagrin sur leur visage, seulement la profonde souffrance de la faim.

J'ai donné le riz à la mère. Elle a divisé le riz en deux portions et est partie, emportant la moitié du riz. Quand elle est rentrée, je lui ai demandé : « Où étiez-vous? » Elle m'a répondu simplement ceci : « J'étais chez mes voisins — ils ont faim eux aussi! »

... Je n'ai pas été surprise de sa réponse, car les gens pauvres sont vraiment généreux. Mais j'ai été surprise qu'elle ait su qu'ils avaient faim. Règle générale, quand nous souffrons, nous sommes tellement centrés sur nous-mêmes que nous n'avons pas de temps pour les autres.

Mère Teresa

2

QUESTION D'ATTITUDE

Je vous dirai que je n'ai subi
aucun échec dans ma vie.
Je ne veux pas donner l'impression
d'être la reine de la métaphysique,
mais il n'y a eu aucun échec.
Il y a eu de formidables leçons.

Oprah Winfrey

Si vous ne pouvez pas changer votre destinée,
changez votre attitude.

Amy Tan

Le véritable esprit de Noël

Encore une heure, ai-je pensé. *Juste une petite heure et je serai libre.* C'était la veille de Noël et j'étais coincée dans une école de coiffure. Ce n'était pas juste. J'avais mieux à faire que de m'occuper de vieilles femmes capricieuses aux cheveux bleus. J'avais travaillé fort et vite pour terminer quatre shampoings et mises en plis et une manucure avant le lunch. Si je n'avais plus de rendez-vous, je pourrais partir à quatorze heures. Juste une autre…

« Numéro soixante et onze. Carolyn, numéro soixante et onze. »

En entendant la voix de la réceptionniste à l'interphone, le cœur m'a bondit dans l'estomac.

« Un téléphone pour toi. »

Un téléphone. J'ai soupiré de soulagement et je me suis dirigée vers la réception pour prendre l'appel.

En prenant le récepteur, j'ai jeté un coup d'œil rapide au carnet de rendez-vous pour me confirmer que j'étais libre. Je ne pouvais pas le croire. J'avais une permanente à 16 h 30. Personne sain d'esprit ne voudrait avoir une mise en plis la veille de Noël. Personne ne pouvait manquer autant d'égards.

J'ai jeté un regard furieux à la réceptionniste derrière le comptoir. « Comment as-tu pu faire ça? »

Elle a reculé d'un pas et m'a soufflé : « C'est Mme Weiman qui a fixé ce rendez-vous avec toi. » Mme Weiman était enseignante chef, la mère supérieure. Quand elle parlait, personne ne répliquait.

« Bien », ai-je sifflé, et j'ai pris le téléphone. C'était Grant. Sa grand-mère m'avait invitée au dîner de la veille de Noël et il demandait si je pouvais être prête pour quinze heures? Je jouais avec le collier scintillant qu'il m'avait offert la veille. La gorge serrée, j'ai expliqué la situation. Après un silence interminable, il a dit que nous allions nous reprendre une autre fois et il a raccroché. Mes yeux se sont remplis de larmes alors que je fermais brutalement le téléphone pour me barricader derrière mon poste de travail.

L'après-midi traînait en longueur, sombre et triste, faisant écho à mon humeur. La plupart des autres étudiants étaient partis. Je n'avais pas d'autres clientes avant 16 h 30, pour la permanente, et je suis restée à mon poste, en ruminant.

Vers 16 h 15, Mme Weiman a montré son visage pincé dans mon miroir et m'a conseillé de sa voix douce et absurde : « Changez votre attitude avant qu'elle arrive », et elle s'est éloignée sans bruit.

Mon humeur changerait, ça oui, de coléreuse à meurtrière. J'ai pris un mouchoir pour essuyer les nouvelles larmes.

On a appelé mon numéro à 16 h 45. Ma cliente retardataire et inconsidérée était arrivée. Je me suis présentée brusquement à la réception pour accueillir une vieille dame desséchée et fragile, supportée gentiment par son mari. D'une voix tendre, Mme Weiman m'a présentée à Mme Sussman et l'a escortée à mon poste de travail. M. Sussman nous suivait en marmonnant des excuses pour être arrivée si tard.

J'étais toujours contrariée, mais j'ai essayé de ne pas le montrer. Mme Weiman a aidé délicatement Mme Sussman à prendre place sur ma chaise. Quand elle a commencé à relever la chaise hydraulique, j'ai feint un sourire et j'ai pris la relève, pressant sur la pédale. Mme Sussman était si petite qu'il a fallu que je lève la chaise à son plus haut niveau.

J'ai entouré ses épaules d'une serviette et d'une cape en plastique, et je me suis éloignée, horrifiée. Des poux et des mites rampaient partout dans ses cheveux et sur ses épaules. Pendant que je me tenais là, tentant de retenir mes haut-le-cœur, Mme Weiman est réapparue, mettant des gants de caoutchouc.

Le nœud de cheveux gris sur la tête de Mme Sussman était si emmêlé que nous ne pouvions pas enlever les épingles. J'étais dégoûtée à la pensée que quelqu'un pouvait être si négligé. Mme Weiman lui a expliqué qu'il faudrait couper ses cheveux pour enlever les nœuds. Mme Sussman nous a regardés, des larmes coulant sur ses joues. Son mari lui tenait les mains tendrement, agenouillé à côté de la chaise.

« Ses cheveux ont été sa fierté pendant toute sa vie, expliqua-t-il. Elle les a coiffés ainsi le matin où je l'ai amenée dans une maison pour vieillards. »

Bien sûr, ses cheveux n'avaient pas été peignés ni lavés depuis ce matin-là, une année auparavant. Ses yeux s'embuèrent de larmes et il s'est traîné les pieds jusqu'à la salle d'attente.

Mme Weiman a doucement coupé le nœud emmêlé du dessus, où est apparu un cuir chevelu flétri d'où se détachait une pourriture jaune. Avec patience et amour, elle travaillait, et j'essayais faiblement de l'aider comme je le pouvais. Une permanente aurait brûlé sa peau comme de l'acide. Il n'en était pas question. Nous avons lavé son cuir chevelu tout doucement, en essayant de déloger les poux sans lui arracher les cheveux. J'ai appliqué de l'onguent antiseptique sur ses plaies suppurantes et enroulé ses cheveux clairsemés en bouclettes, que j'ai retenues avec du gel car nous ne voulions pas mettre des épingles à cheveux, de peur d'égratigner son cuir chevelu. Nous avons ensuite gentiment éventé ses boucles près de la chaleur du radiateur.

Mme Sussman a glissé sa main tremblante dans son petit sac et en a retiré un bâton de rouge à lèvres et une paire de gants blancs en dentelle. Elle a ensuite appliqué doucement le rouge sur ses lèvres et, avec soin, elle a enfilé les gants délicats sur ses mains tremblantes. J'ai pensé à ma grand-mère qui était morte depuis peu de temps — elle appliquait toujours du rouge à lèvres avant de se rendre à la boîte aux lettres sur la rue. J'ai pensé aux histoires qu'elle racontait sur sa jeunesse, alors qu'une dame bien élevée ne paraissait jamais en public sans ses gants. Des larmes ont rempli mes yeux alors que je remerciais Dieu en silence d'être venu la chercher dans la dignité.

Mme Weiman m'a ensuite laissé le soin de stériliser mon poste de travail et elle est retournée vers M. Sussman. Quand il a vu sa femme, tous les deux se sont mis à pleurer sans retenue. « Oh, ma chérie, a-t-il murmuré, tu n'as jamais été si belle. »

Ses lèvres tremblaient dans un sourire.

Il a fouillé dans la poche de son manteau et a offert à Mme Weiman et à moi une petite crèche : Joseph, Marie et l'enfant Jésus. Les personnages étaient si petits qu'ils tenaient dans la paume de ma main. J'étais remplie d'amour pour cet homme et sa douce épouse. Peut-être pour la première fois de ma vie, je ressentais le véritable esprit de Noël.

Nous avons reconduit les Sussman vers la sortie. Il n'y aurait rien à payer ce soir. Nous leur avons souhaité un Joyeux Noël et les avons guidés jusqu'à l'extérieur. Il neigeait légèrement. Les flocons ressemblaient à de la poudre de diamant. J'ai eu une brève pensée pour Grant et pour le dîner que j'avais manqué, et je savais qu'en cette veille de Noël, sa grand-mère comprendrait.

Carolyn S. Steele

Les bébés de Veronica

Lorsque quelqu'un écoute, ou tend la main, ou murmure un bon mot d'encouragement, ou tente de comprendre une personne seule, des choses extraordinaires commencent à se produire.

Loretta Girzatlis

Mme Margaret McNeil était mon professeur de troisième année. Elle était jeune, pleine de vie et très jolie. Elle nous a enseigné les choses essentielles, à moi et à tous les autres garçons et filles influençables de sa classe. Même les jeunes qui avaient des troubles de perception ou avaient de sérieux handicaps ont eux aussi appris miraculeusement. Tous pouvaient lire et écrire suivant la norme de la troisième année, grâce à Mme McNeil — et à Veronica.

Veronica était une énorme plante araignée panachée dans un grand panier blanc lustré suspendu à la fenêtre de notre classe. Chaque année, elle produisait des bébés — de toutes petites plantes sur de minces tiges qui tombaient en cascade par-dessus le bord du pot. Quand vous appreniez à lire et à écrire à la « satisfaction » de Mme McNeil, vous méritiez un des bébés de Veronica. Tous les étudiants voulaient en avoir un.

Le grand jour, vous arrosiez tout d'abord Veronica et Mme McNeil vous tendait les ciseaux spéciaux. Il fallait couper un bébé et le baptiser. Sous la surveillance de Mme McNeil, vous le plantiez ensuite dans la terre humide placée dans un verre en polystyrène et vous écriviez son nom avec un marqueur vert.

Je n'oublierai jamais ce jour de mars quand j'avais appris à lire et à écrire suffisamment bien. J'ai suivi le rituel de Mme McNeil et j'ai apporté un petit plant à la maison. Je l'avais appelé Rose, du nom de ma mère. J'étais très content parce que j'étais un des premiers garçons à en avoir un.

Arrivés en juin, tous les garçons et les filles de la classe avaient reçu un des bébés de Veronica. Même Billy Acker, un retardé léger qui avait plus de difficultés que nous, avait réussi assez bien pour en avoir un. Nous avions tous promis d'écrire à Mme McNeil pendant l'été pour lui donner des nouvelles du bébé de Veronica. Elle nous a conseillé d'utiliser un dictionnaire pour nous aider à écrire les mots difficiles.

Je me rappelle avoir écrit que maman et papa m'avaient aidé à transplanter le bébé dans un panier suspendu blanc, et que ses racines avaient beaucoup poussé. Pendant l'été, j'ai gardé mon bébé à l'extérieur sur le patio; l'automne venu, je l'ai transporté à l'intérieur pour le suspendre devant ma porte coulissante, où il y avait beaucoup de lumière.

Les années ont passé et le bébé de Veronica a grandi. Il a produit des bébés, tout comme Veronica — plusieurs bébés. Je les ai coupés et je les ai empotés dans des paniers suspendus, cinq par panier. Papa les apportait au travail et les vendait à ses collègues. Avec l'argent rapporté, j'ai acheté d'autres paniers à suspendre et de la terre. Finalement, j'ai démarré une petite entreprise.

Grâce au bébé de Veronica, je me suis intéressé aux plantes de maison. Bien sûr, papa, qui a stimulé mon intérêt pour toutes sortes de plantes, mérite aussi sa part du crédit. Pendant que Mme McNeil nous enseignait pour sa part à bien lire et à bien écrire, c'était papa, encore une fois, qui cultivait ces talents chez moi.

Quand il a téléphoné récemment pendant une fin de semaine pour dire que Mme McNeil était décédée, je savais qu'il me fallait aller aux funérailles. Je me suis rendu dans ma ville natale et me suis retrouvé assis avec ma femme, Carole, dans un salon funéraire bondé. Mme McNeil était étendue là; elle semblait dormir paisiblement. Ses cheveux étaient argentés et il y avait de nombreuses rides sur son visage poudré, mais autrement, elle était exactement comme dans mes souvenirs. Suspendu à sa gauche près de la fenêtre, il y avait Veronica, avec plusieurs bébés qui pendaient sur les bords de son panier. Veronica, contrairement à Mme McNeil, n'avait aucunement changé.

Plusieurs personnes partageaient leurs souvenirs de Mme McNeil. Elles parlaient de la troisième année, d'avoir appris à mieux lire et écrire pour avoir un bébé de Veronica, de son dévouement. Un visage vaguement familier s'est alors levé pour parler et tous se sont tus.

« Bonjour, je m'appelle Billy Acker, a dit l'homme en bégayant. Tout le monde a dit à mon papa et à ma maman que je ne pourrais jamais lire et écrire parce que j'étais attardé. Ha! Mme McNeil m'a bien enseigné comment lire et écrire. Elle me l'a très bien enseigné. » Il s'est arrêté, et une grosse larme a coulé le long de sa joue et a taché le revers de son costume gris. « Vous savez, j'ai encore un des bébés de Veronica. »

Il s'est essuyé les yeux avec le dos de la main et a poursuivi : « Chaque fois que j'écris ou que je lis une commande à la boutique, je ne peux pas faire autrement que de penser à Mme McNeil et combien elle a travaillé fort pour m'aider après l'école. Elle m'a très bien enseigné. »

Plusieurs autres après Billy ont parlé de Mme McNeil, mais personne ne l'a égalé pour sa sincérité et sa simplicité.

Avant de quitter, Carole et moi avons parlé aux filles de Mme McNeil et nous avons admiré tous les beaux arrangements floraux qui bordaient la pièce. Plusieurs venaient de la boutique Acker's Florist. À l'arrière de la pièce, un immense arrangement en forme de cœur parsemé d'œillets blancs et agrémenté d'un gros ruban rouge a attiré notre attention. En grosses lettres, il était écrit : *Si vous pouvez lire ceci, remerciez un professeur.* En dessous, dans une écriture tremblante, presque illisible, il y avait les mots : *Merci Mme McNeil. Tendresse, votre étudiant, Billy Acker.*

George M. Flynn

Voir avec le cœur

Rien dans la vie n'est si difficile qu'on ne puisse le simplifier par la façon dont on l'aborde.

Ellen Glasgow

J'étais aveugle! Aveugle depuis seulement six semaines, mais il semblait que c'était depuis une éternité.

À cette époque, j'étais à l'hôpital Columbus. J'avais très peur, je me sentais très seule et je m'ennuyais beaucoup de mon mari et de mes cinq enfants. Je suis certaine que l'obscurité amplifiait davantage ces réactions. Je passais des heures, même des jours, à me demander si je pourrais un jour revoir mes enfants. J'ai passé tant de temps à m'apitoyer sur moi-même que, lorsque l'infirmière m'a annoncé que j'aurais une compagne de chambre, j'étais loin d'être ravie. Ironiquement, je ne voulais pas que quelqu'un me « voie » ainsi. Que je le veuille ou non, peu de temps après, une compagne de chambre a déménagé dans le lit d'à côté. Elle s'appelait Joni.

Malgré mes efforts à me complaire dans l'apitoiement, j'ai presque immédiatement aimé Joni. Elle avait une attitude si positive, elle était toujours joyeuse et ne se plaignait jamais de sa propre maladie. Souvent, elle ressentait ma peur et ma dépression, et elle réussissait, d'une manière ou d'une autre, à me convaincre que j'étais chanceuse de ne pas pouvoir me regarder dans la glace à ce moment-là. Mes cheveux étaient en désordre, d'avoir été étendue dans le lit pendant une semaine, et j'avais pris plusieurs kilos suite aux injections intraveineuses de cortisone. Joni réussissait toujours à me faire rire avec ses blagues insensées.

Quand Joe, mon mari, venait me visiter, il emmenait parfois les cinq enfants. Pouvez-vous imaginer habiller cinq enfants de moins de six ans? Cela lui prenait souvent des heures pour trouver dix chaussures et dix chaussettes appareillées. À cette époque, j'avais codé les vêtements des enfants et il suffisait de trouver le chandail avec l'ourson Pooh et la culotte avec l'ourson Pooh, et l'enfant était à la mode! Joe ne savait pas cela et les enfants venaient en visite avec des ensembles on ne peut plus dépareillés. Après leur départ, Joni passait des heures à me dire ce que chacun portait. Elle me lisait ensuite tous les petits « Je t'aime » et « Guéris bien vite, maman » écrits sur les cartes qu'ils avaient apportées. Quand des amis envoyaient des fleurs, elle me les décrivait. Elle ouvrait mes lettres et me disait combien j'étais chanceuse d'avoir autant d'amis. Elle m'aidait pendant les repas à ce que la nourriture trouve ma bouche. Encore une fois, elle m'avait convaincue qu'au moins pendant ces moments-là, j'étais chanceuse de ne pas voir la nourriture de l'hôpital.

Un soir, Joe est venu sans les enfants. Joni a dû sentir notre besoin d'être seuls; elle était tellement silencieuse que je n'étais pas certaine qu'elle fût dans la chambre. Pendant sa visite, Joe et moi avons parlé de la possibilité que je ne puisse jamais retrouver la vue. Il m'a assurée que rien ne pourrait changer son amour pour moi et que d'une manière ou d'une autre, peu importe, nous serions toujours ensemble. Ensemble, nous continuerions d'élever notre famille. Pendant des heures, il m'a simplement tenue dans ses bras, m'a laissée pleurer et a essayé d'éclairer un tant soit peu mon monde obscur.

Après son départ, j'ai entendu Joni bouger dans son lit. Quand je lui ai demandé si elle était éveillée, elle a dit : « Ne sais-tu pas à quel point tu es chanceuse d'avoir tant de gens qui t'aiment? Ton mari et tes enfants sont tellement beaux! Tu es tellement chanceuse! »

C'est alors que j'ai compris pour la première fois que depuis nos semaines passées ensemble à l'hôpital, Joni n'avait reçu aucune visite d'un mari ou d'un enfant. Sa mère et un pasteur venaient à l'occasion, mais ils ne restaient jamais longtemps.

J'étais tellement repliée sur moi-même que je ne l'avais même pas laissée se confier à moi. D'après les visites de son médecin, je savais qu'elle était très malade, mais je ne savais même pas de quoi elle souffrait. Une fois, j'ai entendu son médecin donner un nom latin compliqué à sa maladie, mais je n'ai jamais demandé ce que cela voulait dire. Je n'avais même pas pris le temps de me renseigner. Je comprenais maintenant à quel point j'étais devenue égoïste et je me détestais pour cela. Je me suis retournée et me suis mise à pleurer. J'ai demandé à Dieu de me pardonner. J'ai promis que, dès le lendemain matin, la première chose que je ferais serait de m'enquérir auprès de Joni de sa maladie, et je lui dirais combien je lui étais reconnaissante de tout ce qu'elle avait fait pour moi. Je lui dirais aussi qu'en fait je l'aimais.

Je n'en ai jamais eu l'occasion. Quand je me suis éveillée le lendemain, le rideau était tiré entre nos lits. Je pouvais entendre des gens murmurer tout près. Je me suis efforcée d'écouter ce qu'ils disaient. J'ai entendu ensuite un ministre répéter : « Puisse-t-elle reposer dans une paix éternelle. » Avant de pouvoir lui dire que je l'aimais, Joni était morte.

J'ai su plus tard que Joni était venue à l'hôpital pour y mourir. Elle savait au moment d'y être admise qu'elle ne retournerait jamais plus chez elle. Malgré cela, elle ne s'est jamais plainte et elle a passé ses derniers jours à me donner de l'espoir.

Joni doit avoir compris que sa vie achevait cette dernière nuit quand elle m'a dit combien j'étais chanceuse. Après m'être endormie à force de pleurer, elle m'a écrit une note. L'infirmière de jour me l'a lue ce matin-là, et quand j'ai recouvré la vue plus tard, je l'ai relue, encore et encore :

Mon amie,

Merci de rendre mes derniers jours si précieux! Notre amitié m'a donné beaucoup de bonheur. Je sais que tu te préoccupes aussi de moi, « à l'aveuglette ». Parfois, pour obtenir toute notre attention, Dieu doit nous terrasser, ou du moins nous aveugler. Avec mon dernier souffle, je prie que tu retrouves bientôt la vue, mais pas seulement de la façon dont tu penses. Si tu peux seulement apprendre à voir avec ton cœur, alors ta vie sera complète.

Souviens-toi de moi avec amour,

Joni

Cette nuit-là, je me suis éveillée d'un sommeil profond. Là, dans le lit, j'ai constaté que je pouvais vaguement voir l'intensité de la petite lumière le long de la plinthe. Ma vue revenait! Un tout petit peu, mais je pouvais voir!

Plus important encore, pour la première fois de ma vie, je pouvais aussi voir avec le cœur. Même si je n'ai jamais su à quoi ressemblait Joni, je suis certaine qu'elle était une des plus belles personnes au monde.

J'ai perdu la vue plusieurs fois depuis, mais grâce à Joni, je ne me permettrai plus jamais de « perdre de vue » les choses importantes de la vie... des choses comme la chaleur et l'amour, et parfois même le chagrin.

Barbara Jeanne Fisher

Un bonbon à la gelée pour l'Halloween

Le sac de bonbons assortis était prêt et j'attendais la visite des petits lutins. Le matin de l'Halloween, j'ai eu une crise d'arthrite et le soir venu, je pouvais à peine bouger. Il m'était impossible de répondre chaque fois que quelqu'un sonnait à la porte et distribuer les bonbons. J'ai donc décidé d'accrocher le sac de bonbons à la porte et de regarder la parade des lutins de mon salon sans lumière.

La première à arriver était une danseuse de ballet avec trois petits fantômes. Chacun a pris un bonbon à tour de rôle. Quand la dernière petite main est sortie la main pleine, j'ai entendu la ballerine gronder : « Tu ne dois pas en prendre plus qu'un! » J'étais ravie que la grande sœur se fasse la conscience du petit. Des princesses, des astronautes, des squelettes et des extraterrestres ont suivi. Il y a eu plus d'enfants que je pensais. Le sac de bonbons se vidait, et j'étais sur le point de fermer la lumière de l'entrée quand j'ai remarqué quatre autres visiteurs. Les trois plus vieux ont mis la main dans le sac et en ont ressorti des tablettes de chocolat. J'ai retenu mon souffle, espérant qu'il en restait une pour la petite sorcière. Quand elle a retiré sa main, il n'y avait qu'un bonbon à la gelée à l'orange.

Déjà, les autres lui disaient : « Viens, Emily, allons-nous-en. Il n'y a personne à la maison pour t'en donner plus. » Mais Emily est restée encore un moment. Elle a mis le bonbon dans son sac et s'est arrêtée devant la porte. Délibérément, elle a dit : « Merci, maison. J'aime le bonbon à la gelée. » Je l'ai regardée partir rejoindre ses compagnons d'Halloween. Un amour de petite sorcière m'avait jeté un sort.

Evelyn M. Gibb

Concours de beauté

Une compagnie reconnue de produits de beauté avait demandé aux gens d'une grande ville de lui envoyer de courtes lettres pour désigner la plus belle femme qu'ils connaissaient, et d'y joindre une photo. En quelques semaines, des milliers de lettres ont été livrées à la compagnie.

Une lettre en particulier a retenu l'attention des employés, et elle a été rapidement remise au président de la compagnie. La lettre, écrite par un jeune garçon, disait qu'il venait d'un foyer désuni et qu'il vivait dans un quartier défavorisé. Voici un extrait de sa lettre, dont j'ai corrigé les fautes d'orthographe :

Une belle femme habite dans ma rue. Je lui rends visite chaque jour. Elle me fait sentir l'enfant le plus important au monde. Nous jouons aux dames et elle écoute mes problèmes. Elle me comprend et quand je la quitte, elle me crie toujours par la porte qu'elle est fière de moi.

Le garçon a terminé sa lettre en disant : « Cette photo vous montre qu'elle est la plus belle femme. J'espère que j'aurai une femme aussi jolie qu'elle. »

Intrigué par la lettre, le président a demandé à voir la photo de la femme. Sa secrétaire lui a remis une photo d'une femme édentée, très âgée, qui souriait dans un fauteuil roulant. Ses rares cheveux gris étaient ramenés en chignon à l'arrière, et les profondes rides de son visage étaient d'une certaine manière adoucies par ses yeux pétillants.

« Nous ne pouvons pas choisir cette femme, a dit le président en souriant. Elle prouverait au monde entier que nos produits ne sont pas nécessaires pour être belle. »

Carla Muir

La cicatrice

Son pouce frottait doucement la peau écorchée sur ma joue. Le chirurgien esthétique, de plus de quinze ans mon aîné, était un homme très séduisant. Sa virilité et son regard intense étaient presque irrésistibles.

« Hum, a-t-il dit doucement. Vous êtes mannequin? »

C'est une blague? Il se moque de moi? me suis-je dit, tout en cherchant sur son beau visage des signes d'ironie. Il est impensable que quelqu'un me prenne pour un mannequin. J'étais laide. Ma mère, tout bonnement, parlait de ma sœur comme de son bel enfant. Il était facile de voir que j'étais sans charme. Après tout, j'avais la cicatrice pour le prouver.

L'accident est survenu alors que j'étais en quatrième année, quand un garçon du voisinage a soulevé un morceau de béton et l'a lancé de toutes ses forces sur le côté de mon visage. À la salle d'urgence, le médecin a cousu la peau, tirant les lambeaux de chair à la surface de mon visage pour ensuite suturer les morceaux de peau dans ma bouche. Tout le reste de l'année, un énorme bandage m'a recouvert les pommettes jusqu'à la mâchoire pour cacher ce geste de colère.

Quelques semaines après l'accident, un examen de la vue a révélé que j'étais presbyte. Par-dessus le bandage disgracieux reposait une épaisse paire de lunettes. Autour de ma tête, des bouclettes de courts cheveux crépus ressortaient comme de la moisissure sur du vieux pain. Pour économiser de l'argent, maman m'avait emmenée dans une école de coiffure où une étudiante m'avait coupé les cheveux. Cette fille trop zélée avait taillé allégrement mes cheveux à grands coups de ciseaux et des bouclettes de cheveux s'empilaient sur le parquet. Au moment où son enseignante est arrivée, le dommage était fait. Une brève conférence s'en est suivie et nous avons reçu un bon de réduction pour une mise en plis gratuite à notre prochaine visite.

« Bon, a soupiré mon père ce soir-là, tu seras toujours jolie à mes yeux », et il a rajouté en hésitant, « même si tu ne l'es pas aux yeux des autres. »

Bravo. Merci. Comme si je ne pouvais pas entendre les moqueries des autres enfants à l'école. Comme si je ne pouvais pas voir à quel point j'étais différente des petites filles que les professeurs choyaient. Comme si je ne pouvais pas, de temps en temps, m'apercevoir dans le miroir de la salle de toilettes. Dans ce monde qui privilégie la beauté, une fille laide est exclue. Mon apparence ne cessait de me tourmenter. Je m'assoyais dans ma chambre et je pleurais chaque fois que ma famille regardait un concours de reines de beauté ou une émission de recherche de « talents ».

Un jour, j'ai décidé que si je ne pouvais pas être jolie, je soignerais au moins mon apparence. Au cours des ans, j'ai appris à bien me coiffer, à porter des verres de contact et à me maquiller. En observant ce qui faisait le succès des autres femmes, j'ai appris à m'habiller pour être à mon avantage. Et aujourd'hui, voilà que j'étais fiancée. La cicatrice, diminuée et pâlie avec le temps, créait un obstacle entre moi et ma nouvelle vie.

« Non, je ne suis certainement pas un mannequin », ai-je répliqué d'un air quelque peu indigné.

Le chirurgien esthétique a croisé ses bras sur sa poitrine et m'a regardée comme pour m'évaluer. « Pourquoi alors vous préoccupez-vous de cette cicatrice? S'il n'y a aucune raison professionnelle pour vouloir l'enlever, qu'est-ce qui vous amène ici aujourd'hui? »

Tout à coup, il représentait tous les hommes que j'avais connus. Les huit garçons qui m'avaient refusée quand je les avais invités à la danse où les filles demandaient un partenaire. Les rendez-vous sporadiques que j'avais eus au collège. La parade des hommes qui m'avaient ignorée depuis ce temps. L'homme dont je portais l'anneau à la main gauche. Ma main se leva vers mon visage. La cicatrice le confirmait : j'étais laide. La pièce s'est mise à tourner devant moi, alors que mes yeux se remplissaient de larmes.

Le médecin a approché un tabouret roulant près de moi et s'est assis. Ses genoux touchaient presque les miens. Sa voix était basse et douce.

« Laissez-moi vous dire ce que je vois. Je vois une belle femme. Pas une beauté parfaite, mais une belle femme. Lauren Hutton avait un espace entre ses dents avant. Elizabeth Taylor a une petite, une toute petite cicatrice sur le front », a-t-il murmuré très bas. Puis, il s'est arrêté et m'a tendu un miroir. « Pour ma part, je crois que chaque femme remarquable a une imperfection, et je crois que cette imperfection rend sa beauté plus remarquable parce qu'elle nous assure qu'elle est humaine. »

Il a éloigné le tabouret et s'est mis debout. « Je ne la touche pas. Ne laissez personne jouer avec votre visage. Vous êtes délicieuse comme vous êtes. La beauté vient vraiment de l'intérieur d'une femme. Croyez-moi, c'est mon métier de le savoir. »

Puis il est parti.

Je me suis tournée face au miroir. Il avait raison. Au cours des années, cette enfant laide était devenue une belle femme. Depuis ce jour dans son bureau, en tant que femme qui gagne sa vie en parlant devant des centaines de gens, j'ai entendu plusieurs fois des personnes des deux sexes me dire que j'étais belle. Et je sais que je le suis.

Quand j'ai changé la façon dont je me voyais, les autres ont été forcés de changer leur façon de me voir. Le médecin n'a pas enlevé la cicatrice sur mon visage; il a enlevé la cicatrice sur mon cœur.

Joanna Slan

Métissage

Votre tâche n'est pas de rechercher l'amour, mais tout simplement de chercher et de trouver toutes les barrières en vous que vous avez érigées pour l'empêcher d'entrer.

Rumi

Mon mari et moi sommes de milieux religieux différents — je suis chrétienne, il est juif — et de plus, nous sommes deux individus fiers et déterminés. En conséquence, nos premières années ensemble ont mis à l'épreuve notre capacité de respecter l'autre et de combiner nos deux traditions religieuses avec amour et compréhension. Je me souviens d'avoir soulevé le sujet d'un arbre de Noël le premier mois de décembre après notre mariage.

« *Un arbre de Noël?*, s'est exclamé LeRoy, incrédule. Entends-moi bien, il y a deux choses que je ne ferai pas. Acheter un jambon en est une. L'autre, c'est acheter un arbre de Noël. »

Je lui ai répondu du tac au tac : « Si je peux m'écorcher les jointures des doigts en préparant des pommes de terre latke et nettoyer les chandelles qui coulent à la Hanoukkah, tu peux bien endurer un arbre de Noël! »

« Jamais, a-t-il répliqué. Tu te souviens le mois dernier? Qui donc ai-je rencontré à l'épicerie alors qu'il n'y avait qu'un jambon dans mon panier? Le rabbin. Si nous allions acheter un arbre de Noël ensemble, toute la synagogue passerait probablement en autobus pendant que je le chargerais dans le coffre! Oublie ça! »

Nous avons acheté un arbre, bien sûr. C'était une belle grosse épinette bien fournie qui occupait la moitié du salon de notre petit appartement. LeRoy en parlait avec mépris devant nos amis juifs, en la qualifiant de « boule de pain azyme verte avec des lumières de couleur. » Pourtant, malgré l'antagonisme déclaré de LeRoy, le matin de Noël, j'ai remarqué que le nombre de cadeaux sous l'arbre avait doublé et que les étiquettes étaient écrites de la main de LeRoy.

Jusqu'à la naissance de notre fille Erica, nous avions rencontré et résolu plusieurs problèmes reliés à un mariage inter-confessionnel et nous avons convenu de combiner nos héritages afin de donner à nos enfants ce qu'il y avait de mieux. Quand Shauna est née trois années plus tard, nous avions adopté un mode de vie confortable pour nous deux, bien qu'un peu hors de l'ordinaire. Du houx autour de la menorah. De la soupe au poulet, des boules de pain azyme avec de l'origan et des pommes de terre latke pour le dîner de Noël. Joyeuse Hanoukkah. Fa-la-la-la. Heureux Noël. Shalom. Nous découvrions que la paix a la même signification dans toutes les langues.

Au temps des Fêtes, notre maison était décorée d'un potpourri de banderoles bleues et blanches, de lumières menorah, de calendriers de l'Avent et d'une crèche. Nos amis des deux traditions adoptaient notre état d'esprit. Un voisin chrétien nous a rapporté de la Terre Sainte un mobile de verre composé de plusieurs étoiles de David. Nos amis juifs ont fabriqué et nous ont donné plusieurs décorations pour l'arbre de Noël.

Je suis devenue une adepte de la récitation des prières en hébreu et j'ai expliqué la Hanoukkah dans les classes des deux filles chaque année. Quand, un Noël, LeRoy m'a acheté une belle guitare faite à la main, la première chose que j'ai apprise à jouer et à chanter était une chanson folklorique juive. Vêtu d'une chemise de velours bleu avec des boutons venus d'Israël et d'une kippah dans les mêmes tons (petite calotte portée par les hommes juifs pendant les offices) que je lui avais fabriquées, LeRoy avait appris à fredonner en faussant des versions des cantiques de Noël les plus connus.

Une année, mon mari a apporté à la maison une petite étoile de David en bois, peinte en bleu. « C'est pour *ton* arbre, a-t-il dit sèchement. Je veux que ce soit la première décoration suspendue chaque année. »

« J'y verrai personnellement, mon commandant », lui ai-je répondu aussitôt, et à compter de ce moment, elle a orné la tête de notre arbre.

Un ami chrétien déconcerté m'a demandé : « N'est-ce pas de l'hypocrisie que de mettre une étoile de David au-dessus de ton arbre de Noël? »

« Non, ai-je répondu, sûre de moi. Jésus était Juif. Et il y avait une étoile qui brillait au-dessus d'une étable, n'est-ce pas? »

J'en étais venue à considérer la Hanoukkah comme un symbole de liberté et de lumière presque aussi important que Noël. Noël signifiait de plus en plus l'anniversaire de quelqu'un de si spécial qu'il avait donné la lumière et la liberté à chacun. En voyant des gens de toutes races et de toutes religions se réunir dans notre maison, nous avons constaté que leur différence enrichissait notre vie. Les fêtes devenaient encore plus joyeuses.

Peu après avoir célébré notre onzième anniversaire de mariage, mon mari de quarante-deux ans a subi trois attaques cardiaques en deux mois. Le 17 décembre, nos filles et moi nous sommes entassées près de son petit lit d'hôpital à l'unité des soins intensifs pour chanter des chansons de Hanoukkah et de Noël. Le lendemain soir, le premier de Hanoukkah, je me rendais en auto chez des amis où Erica et Shauna pourraient allumer les premières lumières Hanoukkah. Soudainement, dans ma tête, j'ai vu un éblouissant éclat de lumière et l'image de LeRoy, souriant et en santé. Arrivées chez nos amis, j'ai appris qu'au coucher du soleil, LeRoy s'était penché et avait murmuré « Shalom, shalom » à son rabbin, qui était assis près de son lit d'hôpital. Par la suite, l'âme de LeRoy a quitté cette terre.

La nuit suivante, des amis et des parents sont venus à la maison pour la shivah (période de deuil juive). Avec la lumière fournie par les chandelles argent de la menorah et l'arbre de Noël scintillant, les hommes juifs coiffés de la kippah et de châles de prière ont courbé la tête et ouvert des livres usés de l'Ancien Testament. La cloche d'entrée a sonné. J'ai ouvert la porte pour accueillir des membres de la classe d'Erica. Comme ils commençaient à chanter « Sainte Nuit », mes filles se sont précipitées pour se placer près de moi dans l'entrée de la porte. J'ai serré Shauna et Erica dans mes bras. Derrière nous, nous pouvions entendre les réconfortants mots hébreux chantés par des hommes que LeRoy avait aimés. Devant nous, les compagnons de classe de Erica chantaient de vieux cantiques de leurs voix claires et enfantines. L'amour qui irradiait de ces deux traditions donnait soudainement un sens particulier à LeRoy et à mon mariage. Pendant ce court moment, ma douleur a disparu et j'ai senti la présence de LeRoy.

« Shalom, mon amour », ai-je murmuré. « Repose en paix », chantaient les enfants, mélodieusement et d'une voix triomphante. « Papa est avec Dieu maintenant, n'est-ce pas? » a demandé Shauna. « Oui, lui ai-je répondu avec assurance. Quelle que soit la route qu'il a prise pour y arriver, il est certainement avec Dieu. »

Vingt Hanoukkah et vingt Noëls ont passé depuis cette nuit-là, mais l'amour dans nos cœurs et dans nos vies reste présent dans notre maison. Chaque mois de décembre, les prières de Hanoukkah et celles de Noël résonnent dans toute la maison, et le houx vert encercle la menorah d'argent sur le rebord de la fenêtre. La petite étoile bleue de David trône toujours à sa place comme première décoration installée dans l'arbre de Noël, brillant de toute sa hauteur — comme l'avait fait l'étoile au-dessus de l'étable de Bethléem, il y a si longtemps — pour proclamer la paix sur terre aux hommes de bonne volonté.

Isabel Bearman Bucher

Les vieilles gens

À quatre-vingt-douze ans, grand-maman Fritz vivait toujours dans sa vieille maison de ferme de deux étages, cuisinait des pâtes maison et faisait son lavage dans sa machine à tordeur au sous-sol. Elle entretenait son jardin de légumes, assez grand pour nourrir tout le comté de Benton, en n'utilisant qu'une binette et une bêche. Ses enfants de soixante-dix ans protestaient gentiment quand elle insistait pour tondre sa grande pelouse avec son ancienne tondeuse manuelle.

« Je ne travaille que tôt le matin pendant qu'il fait frais et dans la soirée, expliquait grand-maman, et je porte toujours un bonnet pour me protéger du soleil. »

Cependant, ses enfants, avec raison, furent soulagés quand ils apprirent qu'elle allait aux repas du midi au centre des aînés de sa localité.

Oui, grand-maman l'admit, devant le signe d'approbation de sa fille. « Je cuisine pour eux. Ces vieilles gens l'apprécient tellement! »

LeAnn Thieman

3

VIVEZ VOS RÊVES

Jamais un rêve ne vous est donné
sans que vous ayez le pouvoir de le réaliser.

Richard Bach

Les rêves sont renouvelables.
Peu importe notre âge ou notre condition,
il y a toujours des possibilités inexplorées en nous
et de nouvelles merveilles qui attendent de voir le jour.

Dale Turner

Totalement libre

Accroche-toi fort à tes rêves car s'ils meurent, la vie devient comme un oiseau à l'aile brisée qui ne peut plus voler.

Langston Hughes

La vie était difficile à Cuba. Au début des années quatre-vingt, des centaines de Cubains essayaient de rejoindre le sol des États-Unis sur des radeaux de fortune. Certains ont réussi le voyage et on leur a permis de s'installer en Amérique. Par contre, de nombreux autres n'ont pas eu cette chance et ont été arrêtés avant de pouvoir s'évader — ou pire, ils sont devenus des victimes de la mer. Même si la distance n'est que de cent quarante kilomètres, le voyage est long de Cuba à Key West quand le bateau est un vieux pneu.

Une jeune femme, Margherita, était déterminée à trouver la liberté. Son ambition était de pratiquer la médecine. Elle savait que son rêve ne pourrait jamais se réaliser dans son pays communiste, parce que la plupart des Cubains qui avaient leur diplôme en médecine finissaient par gagner mieux leur vie en conduisant un taxi. Toute sa famille avait réussi à se rendre aux États-Unis, la laissant seule dans un pays où il y avait peu d'espoir pour une vie meilleure.

Margherita a essayé de fuir à différentes occasions, mais elle a toujours échoué. Elle était une femme de grande volonté, ce qui n'était pas souhaitable dans cette société communiste. Très tôt, les responsables du gouvernement ont commencé à la harceler de façon systématique. La police la réveillait souvent au milieu de la nuit pour vérifier ses allées et venues. On l'a découverte lors d'une tentative d'évasion et elle a été arrêtée avait même de mettre son radeau à l'eau.

Il s'ensuivit que Margherita a été congédiée de son emploi dans le secteur touristique et obligée de laver de la vaisselle pendant une année, sans salaire. Souvent, la police — qui insistait pour vérifier sa carte d'identité — l'arrêtait dans la rue. Elle n'avait plus de paix et son rêve mourait lentement. Finalement, les répercussions de son évasion manquée sont devenues trop grandes pour ses forces. Elle a envisagé le suicide.

Margherita avait par contre trop de courage, trop d'espoir pour s'enlever la vie. Elle a décidé de planifier une autre évasion, mais cette fois, elle s'est associée à deux autres personnes pour l'aider. Elle et ses complices ont mis leurs ressources en commun et ont acheté une vieille chambre à air de camion, du bois et de la corde. Le jour dit, ils se sont rejoints après minuit et ont réussi à quitter le rivage, en priant pour arriver sains et saufs vers la liberté. Non loin du rivage, Margherita et ses amis ont eu de sérieux problèmes. Pas avec le gouvernement mais avec Dame Nature.

Il y avait des tempêtes sur l'océan et leur petit radeau a été rudement mis à l'épreuve. Ils ont été ballottés dans le vent et la pluie pendant deux jours, et ont erré sans but pendant le jour suivant. Tous trois ont été grandement déshydratés et cruellement battus par les vagues avant d'être secourus par la garde côtière américaine. Ils avaient franchi cent vingt-trois kilomètres en quatre jours. Ils ont eu l'autorisation d'entrer dans le pays, où Margherita a rapidement retrouvé sa famille.

Margherita était libre! Elle s'est inscrite à l'université et a commencé à réaliser son objectif de devenir médecin. Même si ses études étaient difficiles, elles constituaient un heureux défi. Margherita a passé plusieurs nuits à lire jusqu'aux petites heures du matin, mais elle le faisait avec joie.

Environ un an plus tard, elle étudiait tard dans la nuit pour un examen final. Elle était assise calmement et reposait ses yeux un moment, en se rappelant ce qu'avait été sa vie à Cuba. Elle a senti sa poitrine se serrer en se remémorant tous ses malheurs. Là-bas, la vie semblait sans issue, et pire, on l'avait traitée sans respect et avec cruauté. Elle sentait sa colère monter en elle en pensant aux injustices qu'elle avait subies. Elle s'est rappelé le harcèlement dont elle avait été victime de la part des fonctionnaires cubains — et de l'un d'entre eux en particulier. Bien qu'il fût près de deux heures du matin, elle a décidé d'appeler cet homme à sa résidence à Cuba. Elle lui avait téléphoné si souvent quand il était son agent de probation qu'elle se rappelait encore son numéro. *Je vais le sortir de son sommeil profond. Je lui ferai goûter sa propre médecine et voir comment il aime ça,* pensa-t-elle.

Margherita ne s'est pas donné le temps de penser à changer d'idée et elle s'est empressée de composer le numéro. Sa rage augmentait de plus en plus en ressassant ses souvenirs désagréables alors qu'elle attendait que la communication soit établie.

Quand le fonctionnaire cubain a répondu, elle n'a pas hésité : « C'est moi, Margherita, la jeune femme que vous avez harcelée pendant tous ces mois. Je vous téléphone pour vous remercier », a-t-elle dit.

« Pour me remercier? » demanda-t-il, surpris.

« Oui. Je suis maintenant étudiante en médecine aux États-Unis. C'est votre harcèlement constant qui m'a rendu la vie insupportable à Cuba. Vous m'avez forcée à venir dans ce pays d'abondance, où une femme peut réaliser ses rêves », lui expliqua-t-elle, la voix triomphante par cette petite vengeance.

Elle est restée surprise d'entendre le fonctionnaire émettre un long soupir. Il est resté silencieux quelque temps et a dit : « Ma propre vie ici est très difficile. Je dois veiller sur ma fille qui se meurt, un peu plus chaque jour, d'une maladie du foie. Le seul conseil que je reçois des médecins est de lui donner six aspirines par jour — » Et sa voix a commencé à se briser.

« Vous m'avez téléphoné pour me réveiller, pour vous venger de mon harcèlement, pour me faire souffrir. Je vous le dis, je souffre déjà en restant éveillé chaque longue nuit, essayant de réconforter ma pauvre petite fille. Elle se meurt de cette maladie parce que je n'ai pas assez d'argent pour acheter de l'aspirine. Et même si je le pouvais, je ne pourrais pas m'en procurer. »

L'homme maintenant pleurait au téléphone, brisé de douleur. Sous le choc, Margherita n'a pas su quoi répondre. Hébétée, elle a marmonné ses regrets au téléphone, puis elle a raccroché. Elle est restée assise longtemps, fixant ses livres sans les voir.

Il n'a que ce qu'il mérite, se dit-elle. *Il m'a rendu la vie misérable.* Pourtant, elle ne sentait plus la colère, ni son ambition fougueuse. Quelque chose de complètement différent emplissait son cœur.

Le matin suivant, Margherita s'est précipitée à la pharmacie. Elle a acheté le plus d'aspirines qu'elle pouvait se le permettre, les a emballées dans une grosse boîte et les a envoyées — avec amour — à son vieil ennemi, le fonctionnaire du gouvernement à Cuba. *Maintenant,* pensa-t-elle, *je suis vraiment libre.*

Elizabeth Bravo

Pas d'erreur

En 1951, Bette Nesmith travaillait dans une banque de Dallas, où elle était heureuse de son travail de secrétariat. Elle avait vingt-sept ans, était divorcée et mère d'un fils de neuf ans. Elle était contente de gagner 300 $ par mois, une somme respectable à cette époque.

Mais elle avait un problème — comment corriger les erreurs qu'elle faisait avec sa nouvelle machine à écrire électrique. Elle avait appris à taper sur une machine manuelle et était horrifiée du grand nombre de fautes supplémentaires qu'elle faisait sur la machine électrique. C'était un cauchemar que d'essayer de corriger toutes les fautes avec une efface. Elle devait trouver un autre moyen.

Elle avait certaines connaissances en art et elle savait que les artistes qui peignaient à l'huile couvraient simplement leurs erreurs; elle a donc concocté un liquide pour masquer ses erreurs de frappe, et l'a versé dans une bouteille de vernis à ongles.

Pendant cinq ans, Bette n'a parlé à personne de sa nouvelle technique. Mais finalement, d'autres secrétaires ont commencé à remarquer sa petite bouteille et en ont demandé pour elles. Elle a donc rempli des bouteilles pour ses amies et a nommé le liquide « Enlève fautes ».

Ses amies ont aimé le produit et l'ont encouragée à le vendre. Elle a pris contact avec diverses agences de marketing et des sociétés, dont IBM, mais toutes ont refusé de la rencontrer. Pourtant, les secrétaires continuaient à aimer son produit. Alors la cuisine de Bette Nesmith est devenue son premier local de fabrication; et elle a commencé à vendre elle-même le produit. Elle n'a pas quitté son emploi régulier le jour, mais travaillait tard le soir et tôt le matin pour mélanger et emballer son produit.

Les commandes ont commencé à rentrer petit à petit, et elle a engagé une étudiante pour l'aider dans ses ventes. Le travail n'était pas facile pour des vendeuses inexpérimentées. Les marchands leur disaient sans cesse que les gens ne peintureraient pas leurs fautes. On peut voir dans les dossiers que d'août 1959 à avril 1960, le revenu total de la compagnie fut de 1 141 $, et les dépenses de 1 217 $.

Mais Bette a persévéré. Elle a pris un emploi de secrétaire à temps partiel, a réussi à acheter des provisions et à économiser 200 $ pour payer un chimiste afin de développer une formule à séchage plus rapide.

La nouvelle formule a aidé. Bette s'est mise à voyager à travers le pays pour vendre ses petites bouteilles blanches là où elle pouvait. Elle arrivait dans une ville, prenait l'annuaire téléphonique et appelait tous les marchands de fournitures de bureau de la localité. Elle visitait des magasins et y laissait une douzaine de bouteilles. Les commandes se sont multipliées, et ce qui est connu maintenant comme du « Liquid Paper » a commencé à se vendre.

Quand Bette Nesmith a vendu son entreprise, la Liquid Paper Corporation, en 1979, les toutes petites bouteilles blanches rapportaient 3,5 millions $ par année pour des ventes de 38 millions $. Gillette Company en a fait l'acquisition pour la somme de 47,5 millions $.

Jennifer Read Hawthorne et Marci Shimoff
Adapté d'une histoire dans Bits & Pieces

Une femme policière

Depuis que j'étais toute petite, je voulais être policière. Le monde de la loi et de l'ordre me passionnait. Mon émission de télévision préférée était *Police Woman*, et en deuxième lieu, *The Rifleman*. Au plus profond de moi, je voulais sauver des gens, faire le bien; je voulais être une héroïne.

Même enfant, j'ai toujours été obèse. Chaque fois que je parlais à ma famille de mon rêve de devenir policière, ils disaient : « Pour y arriver, tu devras perdre du poids. » Je savais qu'ils avaient raison et j'avais honte de mon corps. Mais avec le temps, je n'ai pas maigri — j'ai engraissé.

À trente-trois ans, je mesurais 1,55 mètre et je pesais plus de 136 kilos. Inutile de dire que je ne suis pas devenue policière. Bien sûr, il n'y avait aucune possibilité que je le devienne. J'étais trop âgée, trop grosse — et même y penser était ridicule. Mais au fond de moi, c'était vraiment ce que je voulais. Chaque fois que je voyais un policier, je ressentais le même frisson et le même désir que lorsque j'étais enfant.

Un jour, je me suis regardée dans une glace et je me suis vraiment vue telle que j'étais — quelqu'un avec du cœur, un bel idéal, mais qui avait abdiqué. C'était un moment doux-amer. J'ai ressenti une nouvelle tendresse, un nouvel amour envers moi-même et aussi une nouvelle honnêteté. J'ai fait face à la femme dans la glace et j'ai demandé : « Comment sauras-tu jamais ce que tu peux faire si tu n'essaies pas? »

J'ai décidé de tenter ma chance. J'ai fait le premier pas : l'examen de la fonction publique. Les examens n'ont jamais été ma force et j'ai échoué. Même s'il est possible de joindre les forces policières sans réussir l'examen de la fonction publique, c'est nettement plus difficile. Il aurait été facile d'abandonner à ce stade, mais j'étais déterminée à poursuivre mon rêve.

J'ai donc communiqué avec le service de la police de ma communauté. J'ai parlé au chef de police de mon désir de joindre le service, et il a demandé à me rencontrer. J'étais très nerveuse de cette rencontre face à face. Je me répétais sans cesse que l'important était la façon dont je me comporterais, ma sincérité et mon assurance. Malgré cela, j'étais dévorée par la peur et je pensais : *Il jettera un regard sur moi et il me dira poliment : « Ne nous téléphonez pas, attendez qu'on vous appelle! »*

Mais ce n'est pas du tout cela qui est arrivé. Il m'a simplement acceptée, m'invitant à joindre le groupe auxiliaire de la police.

Il me fallait un uniforme. J'étais nerveuse rien que d'y penser. Je m'assoyais dans mon auto, jour après jour, attendant le moment propice pour faire mon entrée dans le poste de police. Comment me jugerait-on? Serais-je respectée ou ridiculisée?

Finalement, j'ai trouvé assez de courage pour agir. La tête aussi droite que possible, j'ai fait mon entrée. Je ne leur montrerais pas ma peur. Les mains moites, j'ai essayé des uniformes, mais je n'en ai trouvé aucun à ma taille. Finalement, j'ai dû aller chez un tailleur pour faire faire des altérations à l'uniforme. J'en étais très inconfortable. Pendant que le tailleur, un homme plus âgé, prenait les mesures et ajustait mon uniforme, je sentais monter la température dans la salle d'essayage. J'étais rongée par l'humiliation.

J'ai commencé à assister aux réunions mensuelles des auxiliaires et j'ai appris à connaître le groupe, tous des hommes, pour la plupart retraités. Quelques-uns d'entre eux, tout comme moi, voulaient devenir des policiers. Nous nous réunissions tous les mois pour regarder différents films sur la sécurité et pour aller au champ de tir.

Rapidement, le chef m'a recommandée pour le programme d'entraînement de treize semaines au *North East Regional Police Institute (NERPI)*. Cette école était exigeante, tant au plan académique qu'au plan physique. Il fallait apprendre le droit criminel, passer des examens de réanimation cardiorespiratoire et apprendre à utiliser les menottes, le gaz incapacitant et les baïonnettes. Je n'étais pas certaine de pouvoir le faire — je n'étais jamais sortie de ma zone de confort. *Comment sauras-tu ce que tu peux faire — si tu n'essaies jamais?* Cette pensée m'est revenue encore une fois, pour me donner la force dont j'avais besoin. J'affronterais la peur et je m'efforcerais de le faire.

À l'école, plus de 90 pour cent des candidats policiers étaient des hommes de moins de vingt-cinq ans, en forme et musclés. J'étais totalement intimidée et je m'isolais, essayant de ne pas m'imaginer ce que ces garçons devaient penser de moi.

Le jour que je craignais tant est finalement arrivé. Travaillant en paires, nous allions apprendre comment utiliser les menottes. J'ai prétendu ne pas remarquer que j'étais la dernière à être choisie pour partenaire. Puis, quelqu'un a mis ses mains derrière son dos, alors que le partenaire recevait les instructions pour mettre les menottes sur les poignets de l'autre. L'instructeur faisait le tour, vérifiant chaque équipe et les critiquant devant toute la classe. En raison de mon poids, je ne pouvais pas joindre mes poignets de la bonne façon afin que mon partenaire puisse mettre les menottes. L'instructeur se dirigeait vers nous et j'étais tellement stressée que la sueur perlait sur mon front. Je sentais que mon partenaire n'était pas confortable non plus, alors qu'il faisait de son mieux pour m'aider à rapprocher mes poignets. Je voulais disparaître. Mais l'instructeur ne s'est pas arrêté à nous. Il a plutôt souligné notre problème à toute la classe.

Quand ce fut terminé, j'ai compris que mon embarras avait été terriblement inconfortable, mais non dramatique.

Ma peur avait été plus imaginaire que réelle. J'ai compris qu'il n'en tenait qu'à moi de la maîtriser. Étonnamment, je savais que je le pouvais. Ce fut un point tournant pour moi.

J'ai complété les treize semaines. Même si les examens et la peur du risque ne me quittaient pas, j'ai réussi haut la main tous les derniers examens, écrits et pratiques.

Il était temps maintenant de passer une entrevue avec le service de la police où il n'était pas nécessaire de passer et réussir l'examen de la fonction publique. Six officiers ont mené mon entrevue. J'ai commencé par raconter mon histoire, par leur dire toute la passion pour la loi qui m'avait toujours habitée. J'ai gardé la tête droite et je parlais de changer le monde.

À la fin, on m'a offert un poste de répartitrice. Je n'étais pas exactement une femme policière, mais curieusement, cela ne m'importait plus. Ce qui comptait, c'est que j'avais voulu réaliser mes rêves malgré d'énormes embûches. J'avais brisé toutes les barrières que j'avais élevées sur ce que je pouvais faire et ne pas faire.

« Comment pourrez-vous savoir ce dont vous êtes capables si vous ne l'essayez pas? » est devenu mon mot d'ordre. Depuis, je me suis permis de rêver librement et de poursuivre les rêves qui me tenaient vraiment à cœur. Je suis devenue conférencière en motivation, j'ai fait de la descente en eau vive, j'ai conduit des motocyclettes — et je songe même à faire du parachutisme bientôt.

Ce que vous pouvez faire est vraiment étonnant — à condition d'essayer.

Chris Mullins

En retard à l'école

On n'est jamais trop vieux pour se fixer un autre but ou pour avoir un nouveau rêve.

Les Brown

Toute ma vie, j'ai eu ce rêve récurrent qui faisait que je me réveillais mal à l'aise. Dans ce rêve, je suis de nouveau une petite fille qui se dépêche en se préparant à aller à l'école.

« Dépêche-toi, Gin, tu seras en retard à l'école », me disait ma mère.

« Je *me* dépêche, maman! Où est mon lunch? Où ai-je laissé mes livres? »

Au plus profond de moi, je sais d'où vient le rêve et ce qu'il signifie. C'est la façon qu'a Dieu de me rappeler certaines choses inachevées dans ma vie.

J'aimais tout de l'école, même si celle que je fréquentais, dans les années vingt, était très sévère. J'aimais les livres, les professeurs, même les examens et les devoirs. Surtout, j'avais hâte de marcher un jour dans l'allée aux accords de « Pomp and Circumstance ». À mes yeux, cette musique était encore plus belle que la marche nuptiale.

Mais il y avait des problèmes.

La Grande Dépression a frappé plus durement les familles pauvres comme la nôtre. Avec sept enfants, papa et maman n'avaient pas d'argent pour des choses comme l'achat de vêtements neufs pour l'école. Chaque matin, je découpais des lanières de carton que je mettais dans mes souliers afin de boucher les trous dans les semelles. Il n'y avait pas d'argent pour des instruments de musique ou des uniformes de sport ou des goûters après l'école. Nous chantions pour nous-mêmes, nous jouions aux osselets ou à d'autres jeux, et nous mâchonnions des oignons pendant nos devoirs.

J'ai accepté ces temps difficiles. Tant que je pouvais aller à l'école, ce dont j'avais l'air ou ce qui me manquait ne me dérangeait pas trop.

La suite fut plus difficile à accepter. Mon frère Paul est mort d'une infection après s'être entré accidentellement une fourchette dans l'œil. Puis, mon père a attrapé la tuberculose et en est mort. Ma sœur, Margaret, a attrapé la même maladie, et elle est partie à son tour.

Le choc causé par ces pertes m'a donné un ulcère, et j'ai pris du retard dans mes études. Pendant ce temps, ma mère veuve essayait de tenir le coup avec les cinq dollars par semaine qu'elle gagnait à faire des ménages. Son visage est devenu un masque de désespoir.

Un jour, je lui ai dit : « Maman, je vais abandonner l'école pour trouver un travail et t'aider. »

Dans son regard, il y avait un mélange de chagrin et de soulagement.

À quinze ans, j'ai abandonné l'école que j'aimais tant pour travailler dans une boulangerie. Mon espoir de descendre l'allée aux accords de « Pomp and Circumstance » était mort, ou du moins, je le pensais.

En 1940, j'ai épousé Ed, un machiniste, et nous avons commencé notre famille. Par la suite, Ed a décidé de devenir pasteur. Alors, nous avons déménagé à Cincinnati, où il pouvait aller au séminaire biblique. La venue des enfants a effacé pour toujours mon rêve d'aller à l'école.

Malgré tout, je voulais absolument que mes enfants reçoivent l'éducation que je n'avais pas eue. J'ai veillé à ce que la maison soit remplie de livres et de revues. Je les aidais à faire leurs devoirs et je les suppliais d'étudier sérieusement. Cela a porté fruit. Nos six enfants ont finalement reçu une formation universitaire et l'un d'eux est professeur d'université.

Mais Linda, la cadette, a eu des problèmes de santé. L'arthrite juvénile dans ses mains et ses genoux l'empêchait de fonctionner dans une classe régulière. De plus, les médicaments lui donnaient des crampes, des problèmes d'estomac et des migraines.

Les professeurs et les directeurs n'étaient pas toujours très sympathiques. Je vivais dans la peur de recevoir un téléphone de l'école. « Maman, je reviens à la maison. »

Linda avait maintenant dix-neuf ans et n'avait pas encore son diplôme d'études secondaires. Elle revivait ma propre expérience.

J'ai prié pour ce problème, et quand nous avons déménagé à Sturgis, au Michigan, en 1979, j'ai commencé à voir une solution. Je suis allée à l'école secondaire de l'endroit pour m'informer. Au tableau d'affichage, j'ai vu une annonce pour des cours du soir.

C'est la réponse, me suis-je dit. *Linda se sent toujours mieux le soir, je l'inscrirai donc aux cours du soir.*

Linda remplissait son formulaire quand le responsable des inscriptions m'a regardée avec ses yeux bruns persuasifs en disant : « Mme Schantz, pourquoi ne retournez-*vous* pas à l'école? »

Je lui ai ri au nez. « Moi? Ha! Je suis une vieille femme. J'ai cinquante-cinq ans! »

Mais il a insisté. Et avant que je le réalise, j'étais inscrite dans des classes de français et d'artisanat. « Ce n'est qu'à titre d'expérience », l'ai-je prévenu, mais il s'est contenté de sourire.

À mon grand étonnement, Linda et moi étions très heureuses à l'école du soir. J'y suis retournée le semestre suivant et mes notes se sont améliorées régulièrement.

J'étais excitée d'aller à l'école encore une fois, mais ce n'était pas un jeu. Être assise dans une classe pleine d'enfants était gênant, mais la plupart étaient respectueux et encourageants. Le jour, j'avais encore beaucoup de travaux domestiques à faire et des petits-enfants à m'occuper. Parfois, je restais debout jusqu'à deux heures du matin, additionnant des colonnes de chiffres pour le cours de comptabilité. Quand les chiffres ne concordaient pas, j'avais les yeux pleins de larmes et je me réprimandais. *Pourquoi suis-je si stupide?*

Quand j'étais déprimée, Linda m'encourageait. « Maman, tu ne peux pas abandonner maintenant! » Et quand c'était son tour d'être déprimée, je l'encourageais. Ensemble, nous réussirions.

Enfin, la remise des diplômes approchait et le responsable des inscriptions m'a demandée dans son bureau. Je suis entrée en tremblant, craignant d'avoir fait quelque chose de mal.

Il a souri et m'a fait signe de m'asseoir. « Mme Schantz, dit-il, vous avez très bien travaillé à l'école. »

J'ai rougi de soulagement.

« En fait, a-t-il continué, vos collègues de classe ont voté à l'unanimité pour que vous soyez l'orateur de la classe. »

J'étais abasourdie.

Il a continué de sourire et m'a tendu un papier. « Voici une petite récompense pour votre travail assidu. »

J'ai regardé le papier. C'était une bourse d'études de 3 000 $. « Merci », c'est tout ce que je pouvais dire, et je l'ai répété, encore et encore.

Le soir de la remise des diplômes, j'étais terrifiée. Deux cents personnes étaient assises dans la salle, et parler en public était pour moi une toute nouvelle expérience. J'avais la bouche pâteuse comme si j'avais mangé des kakis. Mon cœur faisait des bonds, et je voulais fuir, mais c'était impossible! Après tout, mes propres enfants étaient dans la salle. Je ne pouvais pas être lâche devant eux.

Ensuite, quand j'ai entendu les premières notes de « Pomp and Circumstance », mes peurs se sont envolées dans un nuage de bonheur. *Je reçois mon diplôme! Et Linda aussi!*

J'ai réussi à prononcer le discours. J'étais étonnée d'entendre les applaudissements, à ma connaissance les premiers que je recevais.

Puis, mes frères et mes sœurs, de leurs résidences dans le Mid-West, m'ont fait envoyer des roses. Mon mari m'a donné des roses en soie, « afin qu'elles ne fanent pas ».

Les médias locaux se sont présentés avec caméras et magnétoscopes et beaucoup de questions. Il y a eu des pleurs, des accolades et des félicitations. J'étais fière de Linda, et un peu craintive d'avoir involontairement volé une part de l'attention qu'elle méritait pour sa victoire, mais elle semblait aussi fière que les autres de notre succès à deux.

La promotion de "81" est maintenant passée à l'histoire, et je me suis inscrite à l'université.

Parfois cependant, je m'assois et j'écoute l'enregistrement de mon discours de remise des diplômes. Je m'entends dire au public : « Ne sous-estimez jamais vos rêves dans la vie. Tout peut arriver si vous y croyez. Pas d'une façon enfantine et magique. Il faut travailler fort, mais ne doutez jamais que vous pouvez y arriver, avec l'aide de Dieu. »

Je me rappelle ensuite ce rêve récurrent — *Dépêche-toi, Gin, tu seras en retard à l'école* — et mes yeux se voilent quand je pense à ma mère.

Oui, maman, j'étais en retard à l'école, mais l'attente n'en a été que plus douce. J'aurais seulement voulu que toi et papa soyez là pour voir votre fille et votre petite-fille dans leur grand apparat.

Virginia Schantz
Tel que raconté à Daniel Schantz

Colore ma vie

Mon mari m'avait laissée après onze années. Non seulement m'avait-il quittée... il était parti avec une autre femme, sa comptable. Il ne m'avait pas seulement quittée, il avait aussi abandonné nos quatre jeunes enfants. Mon monde de sécurité, en couleurs ternes, s'est envolé en fumée en lisant sa note, et plus rien ne restait de la femme de jadis, ou de mon monde, sauf des cendres grises.

Quand j'ai fait le point sur ma vie, j'ai vu une femme de maison manquant d'assurance et obèse, avec quatre jeunes enfants et aucune compétence pour les faire vivre. Les deux choses que j'avais étaient de la détermination et des amis.

Parce que je me retrouvais soudainement sans argent, mon père m'a offert le poste de tenue des livres dans l'entreprise familiale — une entreprise de machinerie agricole qu'il possédait avec mon mari. Je devais remplacer la femme qui s'était enfuie avec mon mari. Bien que déterminée à faire vivre mes enfants, cela semblait une blague cruelle que je doive aller là chaque jour, m'asseoir à *son* bureau, répondre à *son* téléphone et essayer de faire *son* travail de tenue des livres.

Les fermiers qui venaient se crispaient en me voyant. Tout le monde était au courant de l'histoire, au courant de ma peine. Chaque jour, l'humiliation me donnait la nausée. Je doutais tellement de moi que le seul fait d'aller au bureau de poste ou à l'épicerie prenait toute mon énergie.

Alors qu'il y avait une semaine, mes jours s'écoulaient doucement à prendre soin des enfants, à cuisiner, à nettoyer et à tricoter, j'étais soudainement projetée dans le monde du travail, sans aucune préparation.

Après quelques semaines, j'ai décidé que, si je devais travailler dans la tenue des livres, je devrais apprendre à faire le travail correctement. Je me suis inscrite à un cours du soir en comptabilité. Je détestais cela. Les chiffres n'étaient pas ma force, et me retrouver dans une classe avec tous ces jeunes élèves brillants m'énervait. J'étais pourtant décidée à organiser une vie pour mes enfants, à n'importe quel prix.

Après avoir réussi le premier cours, mon père a offert d'acheter ma moitié de l'entreprise afin que je puisse aller à l'école à plein temps. Ainsi, j'aurais un revenu pendant que j'allais à l'école. Au moment où les paiements seraient terminés, j'aurais mon diplôme et, espérons-le, un travail très payant.

Quand j'ai timidement mentionné cette offre à mon amie Robbie, elle a répondu avec enthousiasme qu'elle m'aiderait autant qu'elle le pourrait. Et elle a tenu parole! En moins de quelques jours, nous avons circulé dans les terrains de stationnement de l'université avoisinante, pour nous diriger vers le bureau d'inscription, où je me suis inscrite à des cours de comptabilité. J'allais devenir comptable — moi, qui avait toujours détesté les chiffres!

Robbie a dit que nous devions célébrer cette première étape vers une nouvelle vie et nous sommes donc allées luncher dans un restaurant. Là, nous avons rencontré une vieille amie, JoAnn, qui avait été autrefois artiste commerciale. Elle peignait maintenant ses propres aquarelles et elle enseignait l'art — pour tout dire, ses cours ont représenté un des plaisirs trop peu nombreux que j'ai eus entre mes deux premiers bébés. Comme tous les autres dans le village, JoAnn avait entendu parler de ma situation difficile et avait demandé de mes nouvelles. Au moins, il y avait quelque chose de nouveau à dire.

« Elle retourne à l'école! » a dit Robbie avec un sourire.

« Oh!, s'est exclamée mon ancien professeur. Finalement, tu feras ton cours en arts graphiques! »

« Non, ai-je bégayé. En fait, je viens de m'inscrire à des cours de comptabilité. »

« Oh? » Elle était vraiment confuse.

J'étais abasourdie. Il ne m'était jamais venu à l'esprit d'aller à l'école pour quelque chose que je *voulais* faire. Depuis la disparition de mon mari, j'avais laborieusement fait ce qu'il fallait, j'avais suivi le courant de ma vie.

En revenant à la maison, j'ai songé à la possibilité de changer ma matière principale. J'ai ouvert le répertoire sur mes genoux à la section des arts graphiques. Les noms de cours dansaient devant mes yeux en les lisant à Robbie : « Illustration! Histoire de l'art! Peinture à l'huile! Se peut-il que ce soit une vraie carrière? » J'étais si impressionnée que j'en ai eu le souffle coupé.

« Merci, mon Dieu!, a dit Robbie en riant. Je commençais à penser que tout cela n'était qu'un effort perdu. Je ne t'ai pas vue aussi enthousiaste à propos de quelque chose depuis des mois! »

Ce soir-là, j'ai rassemblé mon courage et j'ai téléphoné à JoAnn chez elle et je lui ai demandé : « Crois-tu que je pourrais faire vivre mes enfants en travaillant en arts graphiques? »

« Je l'ai fait. Et tu as du talent... beaucoup de talent! Je crois vraiment que tu peux le faire aussi », a-t-elle répondu, et j'ai même cru déceler un soupir de soulagement dans ses propos.

Le jour suivant, je suis retournée à l'université — seule. Quand j'ai dit que je voulais changer ma matière, le conseiller m'a regardé comme si j'avais perdu la tête.

Finalement, ce fut un des meilleurs choix que j'ai faits dans ma vie.

Vous savez quoi? Je suis maintenant reconnaissante que mon premier mariage m'ait fait vivre des moments aussi traumatisants. Sans ce mariage, je n'aurais pas eu mes merveilleux enfants. Si je n'avais pas dû me battre, je me considérerais toujours comme à une femme malheureuse, obèse, craintive de quitter la maison.

Plutôt, je me suis mérité le titre prestigieux de directrice de la création pour une grande société, avec le salaire qui y correspond. Les murs de mon studio sont garnis de récompenses, que je considère des médailles d'honneur dans ma longue lutte. J'ai pu faire éduquer tous mes enfants; ils ont maintenant une famille et leur carrière. Nous sommes plus proches et plus forts d'avoir partagé et surmonté cette période de souffrance.

Surtout, les couleurs de ma vie ne sont pas ternes et n'ont pas conservé ce ton gris cendre. La gamme de couleurs est complète et elles sont vibrantes! Je n'aurais sans doute jamais su que cet arc-en-ciel de force et d'amour était tout ce temps à l'intérieur de moi. Chaque jour, je remercie Dieu pour le petit grain de détermination — et le soutien de mes amies — qui m'a aidée à trouver et à libérer l'arc-en-ciel pendant les moments les plus orageux.

Sharon M. Chamberlain

Ne renoncez pas à essayer de faire ce que vous voulez vraiment. Là où il y a de l'amour et de l'inspiration, je ne crois pas que vous puissiez vous tromper.

Ella Fitzgerald

Il m'a appris à voler

Chacun devrait observer soigneusement vers où son cœur l'attire, et ensuite choisir ce chemin de toutes ses forces.

Proverbe hassidique

Mon père a grandi près du projet résidentiel Cabrini Green House à Chicago. Les projets ont été construits longtemps après que papa ait déménagé, mais le voisinage fourmillant et déterminé de sa jeunesse n'est pas très différent de celui d'aujourd'hui. C'est toujours un endroit où les gens essaient de se sortir de la pauvreté et du danger. Voir finalement cette maison à appartements, c'était connaître toute la profondeur de mon père. C'était comprendre enfin pourquoi nous avons passé tant de temps en désaccord.

Papa et moi sommes toujours passionnés par nos sentiments — après tout, nous sommes Italiens — et quand je suis devenue adolescente, nous avons eu des discussions vraiment enflammées. Je ne peux pas me rappeler un repas à cette période où nous n'avons pas argumenté, soit sur la politique, le féminisme, la guerre au Vietnam. Par contre, notre plus grand différend se reproduisait sans cesse. C'était à propos de mon choix de carrière.

« Les gens comme nous ne sont pas des écrivains! » criait papa.

« Les gens comme *toi* ne sont peut-être pas des écrivains, lui criais-je aussitôt, mais des gens comme *moi* le sont!

Je n'aurais jamais pensé dire si vrai.

J'ai grandi dans une belle maison avec une pelouse, un chien, et beaucoup d'espace pour bouger. Mes seules responsabilités étaient d'obtenir de bonnes notes et d'éviter les gros ennuis. Papa avait passé sa jeunesse coincé dans un immeuble à appartements, à prendre soin de sa mère veuve qui ne parlait pas le français, à l'aider à élever deux plus jeunes enfants — et à gagner assez d'argent par tous les moyens possibles pour faire vivre la famille.

Papa rêvait de déménager de ce vieux quartier et après son mariage, c'est ce qu'il a fait. Il a tiré un trait sur son passé et n'a jamais parlé de sa jeunesse. Il n'en a parlé à personne. Jamais. Il se faisait un devoir de ne jamais permettre à personne de savoir les souffrances qu'il avait endurées. Mais en ne connaissant pas le passé de papa, je ne pourrai jamais le connaître, ou connaître la raison pour laquelle il voulait tant que je sois en sécurité.

Tout en persistant dans ma carrière, malgré tous les rejets, maman m'a dit que papa lisait et relisait tout ce que j'avais publié, bien qu'il ne m'en ait jamais parlé. Plutôt, il essayait continuellement de me diriger vers une carrière qu'il considérait plus sûre — infirmière, enseignante ou secrétaire.

Pendant la dernière semaine de sa vie, alors que j'étais assise près de son lit, papa s'est confié. C'était comme s'il constatait soudainement qu'il serait bientôt trop tard pour avouer la vérité à quelqu'un. C'est à ce moment-là qu'il m'a demandé de sortir une boîte de photos qu'il avait cachée soigneusement dans le garage; c'est là que j'ai finalement vu à quoi ressemblait son frère, sa sœur et lui-même quand ils étaient enfants, et où ils vivaient. C'est alors que je me suis trouvée face à face non seulement avec la vieille maison de papa, mais avec mon père lui-même.

Pendant ses derniers jours, papa a parlé de tout. Comment il se sentait à transporter des seaux de charbon sur quatre étages et à partager une salle de bain avec cinq autres familles. Il m'a dit qu'il s'était toujours inquiété que son frère et sa sœur n'aient pas suffisamment de nourriture ou de vêtements chauds pendant l'hiver, ou que quelqu'un dans la famille devienne malade et qu'il n'y ait pas assez d'argent pour payer les médicaments et les médecins. Il m'a raconté les samedis qu'il avait passés sur un terrain de golf, combien le gazon lui semblait merveilleux, et comment il essayait de convaincre les hommes de le prendre comme caddie. Après dix-huit trous, s'il était chanceux, on lui donnait une pièce de vingt-cinq cents.

Papa m'a dit à quel point il voulait me protéger de la pauvreté et du besoin, afin que je n'aie jamais à vivre ce qu'il avait vécu. Il m'a dit à quel point c'était important pour lui que j'aie quelque chose sur quoi je pouvais compter. J'ai dit à papa que, pendant toutes ces années, j'avais compté sur lui. Je lui ai dit que mes espoirs et mes rêves avaient été construits sur ses solides épaules. Je lui ai dit que les racines qu'il m'avait données étaient profondes, et quand il s'est excusé d'avoir essayé de me couper les ailes, je lui ai dit qu'il était le seul à m'avoir donné la chance de voler. En m'écoutant, papa a souri et il a tenté d'acquiescer, mais je doutais qu'il ait vraiment compris ce que je voulais dire.

L'après-midi de la dernière journée de sa vie, alors que maman et moi étions assises à lui tenir les mains, il a fait signe aux deux bénévoles de s'approcher. « Vous connaissez ma fille, a-t-il murmuré avec beaucoup d'effort. Eh bien, je veux juste que vous sachiez — c'est une écrivaine. »

Ce fut le plus grand moment de fierté de toute ma vie.

Cynthia Mercati

Si vous cherchez ce qui est honorable, ce qui est bon, ce qui est la vérité dans votre vie, toutes les autres choses que vous ne pouvez imaginer se produisent tout naturellement.

Oprah Winfrey

4

LE MARIAGE

Combien je t'aime? Laisse-moi te le dire.
Je t'aime de toute la profondeur
et de toute la grandeur de mon âme...

Elizabeth Barrett Browning

Le véritable amour

Si je connais ce qu'est l'amour, c'est grâce à toi.

Herman Hesse

Cécile et moi sommes amies depuis le collège, depuis plus de trente ans. Même si nous n'avons jamais habité plus près que 160 kilomètres l'une de l'autre depuis que nous nous connaissons, notre amitié a perduré. Nous avons traversé ensemble les mariages, les naissances, les divorces, et la mort d'êtres chers — tous ces moments où on a vraiment besoin d'une amie.

Pour célébrer notre amitié et notre cinquantième anniversaire de naissance, Cécile et moi avons fait notre premier voyage sur la route ensemble. Nous sommes parties en automobile de chez moi, au Texas, pour aller en Californie et en revenir. Quel plaisir nous avons eu!

Notre première journée nous a menées à Santa Fe, au Nouveau-Mexique. Après la longue route, nous étions assez fatiguées. Nous avons donc décidé d'aller au restaurant situé près de notre hôtel pour souper. Nous étions attablées dans une partie calme du restaurant, où il y avait peu de clients. Nous avons commandé et avons commencé à récapituler notre journée. Tout en parlant, j'ai jeté un regard sur les autres clients. J'ai remarqué un couple de personnes âgées assis près de nous. L'homme était assez grand et plutôt athlétique, les cheveux argentés et le teint basané. La femme qui l'accompagnait était plutôt menue, vêtue avec soin et charmante. Ce qui m'a immédiatement frappée, c'est l'expression d'adoration chez cette femme. Assise, le menton reposant sur ses mains, elle fixait le visage de l'homme qui lui parlait. Elle m'a fait penser à une adolescente en amour!

J'ai attiré l'attention de Cécile. Pendant que nous les regardions, il s'est étiré pour poser un léger baiser sur sa joue. Elle a souri.

« C'est ce que j'appelle le véritable amour! » dis-je en soupirant. « J'imagine qu'ils sont mariés depuis longtemps. Ils ont l'air si amoureux! » « Ou peut-être, remarqua Cécile, qu'ils sont ensemble depuis peu. Il se pourrait qu'ils viennent tout juste de tomber en amour. »

« Quoi qu'il en soit, il est clair qu'ils tiennent beaucoup l'un à l'autre. Ils sont en amour. »

Cécile et moi les regardions à la dérobée et nous écoutions sans gêne leur conversation privée. Il lui parlait d'un nouvel investissement d'affaires auquel il pensait et lui demandait son avis. Elle souriait en approuvant tout ce qu'il disait. Quand la serveuse est venue prendre leur commande, il a parlé pour elle, lui rappelant que le veau était son plat favori. En parlant, il lui caressait la main et elle buvait littéralement chacune de ses paroles. La scène nous séduisait.

Soudain, le climat a changé. Le joli visage délicatement ridé est devenu perplexe. Elle a regardé l'homme et, d'une voix douce, elle a dit : « Est-ce que je vous connais? Quel est cet endroit? Où sommes-nous? »

« Allons, chérie, tu me connais. Je suis Ralph, ton mari. Nous sommes à Santa Fe. Demain, nous partons rendre visite à notre fils au Missouri. Tu ne te souviens pas? »

« Oh! je ne suis pas certaine. Je crois que j'ai oublié », dit-elle doucement.

« Ça ira, ma chérie. Tout va bien aller. Mange ton repas, puis nous partirons et nous irons nous reposer. » Il s'est levé pour lui caresser la joue. « Tu es vraiment en beauté ce soir. »

Cécile et moi nous sommes regardées, des larmes ruisselant sur nos joues. Doucement, elle a dit : « Tu avais raison. C'est l'amour avec un grand A. »

Frankie Germany

Le médaillon

Mon travail d'animateur de séminaires me donne l'occasion d'entendre beaucoup d'histoires sur la vie et les expériences des gens. Un jour, après un séminaire, une femme s'est approchée et m'a raconté un événement qui a changé sa vie — et en même temps a aussi touché la mienne.

J'ai toujours pensé que je n'étais qu'une infirmière jusqu'à un certain jour, il y a de cela deux ans.

C'était l'heure du repas du midi et je nourrissais les patients qui sont incapables de manger seuls. Un travail salissant, car il faut surveiller chacun d'eux et s'assurer qu'ils gardent la nourriture dans leur bouche. J'ai levé la tête et j'ai vu un monsieur âgé passer devant la porte de la salle à manger. Il venait faire sa visite quotidienne à sa femme.

Nos regards se sont croisés et j'ai su immédiatement dans mon cœur qu'il fallait que je sois avec eux ce midi-là. Ma collègue a pris la relève et je l'ai suivi dans le corridor.

Quand je suis entrée dans la chambre, elle était étendue dans son lit, le regard tourné vers le plafond et les bras croisés sur sa poitrine. Lui était assis dans le fauteuil au pied du lit, les bras croisés, et regardait le plancher.

Je me suis approchée d'elle et je lui ai dit : « Susan, y a-t-il quelque chose que tu voudrais partager aujourd'hui? Si c'est le cas, je suis venue pour t'écouter. » Elle a tenté de parler, mais ses lèvres étaient sèches et aucun son ne sortait. Je me suis penchée plus près vers elle et j'ai répété ma question.

« Susan, si tu ne peux le dire avec des paroles, peux-tu me le montrer avec tes mains? »

Elle a lentement levé les mains de sa poitrine et les a regardées. C'étaient de vieilles mains, à la peau tannée et aux jointures enflées, usées par des années de travail et de vie. Elle a saisi le col de sa chemise de nuit et a tiré dessus.

J'ai détaché les boutons du haut. Elle a tiré une longue chaîne en or à laquelle était attaché un petit médaillon en or. Elle l'a regardé et des larmes ont perlé de ses yeux.

Son mari s'est levé de son fauteuil et s'est approché. S'assoyant à ses côtés, il a délicatement mis ses mains autour des siennes. « Ce médaillon a une histoire », dit-il, et il me l'a racontée.

Un jour, il y a plusieurs mois, nous nous sommes éveillés tôt et j'ai dit à Susan que je ne pouvais plus m'occuper d'elle seul. Je ne pouvais plus la porter à la salle de bains, faire le ménage et la cuisine. Mon corps n'était plus capable. Moi aussi, je vieillissais.

Nous avons parlé longtemps ce matin-là. Elle m'a demandé d'aller à notre club de café et de m'enquérir d'un bon endroit. Je ne suis revenu qu'à l'heure du déjeuner. Nous avons choisi cet endroit-ci sur les conseils des autres.

Le premier jour, après les formalités, la pesée et les tests, l'infirmière nous a dit que ses doigts étaient si enflés qu'on devrait scier ses alliances.

Restés seuls, nous nous sommes assis côte à côte et elle m'a demandé : « Qu'allons-nous faire d'une bague sciée et d'une bague entière? » J'avais, moi aussi, décidé d'enlever mon alliance ce jour-là.

Les deux bagues étaient vieilles, plus ovales que rondes. Minces par endroits et épaisses à d'autres. Nous avons pris une décision difficile. Cette soirée a été la plus difficile de toute ma vie. C'était la première fois en quarante-trois ans que nous ne couchions pas dans le même lit.

Le lendemain matin, j'ai apporté les deux bagues au bijoutier et je les ai fait fondre. La moitié de ce médaillon est mon alliance, l'autre, la sienne. Le fermoir a été fabriqué avec la bague de fiançailles que je lui ai offerte quand je l'ai demandée en mariage, près de l'étang au bout de la ferme, par un chaud soir d'été. Elle m'avait dit qu'elle attendait ce moment et a accepté ma demande.

À l'intérieur, il est écrit d'un côté, Je t'aime Susan, *et de l'autre,* Je t'aime Joseph. *Nous avons fait fabriquer ce médaillon parce que nous craignions qu'un jour nous ne puissions plus nous le dire l'un à l'autre.*

Il l'a prise dans ses bras et l'a tenue tendrement. Je savais que j'étais l'intermédiaire et qu'ils avaient compris le message. Je suis retournée nourrir mes malades avec plus de bonté dans mon cœur.

Après le déjeuner et la paperasse, je suis retournée à leur chambre. Il la berçait dans ses bras en chantant les dernières strophes de *Amazing Grace.* J'ai attendu qu'il l'a dépose, lui croise les bras et lui ferme les yeux.

Il s'est tourné vers moi à la porte et a dit : « Merci. Elle est morte il y a juste quelques instants. Merci beaucoup. »

J'avais l'habitude de dire que je n'étais "qu'une infirmière", "qu'une maman", mais je ne le dis plus. Personne n'est qu'un quelque chose. Nous avons tous des dons et des talents. Nous n'avons pas à nous limiter par de telles définitions réductrices. Je sais ce que je peux faire quand j'écoute mon cœur et me laisse guider par lui.

Quand elle a eu terminé son histoire, nous nous sommes fait l'accolade et elle est partie. Je suis resté dans l'embrasure de la porte, rempli de gratitude.

Geery Howe

La dot

Dans le monde lointain du Pacifique Sud, il y a une île qui porte le nom de Nurabandi, et tout à côté, une autre île nommée Kiniwata.

On dit que les indigènes de ces îles sont merveilleux, bons et fiers, mais qu'ils tiennent toujours à la vieille coutume d'offrir une dot à la famille de l'épouse quand un jeune homme demande sa main en mariage.

Johnny Lingo vivait sur l'île de Nurabandi. Il était beau et riche, et on disait qu'il était peut-être l'homme d'affaires le plus avisé de toute l'île. Chacun savait que Johnny, un jeune célibataire, pouvait choisir n'importe quelle fille libre de la région.

Mais Johnny n'avait d'yeux que pour Sarita, qui vivait sur Kiniwata, et bien des gens se demandaient pourquoi.

Voyez-vous, Sarita était une fille bien ordinaire, sans attrait. Elle marchait les épaules rentrées et la tête basse.

Malgré cela, Johnny aimait profondément Sarita et entreprit les démarches pour rencontrer son père, un homme du nom de Sam Karoo, pour lui demander la main de sa fille et discuter d'une dot appropriée.

La dot était toujours payée avec des vaches parce que cet animal était prisé dans les petites îles du Bassin du Pacifique. L'histoire disait que les plus belles filles du Pacifique Sud obtenaient une dot de quatre vaches ou, très rarement, cinq.

De plus, Johnny Lingo était le plus futé des négociateurs de l'île de Nurabandi et le papa de Sarita, que Dieu le bénisse, était le pire de l'île de Kiniwata.

Sachant cela et inquiet, Sam Karoo a tenu un conseil de famille le soir précédant la désormais célèbre rencontre pour mettre au point une stratégie. Il demanderait trois vaches à Johnny, en insistant pour deux jusqu'à ce qu'il soit certain que Johnny en offrirait une.

Le lendemain, dès le début de la rencontre, Johnny Lingo a regardé Sam Karoo droit dans les yeux et a dit d'une voix calme : « J'aimerais vous offrir huit vaches avant de vous demander la main de votre fille, Sarita. »

Sam a répondu en bégayant que cela lui convenait. Peu après, il y a eu un joli mariage, mais personne sur aucune des îles ne comprenait pourquoi, diable, Johnny avait donné huit vaches pour Sarita.

Six mois plus tard, un écrivain américain de talent, Pat McGerr, a rencontré Johnny Lingo dans sa luxueuse résidence de l'île de Nurabandi et s'est informé des huit vaches.

L'écrivain avait déjà visité l'île de Kiniwata et il avait entendu les villageois se gausser du fait que cet idiot de vieux Sam avait dupé le rusé Johnny et en avait obtenu huit vaches pour la peu attrayante et quelconque Sarita.

Pourtant à Nurabandi, personne n'osait se moquer de Johnny Lingo qui jouissait d'un grand prestige. Lorsque l'écrivain rencontra finalement Johnny, les yeux du nouveau mari pétillait comme il questionnait gentiment l'écrivain.

« J'ai entendu dire qu'on parle de moi dans cette île. Ma femme vient de là. »

« Oui, je sais », a répondu l'écrivain.

« Alors, racontez. Que dit-on? » a demandé Johnny.

L'écrivain, cherchant à se faire diplomate, a répondu : « On dit que vous avez épousé Sarita au moment du carnaval. »

Johnny a insisté jusqu'à ce que l'écrivain lui dise franchement : « Ils disent que vous avez offert huit vaches pour votre femme et ils se demandent pourquoi. »

Au même instant, la plus belle femme que l'écrivain ait jamais vue est entrée poser des fleurs sur la table.

Elle était grande. Elle se tenait les épaules bien droites. Et sa tête était haute. Quand son regard croisait celui de Johnny, on y voyait une étincelle indéniable.

« Voici ma femme Sarita », dit Johnny d'un air amusé. Quand Sarita s'est excusée avant de sortir, l'écrivain était perplexe.

C'est alors que Johnny s'est expliqué.

« Vous êtes-vous déjà demandé ce que ressentait une femme en sachant que son mari a payé le prix le plus bas pour elle? »

« Puis, quand les femmes parlent entre elles, elles se vantent du prix que leur mari a payé pour elles. L'une dit quatre vaches, l'autre trois. Mais comment se sent la femme pour qui on n'a offert qu'une vache? » demanda Johnny.

« Je ne pouvais permettre que cela arrive à ma Sarita. Je voulais que ma Sarita soit heureuse, bien sûr, mais il y avait plus. Vous dites qu'elle ne ressemble pas à ce qu'on vous a dit. C'est vrai, mais bien des choses peuvent changer une femme.

« Il se produit des choses à l'intérieur et à l'extérieur, mais ce qui compte le plus, c'est ce qu'elle pense d'elle-même. À Kiniwata, Sarita croyait qu'elle ne valait rien, mais aujourd'hui, elle sait qu'elle vaut plus que toutes les femmes de toutes les îles. »

Après une pause, Johnny Lingo a ajouté : « Je voulais épouser Sarita depuis toujours. Je l'aimais et je n'aimais aucune autre femme. Mais je voulais aussi avoir une femme qui valait huit vaches et, comme vous voyez, mon rêve s'est réalisé. »

Roy Exum

Je ne comprendrai jamais ma femme

Dans chaque mariage, il y a un mystère.

Henri F. Amiel

Je ne comprendrai jamais ma femme.

Le jour où elle a emménagé avec moi, elle a commencé à ouvrir les armoires de cuisine en disant : « Tu n'as pas de papier à tablettes! Il va falloir acheter du papier avant de mettre mes assiettes. »

« Pourquoi? » ai-je demandé innocemment.

« Pour garder la vaisselle propre », a-t-elle répondu d'un ton neutre. Je ne comprenais pas comment la poussière migrerait par magie des assiettes si nous mettions du papier collant bleu sous elles. Mais je savais quand tenir ma langue.

Puis vint le jour où j'ai laissé le siège de toilette levé. « Dans ma famille, on ne laisse jamais le siège de toilette levé », a-t-elle grondé. « C'est impoli. »

« Ce n'était pas impoli dans ma famille », dis-je d'un air penaud.

« Il n'y avait pas de chats dans ta famille. »

En plus de ces leçons, j'ai aussi appris comment il fallait presser le tube de dentifrice, quelle serviette utiliser en sortant de la douche et où placer les cuillères quand je mettais le couvert. Je ne savais pas que je manquais à ce point d'éducation.

Non, je ne comprendrai jamais ma femme.

Elle range ses épices en ordre alphabétique, lave les assiettes avant de les mettre au lave-vaisselle et trie sa lessive en piles différentes avant de tout mettre dans la machine à laver. Voyez-vous ça?

Elle porte des pyjamas pour dormir. Je croyais que plus personne en Amérique du Nord ne portait de pyjamas pour aller au lit. Elle a un manteau qui lui donne l'air de Sherlock Holmes. « Je pourrais t'acheter un nouveau manteau », lui ai-je proposé.

« Non, celui-ci appartenait à ma grand-mère », répondit-elle fermement, mettant fin à la conversation.

Puis, quand nous avons eu des enfants, elle est devenue encore plus étrange. Elle portait ces pyjamas toute la journée, prenait son petit-déjeuner à 13 heures, trimballait un sac à couches de la taille d'une mini-fourgonnette et parlait en paragraphes d'une syllabe.

Elle portait notre bébé partout — sur son dos, sur le devant, dans ses bras, sur ses épaules. Elle ne la déposait jamais, même quand les autres mères hochaient la tête en déposant le siège d'auto où était leur bébé ou en se penchant au-dessus du parc. Elle sortait vraiment du lot, avec ce bébé agrippé à elle.

Ma femme a aussi choisi de l'allaiter même lorsque ses amies lui disaient de ne pas s'en embarrasser. Elle prenait le bébé dès qu'il pleurait, même si on lui disait que c'était bon pour sa santé de la laisser pleurer.

« C'est bon pour ses poumons de pleurer », disaient-elles. « Mieux vaut que son cœur sourie », répondait ma femme.

Un jour, un ami a ricané en voyant le collant qu'elle avait apposé sur le pare-chocs de notre voiture : « Être une mère au foyer est un devoir du cœur. »

« Ma femme a dû le coller là », ai-je dit.

« Ma femme travaille », se vanta-t-il.

« La mienne aussi », dis-je en souriant.

Un jour, en remplissant une carte de garantie, j'ai coché « ménagère » à côté de l'occupation de ma femme. Grave erreur. Elle a jeté un coup d'œil et m'a rapidement corrigé.

« Je ne suis pas une ménagère. Je ne suis pas une femme au foyer. Je suis une maman. »

« Mais, il n'y a pas de catégorie pour cela », ai-je balbutié. « Mets-le à la main », répondit-elle. Je l'ai fait.

Puis un autre jour, quelques années plus tard, elle est restée au lit, souriante, quand je me suis levé pour aller travailler.

« Qu'y a-t-il? » ai-je demandé.

« Rien. Tout est merveilleux. Je n'ai pas eu à me lever de la nuit pour calmer les enfants. De plus, ils ne sont pas venus se blottir contre nous. »

« Oh! », dis-je, sans comprendre.

« C'était la première fois en quatre ans que je dormais une nuit entière. » Ah, oui? Quatre ans? C'est long. Je ne l'avais même pas remarqué. Pourquoi ne s'est-elle jamais plainte? Je l'aurais fait.

Un jour, dans un moment d'étourderie, j'ai dit quelque chose et elle est partie se réfugier dans la chambre en pleurant. Je l'ai suivie pour m'excuser. Elle a bien vu que j'étais sincère, car je pleurais moi aussi.

« Je te pardonne », a-t-elle dit. Et vous savez quoi? Elle l'a fait. Elle n'en a jamais reparlé. Même pas dans les moments où elle était en colère et qu'elle aurait pu sortir l'artillerie lourde. Elle pardonnait et elle oubliait.

Décidément, je ne comprendrai jamais ma femme. Et vous savez quoi? Notre fille agit de plus en plus comme sa mère chaque jour.

Si elle devient tant soit peu comme sa mère, un jour, il y aura un autre gars heureux sur terre, reconnaissant d'avoir du papier à tablettes dans ses armoires.

Steven James

Châteaux de sable

L'amour n'est pas une pierre; il faut le fabriquer, comme le pain, le refaire sans cesse, le renouveler.

Ursula K. Le Guin

Par une douce journée d'été à la mer, mon mari et moi étions allongés sur nos serviettes, lisant, chacun enfermé dans son propre monde. Depuis quelque temps, la scène s'était souvent répétée. Nous avions été occupés, préoccupés, courant dans des directions différentes. J'avais espéré que le temps libre des vacances aurait été différent, mais jusqu'ici nous avions passé la plus grande partie de notre temps enfermés dans le silence.

J'ai levé les yeux de mon livre pour regarder le roulement incessant des vagues, me sentant nerveuse. J'ai passé mes doigts dans le sable. « Tu veux faire un château de sable? » ai-je demandé à mon mari.

Il n'en avait pas vraiment envie, mais il a accepté pour me faire plaisir. Par contre, une fois lancé, il est devenu très absorbé par le projet. Nous l'étions tous les deux. En réalité, après quelque temps, nous travaillions à un projet digne d'une photo dans *Sand Castle Digest*. Sandy construisait des ponts au-dessus des fossés pendant que je couronnais de flèches le dessus du château. Nous avons construit des balcons et des fenêtres en arche décorées de petits coquillages. Notre château ressemblait à Camelot.

Aucun de nous ne s'est aperçu du changement de marée. Nous n'avons jamais remarqué les vagues jusqu'à ce que la première vienne emporter une petite partie de notre château. Indignés, nous avons colmaté la brèche avec du sable bien tapé. Mais, alors que les vagues revenaient avec une régularité monotone, nos mains se sont arrêtées et nos regards se sont portés vers l'horizon. Sandy est retourné sur sa serviette de plage. Moi, sur la mienne. Nous sommes retournés dans notre silence.

Quand j'ai de nouveau regardé, le château de sable auquel nous avions apporté tant de soin baignait dans la marée montante. Les ponts étaient emportés et les flèches commençaient à pencher.

Je l'ai regardé avec mélancolie, envahie par une tristesse inexplicable. Soudain, pendant cet été ordinaire, j'ai eu un moment de pure révélation, spontanément. *Voilà mon mariage,* ai-je pensé.

J'ai regardé mon mari. Le silence entre nous semblait monter jusqu'aux cieux. C'était le silence vide d'un mariage rendu à maturité, un mariage où le bruit incessant de la vie quotidienne noie la musique de l'intimité.

Grands dieux! quand la marée avait-elle changé? À quel moment les hypothèques, la lessive et les rendez-vous chez l'orthodontiste sont-ils devenus plus importants que les longs regards que nous échangions? À quand remontait notre dernier échange sur nos peines intérieures ou notre dernière rencontre inopinée avec une joie remplie d'émerveillement et de rires? Comment deux personnes qui s'aiment avaient-elles pu permettre un tel éloignement?

Je me suis souvenue de la prévenance dont nous faisions preuve l'un envers l'autre au début de notre mariage, et comment les demandes constantes et la routine de la maison, des deux enfants et de deux carrières avaient à la fin calmé nos mains et baissé nos yeux.

Ce soir-là, après que les enfants furent endormis, mon mari m'a retrouvée alors que, dans l'ombre du porche, je fixais la nuit. « Tu n'as pas dit deux mots de la soirée. »

« Désolée, ai-je répondu. Je suis préoccupée. »

« Tu veux m'en parler? » demanda-t-il.

Je me suis tournée vers lui. J'ai pris une grande respiration. « Je pense à nous, dis-je. Je pense que notre relation est noyée par le train-train quotidien. Nous avons tenu notre mariage pour acquis. »

« Que veux-tu dire? Nous avons un bon mariage. » Il était indigné.

« Bien sûr que nous avons un bon mariage, lui ai-je dit. Cependant, il me semble qu'il se limite à notre engagement. Parfois, nous sommes deux étrangers sous le même toit, chacun allant de son côté. »

Il est resté silencieux. *Ça y est. J'ai gaffé,* ai-je pensé. *J'ai tellement brassé la cage qu'elle risque de se renverser. J'ai dit à mon mari que notre mariage se résumait à un engagement vide. Grands dieux!* Nous nous sommes regardés. C'était comme si nous étions prisonniers d'une grosse bulle de souffrance qui ne voulait pas crever. Des larmes coulaient sur mon visage. À mon grand étonnement, lui aussi pleurait.

Soudain, dans ce qui est certainement le moment que je chéris le plus de notre mariage, Sandy a tracé avec son doigt le chemin des larmes sur mes joues pour ensuite toucher son propre visage humide, mêlant nos larmes.

Il est étrange comment certains gestes peuvent rallumer le mystère des relations entre deux personnes. Sandy et moi avons descendu les marches qui menaient à la plage sous le ciel étoilé. Doucement, nous avons commencé à parler. Nous avons parlé longtemps. À propos des petits drames du mariage et ses difficultés. Nous avons parlé des coins rongés et usés de notre mariage et comment ils s'étaient produits. Nous avons dit des paroles douloureuses sur nos besoins mutuels non satisfaits.

Nous étions emportés par la spirale noire qu'était devenue notre relation. Oui, c'était inconfortable et effrayant, comme flotter dans la mer sans embarcation. Pourtant, affronter le chaos et la peine est souvent le seul moyen d'atteindre de nouveaux rivages. Car Dieu est aussi dans l'onde noire.

Enfin, il se faisait tard. Avec un sentiment d'approfondissement et de renouveau grandissant entre nous, j'ai dit, rêveuse : « Ce serait bien si, un jour, nous renouvelions nos vœux de mariage. »

« Et pourquoi pas maintenant? » a demandé mon mari. J'ai ravalé. Cet homme ne cesserait-il jamais de me surprendre ce soir?

« Mais, que devons-nous dire? Je ne me souviens pas des mots exacts. »

« Pourquoi ne pas simplement dire ce qui vient de notre cœur? »

C'est ainsi que, sous la lumière des étoiles, au bruit des vagues qui se brisaient sur le rivage, nous nous sommes pris les mains et avons essayé de mettre des paroles sur la musique que nous retrouvions entre nous.

« Je promets de t'écouter, dit-il. De prendre le temps de partager véritablement… »

« Et je promets d'être sincère, de travailler à créer un rapprochement entre nous », ai-je commencé.

Je ne me souviens plus de toutes les paroles; je me souviens surtout des sentiments, de ma voix tremblante et de sa main serrant la mienne. Je me rappelle surtout que nous reconstruisions le château, les ponts et les flèches.

Le lendemain, nous avons laissé les enfants devant la télé avec leurs céréales et nous sommes allés marcher sur le rivage. Le soleil traçait un rayon de lumière sur la mer qui nous servait de guide. Nous avons parlé en marchant, encore un peu sous le choc des événements de la nuit précédente, conscients dans la lumière crue du jour que prononcer des paroles est une chose, mais les vivre en est une autre. Nous ne pouvions abandonner nos vœux nouvellement prononcés au clair de lune. Nous devions les apporter avec nous à la maison pour les intégrer à nos horaires fébriles, à la sécheuse brisée et aux miettes de Doritos sous le lit de notre fils.

Plusieurs kilomètres plus loin, nous marchions dans l'eau jusqu'aux genoux en regardant le ciel turquoise et l'eau de jade. Nous allions retourner vers le condo quand cela s'est produit. Un énorme dauphin est sorti de l'eau à peine à vingt mètres de nous. Il nous a tellement surpris que nous sommes tombés à la renverse dans la mer.

Assis dans l'eau complètement habillés… devant un dauphin qui plongeait et sortait de l'eau dans un ballet argenté, l'expérience était une merveille si inattendue et enivrante que nous avons éclaté de rire jusqu'à nous étouffer. Je ne me souviens pas d'une joie aussi grande et aussi pleine.

Enfin, nous nous sommes relevés et, nos shorts mouillés, nous avons repris notre chemin sur la plage, notant au passage quelques châteaux de sable effrités par la mer. J'ai remarqué chacun d'eux.

Puis, j'ai commencé à entendre une voix au tréfonds de moi qui chuchotait : « Quand demain arrivera et que la vie viendra saper les murs de ton château, souviens-toi du pouvoir de la peine honnête et des larmes fusionnées. Souviens-toi du pouvoir guérisseur d'un rire profondément partagé. Souviens-toi de ce qui est important. Ne l'oublie jamais. »

Sue Monk Kidd

L'amour guérit les gens — autant ceux qui le donnent que ceux qui le reçoivent.

Karl Menninger

Le dernier « Je t'aime »

Le mari de Carol a perdu la vie dans un accident l'an dernier. Jim n'avait que cinquante-deux ans. Il revenait du travail en automobile. L'autre conducteur était un ado avec un taux d'alcoolémie très élevé. Jim est mort sur le coup. L'ado a passé moins de deux heures à l'urgence.

Autre ironie du sort : ce jour-là, Carol célébrait son cinquantième anniversaire et Jim avait deux billets d'avion pour Hawaii dans sa poche. Il voulait lui faire une surprise. Au lieu de cela, il a été tué par un chauffard ivre.

« Comment as-tu fait pour survivre? » ai-je un jour demandé à Carol, un an plus tard. Ses yeux se sont remplis de larmes. J'ai cru avoir fait une gaffe, mais elle a doucement pris ma main et a dit : « Ça va. Je veux te le dire. Le jour où j'ai épousé Jim, j'ai promis que jamais je ne le laisserais quitter la maison le matin sans lui avoir dit que je l'aimais. Il a fait la même promesse. C'était devenu une blague entre nous, et avec l'arrivée des bébés, il était parfois difficile de tenir notre promesse. Je me souviens avoir couru dans l'allée en disant "Je t'aime" les dents serrées alors que j'étais en colère, ou de m'être rendue à son bureau pour mettre une note dans sa voiture. C'était un défi amusant.

« Nous nous sommes fabriqué de nombreux souvenirs en essayant de nous dire "Je t'aime" avant le midi, chaque jour de notre mariage. Le matin de sa mort, Jim a laissé une carte de vœux dans la cuisine et s'est dirigé vers sa voiture. J'ai entendu le moteur démarrer. *Oh non! Pas question, mon grand,* ai-je pensé. J'ai couru et frappé dans la fenêtre de la voiture jusqu'à ce qu'il la baisse.

« Ici même, le jour de mon 50e anniversaire, M. James E. Garret, moi, Carol Garret, veux déclarer officiellement "Je t'aime!" C'est ce qui m'a permis de survivre. En sachant que les derniers mots que j'ai dits à Jim étaient "Je t'aime". »

Debbi Smoot

Aimer Donna

On dit qu'on ne rencontre pas l'amour, on le fait. Aimer Donna est la chose la plus facile que j'ai fait dans ma vie.

Nous sommes mariés depuis vingt et un ans, et nous sommes toujours des nouveaux mariés, si on considère que le mariage est censé durer éternellement.

Il y a un an, quand le téléphone a sonné et que j'ai répondu, la voix a dit : « Je suis le Dr Freeman. Votre femme a un cancer du sein. » Il parlait d'une manière très détachée, sans ménager ses mots, même si je pouvais percevoir au son de sa voix qu'il était préoccupé. C'est un médecin bon, attentionné et chaleureux. Cet appel ne lui était pas facile. Il a parlé à Donna pendant quelques minutes et quand elle a raccroché, son visage est devenu livide. Nous nous sommes étreints et nous avons pleuré pendant environ cinq minutes.

Elle a soupiré et dit : « Assez! »

Je l'ai regardée. « D'accord, ai-je dit. Nous avons le cancer. Nous allons nous en occuper. »

Au cours des douze mois depuis ce jour, Donna a subi un traitement de chimiothérapie, une mastectomie, une greffe de moelle osseuse et de la radiothérapie. Elle a perdu ses cheveux, elle a perdu un sein, elle a perdu sa vie privée, et elle a perdu le réconfort de savoir que demain viendra toujours. Soudain, ses demains ont été suspendus et lui ont été donnés au compte-gouttes jusqu'à ce que sa réserve se soit reconstituée.

Mais elle n'a jamais perdu sa dignité ni sa foi. Elle n'a jamais abandonné et elle n'a jamais cédé.

Nous avons apposé une petite affiche au mur, près de son lit. On peut y lire : « Parfois le Seigneur calme la tempête.

Parfois, Il laisse la tempête faire rage et calme son enfant. » Les mots de l'affiche sont devenus notre hymne.

Le jour où elle est rentrée à la maison après sa mastectomie, elle s'est regardée dans le miroir, longuement. Puis, elle a haussé les épaules et a dit : « C'est donc de cela que j'ai l'air. » Elle a mis son pyjama et s'est couchée. Elle s'est regardée et elle a vu de l'espoir. J'ai vu du courage.

Elle a passé Pâques, la fête des Mères et une remise de diplôme à l'hôpital. Elle a raté une grande partie de la vie des autres pendant ses innombrables traitements médicaux.

Mais elle a aussi gagné beaucoup.

Elle a assisté au mariage d'un de nos fils dans un fauteuil roulant motorisé, portant une perruque et un soutien-gorge à bonnets renforcés. Après la mariée, elle était sans aucun doute la femme la plus radieuse de la fête.

De plus, elle a découvert à quel point sa famille, sa parenté et ses voisins l'aimaient et combien elle comptait dans la vie de nous tous. Nous avons reçu des notes et des lettres et des appels, et des mystérieux paquets de pain et de biscuits faits maison sont apparus devant notre porte. Donna a dit qu'elle ne savait pas que tant de gens tenaient à elle.

Un soir, au plus profond de son épreuve physique, j'étais assis dans mon fauteuil habituel dans sa chambre d'hôpital. Elle venait de terminer quatre jours de traitements ininterrompus de chimiothérapie à haute dose. Son système immunitaire avait été détruit. Sa tête chauve luisait, ses yeux étaient vitreux, elle avait perdu 15 kilos et son corps était sujet à des vagues de nausée. Elle s'est éveillée et j'ai touché sa main. Je l'ai tenue doucement, car sa peau et ses veines, comme tout le reste de son corps, étaient aussi fragiles que les pétales d'un gardénia. Si la greffe de moelle osseuse ne prenait pas, ce serait le début de la fin. Si, au contraire, elle prenait, c'était le creux de la vague et elle pourrait commencer à remonter le chemin abrupt vers la guérison.

« Bonjour, ai-je dit. Je t'aime. »

Elle a ri. « Bien sûr que tu m'aimes. Je parie que tu dis cela à toutes tes petites amies. »

« Certainement. Parce que tu es toutes mes petites amies. »

Elle a souri. Les sédatifs ont de nouveau fait effet et elle s'est rendormie. Heureusement, elle a passé la plus grande partie de cette semaine dans un état semi-conscient.

Dix jours plus tard, sa greffe de moelle osseuse avait bien pris et son corps a commencé à se rétablir. Une charmante bénévole du nom de Nancy est venue à la chambre de Donna pour lui enseigner l'aquarelle comme thérapie de rétablissement. J'étais dans la chambre et cette femme m'a tendu un pinceau, du papier et des couleurs avec la simple commande, « Peignez quelque chose. »

J'ai un œil pour la beauté. Je sais quand elle se présente à moi. Mais depuis l'école primaire, quand j'étais encore assez jeune et innocent pour croire que tous mes dessins étaient des chefs-d'œuvre, j'ai appris que mon habileté manuelle se limite à mon clavier d'ordinateur et à la commande à distance du téléviseur. Je ne dessine pas, je ne peins pas non plus.

J'ai donc mis de la couleur sur la page et j'ai peint un bouquet de fleurs que j'ai prétendu faire à la manière que Picasso appelait « cubiste » ou que Grandma Moses pourrait avoir fait et qualifié de « primitif ». J'ai été encouragé quand Donna et Nancy ont toutes deux reconnu des jonquilles et qu'elles en comptaient sept, ce qui était mon intention.

Je me suis rappelé les paroles d'une ancienne balade que j'avais entendue il y a plus de quarante ans. Je les ai donc écrites au bas de la page. J'ai dit :

Je n'ai pas de château;
Je n'ai pas de terres.

Je n'ai même pas un billet de banque
Que je puisse froisser dans ma main.

Mais je peux te montrer des matins sur mille collines,
Et t'embrasser, et te donner
Sept jonquilles.

Elle a accroché mon tableau sur le mur de sa chambre et j'ai revécu le plaisir de voir mes rêves d'enfant accrochés sur le réfrigérateur. Seulement cette fois, il était question de vie et de mort, d'amour et d'espoir.

Aujourd'hui, elle est rentrée à la maison et la vie continue. Chaque jour, nous rions un peu et parfois nous pleurons un peu. Et nous nous aimons beaucoup.

Je l'aime pour toutes les meilleures raisons qu'un homme a d'aimer une femme. En fin de compte, je l'aime parce qu'elle tire plus de mon univers et de ma vie que je ne le peux moi-même.

Elle m'aime pour toutes les raisons simples qui font qu'une femme aime un homme. Pour les nuits tranquilles et les jours ensoleillés. Pour les rires et les larmes partagés. Pour vingt et une années de vaisselle et de couches, et de départs pour le travail et de retours à la maison, et parce qu'elle voit son propre avenir quand elle regarde dans mes yeux.

Et pour un tableau représentant sept jonquilles.

Ron C. Eggertsen

Main dans la main

Les mains de mon mari, Paul, dégageaient une impression de beauté et de solidité : chaudes, jamais froides, jamais humides, leur douce pression toujours rassurante. Et, aux derniers jours de sa vie, chaque fois que ses mains cherchaient les miennes, il les pressait toutes deux autour d'une des miennes.

C'est à cette époque, assise près de son lit, que j'ai tenté de mémoriser ses mains. Elles étaient deux fois plus longues que les miennes et une fois et demie plus larges. Ses doigts n'étaient pas effilés, ils étaient longs et carrés, marqués de belles veines jusqu'à leur extrémité. Ses ongles, carrés, avec des demi-lunes bien définies aux racines et des bords blancs et bien nets. Il avait toujours pris soin de ses mains. Ce n'étaient pas des mains dures ni douces. C'étaient les mains d'un professeur d'université dont les outils étaient la craie et les marqueurs rouges.

Je me demandais si ses étudiants avaient de la difficulté à lire ses hiéroglyphes. Je m'y étais habituée pendant l'année où nous avions été séparés — fiancés, mais séparés — pendant qu'il terminait sa maîtrise à l'Université Bradley, située à 1 300 kilomètres de notre ville natale de la Pennsylvanie.

M'étais-je souvenue de lui dire que je trouvais belles ses grandes mains? Lui ai-je déjà dit que pendant nos fréquentations, alors qu'il était souvent invité à manger chez moi, ma mère était fascinée par la façon discrète dont il manipulait les ustensiles et les tasses à café qui disparaissaient presque dans ses mains? Lui ai-je dit que lorsqu'il me prenait la main — pendant un film, pendant un moment émouvant à l'église, dans son lit d'hôpital où sa maladie l'avait confiné au cours de ses quatre dernières années — je ressentais l'expression pure et sincère de son amour?

De ses mains également venaient les soins attentifs qu'il accordait aux enfants. Il était fier d'avoir donné le premier bain à notre fille. Avec ses 3,5 kilos, elle tenait confortablement dans ses deux mains, et pourtant ses gros doigts bougeaient avec grâce et délicatesse quand il lui donnait son bain, ainsi qu'aux cinq bébés qui ont suivi.

Au début, pendant les années de vaches maigres, ces mains ont coupé les cheveux à trois garçons en croissance et épongé les cheveux de trois filles après les douches.

Elles ont manipulé des valises, avec un maximum de sueur et un minimum de jurons, des supports de toit de familiales en préparation pour les vingt-huit pèlerinages annuels en Pennsylvanie pour rendre visite aux grands-parents. Elles ont distribué la communion à l'église, tâche respectée et respectable. Elles ont dessiné des plans dans l'air pendant qu'il enseignait à ses étudiants en marketing à l'université où il avait étudié longtemps auparavant.

Ces mains ont serré les miennes aux moments les plus angoissants de sa maladie. Elles m'ont cherchée pendant sept mois de chimiothérapie et ses atroces effets secondaires, pendant les dernières semaines de sa vie alors qu'il était confiné au lit, quand les enfants venaient lui rendre visite, l'aider et faire leur deuil à l'avance alors qu'ils voyaient clairement que leur père arrivait à la fin de sa vie de soixante-quinze ans.

Ces mains ont serré les miennes pendant le moment le plus profond et le plus sombre quand il a murmuré dans mon cou, « Je me demande… quel effet ça fait de mourir. Je me demande si c'est douloureux. » Je ne pouvais lui répondre que ce qui me semblait être le résultat de sa vie — qu'il serait entouré, élevé et ravi par la gloire de Dieu.

Vint un moment où il ne pouvait plus tenir mes mains. Tôt un matin, j'ai préparé Paul pour la venue du prêtre qui lui rendait visite depuis une semaine pour lui donner un fragment d'hostie avec une cuillerée à thé d'eau et le bénir.

Après avoir offert à Paul un petit-déjeuner qu'il ne pouvait plus manger, mon anxiété m'a amenée à couper, limer et blanchir ses ongles. Il ne faisait aucun mouvement, aucun signe de reconnaissance, aucune réaction quand j'ai croisé ses mains sur sa poitrine où elles reposaient, étrangement immobiles, depuis des jours. Moins d'une heure plus tard, après que l'infirmière eut reposé son stéthoscope, il ne me restait plus qu'à fermer ses beaux yeux verts lumineux et poser mes mains sur les siennes pour la dernière fois, dans le havre paisible de notre chambre à coucher.

Des mois plus tard, j'ai ouvert le tiroir du haut de la commode de Paul pour y prendre un de ses mouchoirs, propres et bien repassés, car j'aimais bien les utiliser maintenant. J'ai alors touché un emballage ouvert de limes à ongles.

Depuis sept mois et demi, mon chagrin pour mon mari était figé en moi comme une présence glaciale qui refusait de bouger. Puis, ce dernier dimanche de février, j'étais bouleversée par la simple présence de limes à ongles. J'ai pleuré en fermant les yeux pour tenter de me souvenir en vain de l'impression que me faisaient les mains de Paul quand elles prenaient les miennes.

Peu après, Stephen, notre plus jeune — celui qui ressemble le plus à son père — est venu me rendre visite. Avant de partir, Stephen m'a embrassée puis, impulsivement, il a pris mes mains dans les siennes, grandes et larges. Pendant plusieurs instants, je n'ai pu parler. C'était comme si les longues et gracieuses mains de son père serraient les miennes une fois de plus. Pour me rassurer encore.

Helen Troisi Arney

L'histoire et la chimie

L'autre jour, au salon de coiffure, j'écoutais des femmes parler, déplorant les unes et les autres que le romantisme, l'étincelle, le feu de leur mariage s'était éteint. Ce n'était plus excitant, disaient-elles, il n'y a plus de flamme. « C'est la vie, dit l'une d'elles. C'est inévitable. Le temps passe. Les choses changent. » « J'aimerais retrouver cette chimie, dit une autre en soupirant. J'envie les jeunes amants. »

J'ai repensé au bon vieux temps de mon amour à moi, quand je marchais sur des nuages. Je n'avais jamais faim et j'oubliais souvent de manger. Mes cheveux étaient luisants, ma peau claire, et j'étais attentionnée, chaleureuse et toujours de bonne humeur. Quand mon grand amour et moi étions séparés, je passais chaque misérable seconde à penser à lui. J'étais misérable jusqu'à ce que nous soyons réunis à nouveau. La vie n'était qu'une magnifique succession de vagues — lorsque le téléphone sonnait, ou que je l'entendais arriver, ou que nos mains se touchaient accidentellement.

Aujourd'hui, c'est le même homme qui, au mieux, se souvient de notre anniversaire de mariage une année sur cinq, qui referme rarement une porte d'armoire ou un tiroir après l'avoir ouvert, et qui résiste à rafraîchir sa garde-robe jusqu'à ce que je n'aie pas jeté, dans le plus grand secret, ses fringues les plus moches pour sauver l'honneur de la famille. Je ne dirais pas qu'il est prévisible, mais il demande « Qu'as-tu préparé pour le lunch? » six jours sur sept, même si nous avons convenu à sa retraite que ce serait chacun pour soi le midi. Récemment, il m'a demandé et redemandé tellement souvent « Que désires-tu pour ton anniversaire? » que j'ai finalement cédé et répondu quelque chose. Il m'a offert quelque chose d'autre.

Il n'aime la télé et le cinéma que s'il y a des poursuites en voitures, des explosions, des coups de feu à toutes les sept minutes, et encore faut-il que le volume soit au plus fort. Il considère que c'est son droit de mâle de contrôler la commande à distance du téléviseur, et il souffre d'une incapacité hormonale qui l'empêche de parler doucement ou de fermer la porte sans faire trembler toute la maison. Pourtant… c'est aussi le même homme qui, lorsque je décide de faire un régime, me dit : « Pourquoi? Je te trouve très bien. » C'est lui qui se lève pendant les nuits froides pour mettre une couverture de plus sur le lit parce qu'il sait que j'ai froid. C'est lui qui m'a donné un magnifique collier pour mon anniversaire mentionné antérieurement, alors que je lui avais demandé une tenue de bateau pour le mauvais temps, tout en me disant « va donc acheter toi-même ces autres choses ».

Cet homme a plus d'intégrité dans son petit doigt que toutes les personnes que j'ai connu dans leur corps entier et c'est lui qui s'est récemment vanté devant ma belle-famille que je l'avais fait vivre lors des débuts difficiles de sa carrière — trente-quatre ans plus tard. C'est l'homme qui, malgré sa frugalité personnelle, qui lui venait d'une époque de pauvreté, prête d'importantes sommes à nos enfants adultes pour tout et rien sans leur imposer de délais de remboursement ni d'intérêts. On peut toujours compter sur son calme, son sang-froid, sa force, son sens de la justice et son amour en cas de crise. Au cours des années, il m'a tenue dans ses bras quand ma mère est morte, il a tenu ma tête quand j'avais la nausée, il a pris ma main quand je donnais naissance à nos enfants et il a pris mon cœur dès l'instant où je l'ai vu.

L'autre jour, j'étais dans la voiture et j'attendais qu'il revienne d'une course de l'autre côté de la rue et je me suis souvenue des femmes au salon de coiffure. J'ai aperçu un homme mince, beau et vigoureux sur le trottoir. La tête penchée, les mains dans les poches, il marchait en sifflant. Très attirant. Il a levé la tête et il a souri. Droit au cœur!

Le père de mes enfants. L'autre nom sur le compte chèques. L'homme dont je suis tombée amoureuse. L'histoire et la chimie. On ne fait pas mieux.

E. Lynne Wright

5

LA MATERNITÉ

Dieu a créé les enfants pour autre chose que la simple reproduction de l'espèce — pour agrandir nos cœurs; et pour nous rendre moins égoïstes et pleins de douces sympathies et d'affections; pour donner à notre âme des buts plus élevés; pour appeler toutes nos facultés à une entreprise de longue durée; et pour célébrer au coin du feu des visages radieux, des sourires heureux et des cœurs aimants et tendres.

Mary Botham Howitt

Comme une deuxième peau

Je considère l'éducation des enfants non seulement comme un geste d'amour et un devoir, mais comme une profession qui fut tout aussi intéressante et stimulante que toute autre profession honorable du monde, qui m'a demandé la meilleure contribution de moi-même.

Rose Kennedy

Mes jeans favoris ne me feront plus jamais. J'ai fini par accepter cette vérité immuable. Après avoir porté et donné naissance à deux bébés, mon corps a subi une métamorphose. J'ai peut-être repris mon poids d'avant ma grossesse, mais mon corps a subi des transformations subtiles et des expansions — ma version personnelle de la dérive des continents. Adolescente, je n'ai jamais compris la différence entre la mode jeune fille et la mode jeune femme; les vêtements de jeunes femmes avaient tout simplement l'air vieux. Maintenant, il m'apparaît trop clairement que les tailles de guêpe et les micro-derrières ne sont que les attributs fugaces de la jeunesse. Mais cela me convient, car si mes jeans ne s'attachent plus, la vie que j'ai reçue en échange me va mieux qu'ils ne l'ont jamais fait.

J'en suis à l'époque pieds nus, short et t-shirt. Je suis entrée si facilement dans la jeune maternité; c'est le rôle le plus confortable que j'ai jamais joué. Pas de coutures mal placées ni de fermetures éclair coincées. C'est comme si je sortais de la salle d'habillage avec un vêtement dans lequel je me sens enfin bien.

J'aime la sensation de ce bébé sur ma hanche, sa douce tête qui se place parfaitement sous mon menton, ses petites mains ouvertes comme des étoiles de mer roses sur mes bras. J'aime la façon dont ma fille de huit ans marche à nos côtés dans le stationnement ensoleillé du supermarché. Lors de beaux jours de printemps, le vent soulève sa queue de cheval et nous rions du bébé qui grimace et plisse des yeux au soleil. Je cherche constamment à les toucher — comme une couturière aime toucher deux longueurs de soie parfaite — en imaginant ce qu'ils pourraient devenir, néanmoins hésitante à les changer, ne voulant pas qu'ils perdent leur identité à cause de moi.

Ces rares matins où, éveillée avant eux, j'entre dans leur chambre et les regarde dormir, leur visage plissé et rose. Finalement, ils remuent et s'étirent en s'éveillant et tendent les bras pour une caresse. Je les prends, j'enfouis ma tête dans leur cou et je respire profondément. Ils sont comme des serviettes fraîchement sorties du sèche-linge, chauds et cotonneux.

Parfois, je suis le son des voix de fillettes vers la chambre de ma fille où ses amies et elle jouent « à la madame », enterrées jusqu'à la taille dans des tissus de ventes de débarras, faisant l'apprentissage de la vie. S'agitant et ajustant les tissus devant la glace, elles se drapent de perles de pacotille et arrangent soigneusement des diadèmes faits de paillettes et de carton. Je regarde ces petites filles aux cheveux droits et lustrés qu'aucune bande élastique ni barrette ne réussit à garder en place. Elles repoussent constamment des mèches de cheveux derrière leurs oreilles et, dans ce geste de grande personne, j'entrevois les femmes qu'elles deviendront. Je sais que viendra, trop tôt, le moment de retourner pour de bon ces nuages d'organdi et de dentelle dans leurs boîtes abîmées qui ont déjà servi de coffres aux trésors et de trônes pour des princesses. Elles deviendront les vieux vestiges de l'enfance de ma fille et me reviendront.

Pour le moment, cependant, mes enfants se lovent contre moi sur le divan le soir, tombant souvent endormis, les membres lâches et doux contre moi comme les pans d'une chemise de nuit confortable. Pour le moment, nous nous embellissons les uns les autres et ils sont heureux de s'envelopper de mes étreintes. Je sais que viendra un temps qui ressemblera à des pull-overs rêches et des talons de 10 centimètres. Nous devrons essayer de nouvelles modes ensemble, tirant et ajustant, essayant de ne pas abîmer le tissu original. À cette époque, nous aurons déjà tissé une tapisserie compliquée avec son propre motif, ses accrocs et ses mailles tirées et ses larmes.

Mais je n'oublierai jamais *ce* moment fait de têtes somnolentes appuyées sur mon épaule, de pyjamas à pieds et de robes mère-fille, de petites mains serrées dans les miennes. *Ce* moment me va très bien. Et j'ai l'intention de très bien le porter.

Caroline Castle Hicks

Ron

Ron était un adolescent de quinze ans, étudiant en 3e secondaire à l'école Granger. C'était jour de match et il était le seul étudiant de ce secondaire à revêtir l'uniforme de la grande équipe. Excité, il a invité sa mère à y assister. C'était le tout premier match de football de celle-ci et elle a promis d'y être avec de nombreuses amies. La partie terminée, elle attendit Ron à la sortie du vestiaire pour le ramener à la maison.

« Qu'as-tu pensé du match, maman? As-tu vu les trois passes de touché de notre équipe et notre défense hermétique, et aussi l'échappé que nous avons recouvré sur le botté d'envoi? » a-t-il demandé.

Sa mère a répondu : « Ron, tu as été magnifique. Tu as une telle présence et j'étais fière que tu prennes autant soin de ton apparence. Tu as remonté tes bas onze fois pendant la partie et je voyais que tu transpirais sous ce lourd équipement car tu as bu huit fois et tu t'es aspergé la figure deux fois avec de l'eau. J'ai vraiment aimé cet effort spécial que tu as fait pour aller féliciter le numéro dix-neuf, le cinq et le quatre-vingt-dix, à chacune de leur sortie du terrain. »

« Maman, comment peux-tu savoir tout cela? Et pourquoi dis-tu que j'ai été magnifique. Je n'ai même pas participé au match. »

Sa mère a souri et l'a pris dans ses bras. « Ron, je ne connais rien au football. Je ne suis pas venue ici pour voir le match, je suis venue ici pour te regarder! »

Dan Clark

Ry

À sa demande, chaque matin, la mère de Ry attachait une serviette de bain aux épaules de son t-shirt de taille 2 ans. Immédiatement, sa jeune imagination transformait la serviette en une cape magique bleu et rouge. Et il devenait Superman.

Ainsi revêtu de sa « cape », les journées de Ry étaient remplies d'aventures et d'escapades audacieuses. Il était Superman.

Ce fait s'est clairement confirmé l'automne dernier quand sa mère l'a inscrit dans une classe de maternelle. Au cours de l'entrevue, l'institutrice a demandé à Ry quel était son nom.

« Superman », a-t-il répondu poliment sans hésiter.

L'institutrice a souri avec indulgence, a jeté un regard approbateur à sa mère et a demandé : « Ton vrai nom, s'il te plaît. »

De nouveau, Ry a répondu « Superman ».

Voyant que la situation demandait plus d'autorité, ou peut-être pour masquer son amusement, l'institutrice a fermé ses yeux pendant un instant, puis d'une voix plus ferme a dit : « J'ai besoin de ton vrai nom pour nos dossiers. »

Sentant qu'il devait jouer franc jeu avec l'institutrice, Ry a regardé autour de lui, s'est rapproché d'elle et, touchant un coin effiloché de la serviette sur ses épaules, a répondu avec la voix basse d'un conspirateur : « Clark Kent. »

Joyce Meier

Retrouver un fils

Je me sentais comme sur le point d'accoucher une nouvelle fois en entrant dans les bureaux de l'agence d'adoption pour faire la connaissance de mon fils adulte. Cette fois, il n'y avait pas de douleur physique, mais l'anxiété était aussi grande. Il y avait près d'un quart de siècle que cette fille apeurée et solitaire avait vu son premier enfant pour la dernière fois.

Je ne me souvenais plus très bien de cette jeune fille. Au cours des années, des nouvelles expériences et des tragédies ont pris la place de ces souvenirs. Les émotions qui avaient survécu n'étaient pas très claires non plus; elles s'étaient fondues ensemble pour produire une peine sourde qui n'avait jamais disparu.

Vingt-cinq ans plus tôt, mon petit ami et moi vivions sans nous préoccuper de l'impact de nos actes sur l'avenir. La nausée du matin m'a ramenée à la réalité. Même si nous étions insouciants, les lois ne l'étaient pas et, à l'époque, interrompre une grossesse pouvait signifier interrompre ma propre vie. Je n'avais d'autres choix que d'affronter ma peur et mes parents. Ce serait douloureux, mais pas fatal.

Tout le monde a pleuré et a pris une part de responsabilité. J'ai pris la plus grande parce que je mangeais pour deux — le père absent et moi. Heureusement, je n'ai pas pris de poids trop rapidement — assez lentement pour que les étrangers et, plus important, mon jeune frère, ne se doutent de rien. Ma mère n'a pas voulu lui expliquer mon état. Je me suis donc camouflée sagement. Je ne voulais pas qu'on m'envoie à l'extérieur.

Ma mère et moi avons passé les mois suivants comme des dames oisives. Nous avons magasiné, redécoré et mangé au restaurant. J'étais à nouveau une petite fille, confinée à la maison par une grippe et dont sa maman s'occupait pour que je ne pense pas trop à quel point je me sentais mal.

Cette tactique réussissait pendant le jour, mais le soir, dans mon lit, je devais faire face à la dure réalité. Je ne me réveillerais pas pour découvrir que ma grossesse s'était envolée comme une fièvre. En fait, chaque jour, je devenais de plus en plus consciente que je n'étais plus seule avec mon corps. Cela a commencé par un frémissement qui aurait pu être causé par un abus de pizza, mais quelques jours plus tard, je savais que ce n'était pas une fonction digestive. Le petit être devenait de plus en plus présent en moi. Je souhaitais partager les joies de cette découverte avec quelqu'un, mais il n'y avait que ma mère et je ne voulais pas lui faire de peine. Je sentais que je pouvais me délecter de cette expérience maintenant, et faire ce qu'on attendait de moi le moment venu. Je savais aussi que cette grand-maman pour la première fois trouverait difficile d'admettre qu'elle se permettrait de donner son premier petit-fils nouveau-né à des étrangers.

Les petits grondements qui m'avaient bercée pour m'endormir étaient devenus des coups insistants. Je dormais de moins en moins et mes journées étaient faites de maux de dos et d'ennui. J'ai dû abandonner tout projet qui me demandait de soulever quelque chose, de me pencher ou de grimper, et je ne pouvais plus sortir de peur qu'on ne me reconnaisse. Finalement, cela m'a atteint et j'ai compris que, à moins de me préparer à accoucher sur le plancher de l'hôpital psychiatrique, je devais sortir. Une amie a suggéré que nous allions à un nouveau club de nuit et, soudain, j'étais à nouveau une jeune fille de dix-huit ans. « Comment vas-tu t'habiller? » a soudain pris un tout nouveau sens. Heureusement, c'était l'époque de la mode des robes empire qui cachaient mon ventre de sept mois.

Au club, j'ai eu peur de me retrouver de nouveau au milieu de gens de mon âge, particulièrement dans mon état. Mais au moment de prendre place sur une banquette loin de la piste de danse, j'ai commencé à me détendre et à apprécier la nouvelle musique qu'on appelait le disco. J'ai prétendu qu'on était une année plus tôt et que je n'avais pas encore gâché ma vie.

Soudain, j'ai été ramenée à la réalité par un garçon qui me regardait en m'invitant à danser. Je n'avais pas prévu cela, mais peut-être que si je ne bougeais pas trop vite, personne ne s'en apercevrait. Je me concentrais sur mon équilibre et les nouveaux pas de danse quand le disc-jockey a mis un « slow ». J'ai comme perdu le souffle quand mon partenaire m'a pris par la main et se préparait à glisser son bras autour de ma taille. Il était trop tard pour reculer; quelques secondes plus tard, ce beau collégien comprendrait qu'il flirtait avec une femme enceinte. Laisserait-il tomber ses bras avec un regard de dégoût en m'abandonnant au milieu de la piste scintillante? Mais non, nous dansions toujours. Était-il possible qu'il n'ait pas remarqué que je penchais comme une cloche? Puis, au moment où je me félicitais d'avoir gardé le contrôle, quelqu'un tout près de moi s'est éveillé.

D'abord, les mouvements étaient lents — comme un chat qui s'étire, et j'ai silencieusement imploré *Rendors-toi, bébé,* mais il voulait danser, lui aussi. La chanson achevait et il me semblait que ma chance durerait — jusqu'à ce que mon petit partenaire essaie un nouveau pas de danse. Avant que je puisse me reculer, un petit pied a frappé mon ventre. J'ai prudemment levé les yeux et mon grand partenaire a souri. Cela signifiait-il qu'il n'avait pas d'objection à ce que le bébé d'un autre fasse de la boxe sur son corps?

« Tu dois avoir vraiment faim; j'ai même senti ce gargouillement », dit-il alors que la chanson se terminait enfin.

Ce souvenir amusant allait m'aider à passer à travers les semaines à venir. Tout ce qui était physiquement inconfortable devint pire. Bientôt, je serais déchirée. Toutes mes chutes en bas des arbres ou de mes bicyclettes ne pourraient égaler cette seule journée de douleur insoutenable.

En entrant dans la salle de réveil, ce n'étaient ni les contractions ni l'accouchement qui me faisaient mal. Je vois encore le visage de l'infirmière qui me disait d'arrêter de pleurer. « Tu devras vivre avec! » dit-elle. Sa remarque cruelle était prophétique. *J'ai* vécu avec; pendant les dix minutes où on m'a permis de tenir mon fils dans mes bras et les neuf mille jours qui ont suivi où je n'ai pu le tenir que dans mon cœur.

Un après-midi, des décennies plus tard, ma thérapeute, dans un moment inspiré, m'a dit : « Soit. Vous ne pouvez pas changer le passé, mais vous pouvez terminer ce chapitre. Allez à la recherche de votre fils. »

C'est ce que j'ai fait. Maintenant, je suivais le corridor et je descendais l'escalier vers la pièce où il attendait. J'avais mis tant de soin à me préparer et même si j'avais l'air mature, à l'intérieur de moi, je ne me sentais pas comme la mère d'un homme de vingt-quatre ans. J'étais de nouveau une fille apeurée, imaginant que les gens qui travaillaient dans les bureaux en haut faisaient des remarques désobligeantes à mon sujet. Le conseiller m'a pris par le bras pour me stabiliser en entrant dans la pièce.

« Voici votre fils », dit-il, et se tournant vers lui, « et voici votre mère. Prenez tout le temps que vous voudrez. »

Il avait à peine prononcé ces paroles que j'avais déjà parcouru le reste du chemin et qu'un grand et beau jeune homme me prenait dans ses bras. Je me suis reculée pour regarder son visage, un visage familier. Je l'avais vu souvent en photo sur la commode de ma mère — sauf que ce visage portait une casquette de la Deuxième Guerre mondiale. Cet enfant, que j'avais tellement tenté d'imaginer, était devenu le portait de mon propre père. Nous nous sommes étreints et embrassés, nous avons ri, pleuré, et posé et répondu à des questions pendant plus de dix minutes.

Tous les gens dans les bureaux à l'étage souriaient, certains essuyaient leurs larmes quand nous sommes sortis main dans la main.

C'était il y a trois ans. Depuis ce temps, plusieurs membres de ma famille ont rencontré mon fils retrouvé : sa sœur et ses deux frères, et mon propre petit frère — l'oncle qui était devenu adulte avant d'apprendre que j'avais un quatrième enfant. Mon fils aîné a finalement rencontré son grand-père, procurant à mon père une rare occasion de se voir tel qu'il était cinquante ans plus tôt. Ma mère ne rencontra jamais son premier petit-fils puisqu'elle est morte huit ans avant que je ne décide de chercher mon fils.

Je crois que j'ai pris la bonne décision. Je me sentais si chanceuse que nous nous soyons retrouvés et que nous nous sentions si bien ensemble. Je ne pouvais pas en demander plus. Mais je me trompais.

Il y a cinq mois, mon fils aîné et sa charmante femme ont fermé le cercle de la vie. Mon fils m'a présenté son fils et j'ai pleuré de joie à la pensée que nous partagerions les neuf mille prochains jours ensemble.

Lin Faubel

Quatre-saisons et lilas

Sur ma pierre tombale, je veux qu'on écrive,
pour la postérité : « Maman ».

Jessica Lange

J'ai déposé la grande enveloppe en papier kraft sur la table de maman, sans interrompre notre conversation, comme pour tenter de diminuer l'importance de ce paquet et de son contenu. En conversant à bâtons rompus, j'ai fait appel à mon courage pour lui demander de l'ouvrir. Elle l'a fait, avec un éclair norvégien dans ses yeux bleus, s'attendant à une surprise. En silence, elle a retiré la photo qui s'y trouvait et a aperçu dans le visage d'une autre femme mes propres yeux bruns qui la regardaient fixement. La ressemblance était surprenante, et son visage montrait qu'elle avait compris quand elle s'est tournée vers moi avec joie et étonnement et a murmuré « C'est ta *vraie* mère? »

En me mordant la lèvre, un truc que j'avais appris d'elle pour retenir mes larmes, j'ai compris de cette merveilleuse femme de bien, là devant moi, ne m'avait jamais paru plus précieuse qu'à ce moment. Pendant un instant, mon esprit s'est rempli de toutes les années de soins qu'elle nous avait prodigués à mes frères et à moi, en plus de la vie qu'elle avait menée — une vie qui ne connaissait rien d'autre que d'accorder la plus grande priorité à ses enfants et aux autres, chaque jour. En sachant bien ce que voulait réellement dire « vraie », je lui ai répondu avec une sagesse empruntée : « Oui, c'est la photo de ma mère biologique. »

Ma recherche répondait à un besoin d'accomplissement de soi, d'obtenir des réponses à toutes ces questions obsédantes. Ma quête m'a aussi apporté des sentiments de culpabilité. Même si mes parents m'avaient toujours encouragée à poursuivre mes recherches, me disant qu'ils étaient aussi curieux que moi, je ne voulais qu'aucun des deux soit blessé en ce faisant, ou pense que je l'aimais moins. Je me suis secrètement étonnée de leur encouragement, et de la confiance qu'ils manifestaient en mon amour indéfectible pour eux. Mais après une vie entière d'amour inconditionnel et de liens étroits, ils avaient bien mérité cette sécurité.

Les yeux de ma mère sont devenus tristes quand je lui ai dit que ma mère biologique était morte; elle, tout comme moi, avions souvent pensé au jour où nous pourrions la remercier personnellement. Maintenant, ce n'était plus possible.

Le jour du Souvenir, j'ai amené mes deux jeunes fils au cimetière pour déposer des fleurs sur la tombe de ma mère biologique. Nous avons d'abord fait un arrêt à la tombe de mes grands-parents. De toute évidence, ma mère y était déjà passé car il y avait un bouquet de quatre-saisons et de lilas — une tradition annuelle pour elle. Année après année, j'avais toujours trouvé du réconfort dans ces fleurs, toujours là en souvenir des êtres chers. Elles me rappelaient ma mère par leur simple beauté, don de Dieu. J'ai souri en pensant aux jonquilles qu'elle me donnait à chacun de mes anniversaires — une pour chaque année de ma vie. Quand j'étais plus jeune, je tenais pour acquis la tradition jaune de maman, consacrée par l'usage. Aujourd'hui, à trente-cinq ans, j'estimais chacune d'elle, chaque pleur était tellement significative. Rien ne me ferait plus plaisir que d'adopter une petite fille et de continuer la tradition avec elle.

Mais aujourd'hui, ce n'était pas le moment de m'attarder dans des rêveries, mais bien d'être moi-même une mère. Mes fils me tiraient par la main, jouant au tir à la corde avec mes pensées. Nous nous sommes hâtés vers notre dernière destination, la tombe de ma mère biologique. Nous avons ralenti le pas en approchant de l'endroit et nous avons marché solennellement dans des rangées de pierres tombales superbement décorées. Je savais que nous cherchions une pierre simple, sans fleurs.

Au cours des derniers mois, je m'étais liée d'amitié avec mes sœurs et mon frère biologiques. Bien qu'ils aimaient beaucoup ma mère biologique, je savais qu'ils n'étaient pas du genre à fréquenter les cimetières. Quelque part, cela rendait ma visite encore plus importante. Elle méritait sûrement des fleurs, qu'on se souvienne d'elle, et encore tellement plus. Mais après une demi-heure de recherches infructueuses, mes fils avaient perdu patience et j'ai donc décidé de revenir seule. J'étais prête à partir quand je l'ai vue.

Pas son nom, pas une pierre dénudée, mais le même bouquet modeste de quatre-saisons et de lilas que j'avais vu auparavant, qui avait assurément été déposé là par ma mère. Maman était déjà passée, tôt le matin, pour montrer sa gratitude et le respect qu'elle ressentait pour l'importance de la vie de cette femme et pour le grand cadeau qu'elle avait donné.

En m'agenouillant pour regarder les dates de plus près, j'ai remarqué l'épitaphe qui disait, de façon tellement appropriée « Maman chérie ». Même en me mordant la lèvre, je n'ai pu retenir mes larmes en rendant hommage à cette femme remarquable qui m'avait donné la vie, et à ma propre mère chérie, qui avait donné un tel sens à cette vie.

Lisa Marie Finley

La petite princesse

Ma fille de neuf ans, Vivien, est une petite princesse qui, d'habitude, ne peut même pas se verser un verre de lait. Même bébé, elle avait un tel air de noblesse que son père et moi disions en riant qu'elle nous avait probablement choisis sous la rubrique « esclaves » d'un catalogue à l'usage des bébés à naître se cherchant des parents.

Maintenant que je suis un parent seul, je suis sa seule soubrette quand elle vit avec moi. Ainsi, quand je suis rentrée tremblante de fièvre à l'heure du déjeuner un jour de la semaine dernière, ma première pensée a été, *Comment Sa petite Majesté réagira-t-elle?* Je ne devais pas m'attendre à ce qu'elle me laisse me reposer en paix, encore moins qu'elle prenne soin de moi. Serait-elle au moins disposée à s'occuper elle-même de son repas?

À 15 h 30, je me suis arrachée du lit et je me suis rendue à l'école pour aller la chercher. Dans la voiture en revenant, j'ai dit : « Mon cœur, maman est très malade et je dois me recoucher dès notre arrivée à la maison. Je suis désolée mais je ne pourrai pas m'occuper de toi ce soir. Je ne pourrai pas préparer le souper ni faire couler ton bain ou quoi que ce soit. Je dois me reposer. Penses-tu que tu pourrais arriver à préparer seule ton souper? »

« Pas de problème », a-t-elle répondu, sans s'inquiéter. Sa réponse ne m'a pas rassurée. Le vrai test viendrait au moment où elle voudrait quelque chose.

Quand nous sommes arrivées à la maison, je me suis traînée à l'étage jusque dans mon lit où je suis restée, miraculeusement, sans être dérangée pendant les six heures suivantes. Enfin, presque sans être dérangée. À tout bout de champ, je m'éveillais de mon sommeil fiévreux pour découvrir un petit ange penché sur moi avec une offrande bienveillante. Une serviette fraîche pour essuyer mon front brûlant. Une cloche en laiton au cas où j'aurais besoin de quelque chose. Un dessin d'un chat se chauffant au soleil qu'elle a fait pour me réconforter. Un petit ourson en peluche avec une boucle rose que quelqu'un lui avait donné un jour qu'elle était malade, et ayant des propriétés curatives dont elle ne semblait pas douter.

Pendant une de ses visites, j'ai dit que je devais descendre pour aller aux toilettes. Vivien m'a gentiment aidée à mettre mon chandail « pour te garder au chaud », et elle a insisté pour que je m'appuie sur elle — du haut de ses 1,2 mètre — pour descendre l'escalier. Quand je me suis dirigée vers la cuisine et que j'ai, par habitude, commencé à ranger la vaisselle, ma petite princesse m'a sévèrement interrompue. « Maman, tu en fais trop. Retourne au lit. » J'ai docilement obéi.

Pendant la soirée, Vivien m'a fait des rapports périodiques de ses activités. « Je viens tout juste de me faire une salade pour souper. » Ou « Je fais couler mon bain. »

La pièce de résistance est survenue au coucher. Elle a annoncé de sa meilleure voix de maman : « Je descends quelques minutes pour voir s'il ne reste pas quelque chose à faire. Puis, je vais me brosser les dents, je vais fermer la lumière et aller me coucher. » J'ai souri sous mes couvertures.

Puis, Vivien m'a donné un petit livre qu'elle avait fait pour moi avec du papier de couleur qu'elle avait broché. Sur la première page, on pouvait lire « JE T'AIME, MAMAN. » Sur la deuxième, « Tu es si jolie, MAMAN. » Sur la troisième, « Merci de tout ce que tu as fait pour moi, MAMAN. » Sur la quatrième, on pouvait lire « Tu ne sais pas à quel point tu es *cool,* MAMAN. » Sur la cinquième, « Tu es la meilleure MAMAN. » Sur la sixième, elle m'encourageait, « Bon travail, MAMAN. » Sur la septième, elle concluait : « Vas-y, MAMAN ! »

J'ai fondu en larmes en lisant ce témoignage d'amour de ma fille. La veille encore, je me sentais débordée et pas du tout appréciée en tant que parent. Aujourd'hui, non seulement Vivien s'était occupée d'elle et de moi de merveilleuse façon, mais elle m'avait aussi rassurée que j'étais très aimée et appréciée. Ses actions et ses paroles ont donné du sens à ce que j'avais fait pour elle et m'ont donné plus de force qu'aucun médicament n'aurait pu le faire. Pendant qu'elle disparaissait vers le rez-de-chaussée pour fermer la maison pour la nuit, j'ai senti une vague de gratitude pour cette grippe qui avait donné à ma petite princesse l'occasion de démontrer — et à moi l'occasion d'apprécier — à quel point elle était vraiment un petit ange doux et généreux.

Wendy Miles

Quand a-t-elle grandi?

Chaque soir, après l'avoir bordée, je lui chantais une chanson idiote, une chanson inventée, notre chanson. « Reste petite, reste petite, petite, petite; petite, reste petite, reste petite. »

Elle avait le fou rire, je souriais. Le lendemain, je lui disais : « Regarde-toi. Tu as grandi. La chanson n'a pas marché. »

J'ai chanté cette chanson pendant des années, et chaque fois que je la terminais, elle faisait une croix sur son cœur et me promettait de ne plus grandir.

Puis, un soir, j'ai cessé de la chanter. Pourquoi? Je n'en sais rien. Peut-être sa porte était-elle fermée? Peut-être étudiait-elle? Peut-être était-elle au téléphone avec quelqu'un? Ou peut-être avais-je compris qu'il me fallait lui donner la permission de grandir.

Il me semble que la magie de la chanson opérait car, pendant toutes les soirées où je l'ai chantée, elle est restée bébé… quatre, cinq, six, sept, huit, neuf, dix ans. Rien ne changeait. Même elle ne changeait pas. Elle est devenue plus grande, ses pieds ont allongé, des dents sont tombées, remplacées par de nouvelles, mais il fallait toujours lui rappeler de les brosser, de même que ses cheveux, et de prendre une douche de temps en temps.

Elle a joué avec des poupées et de la pâte à modeler. Elle a laissé tomber Candy Land pour le Monopoly et Clue, autour de la table où elle était toujours. Pendant des années, elle ressemblait à ces poupées russes, une à l'intérieur de l'autre, identiques en tout, sauf par leur taille.

Du moins, c'est ainsi que je la voyais. Elle a fait du patin à roulettes, du patin à glace, elle a fait la roue dans les centres commerciaux et fait des bulles de savon et des dessins que nous accrochions sur le frigo. Elle a dévoré des Yodels et des *slushes* et s'éveillait tôt le dimanche matin pour écouter *Davey and Goliath*.

Elle n'a jamais fait ses nuits, pas plus à dix mois qu'à dix ans. Quand elle était bébé, elle s'éveillait en pleurant et je la prenais dans mon lit. Quand elle a grandi, elle se réveillait et empruntait le corridor et, le matin, je la trouvais étendue près de moi.

Elle mettait des mots sous mon oreiller avant d'aller se coucher. Je mettais des mots avec ses sandwiches au saucisson avant son départ pour l'école. Elle attendait près du téléphone quand j'étais en voyage. Je l'attendais à l'arrêt du bus quand elle rentrait à la maison.

Les chansons, les mots, les matins où je la trouvais près de moi, les attentes à l'arrêt du bus — tout cela a cessé il y a bien des années. À l'étage, il y a une jeune femme, une femme adulte. Elle est adulte depuis quelque temps. Ça, tout le monde l'a remarqué, tout le monde, sauf moi.

Aujourd'hui, je la regarde, une semaine avant de terminer ses études secondaires, et je suis fière d'elle, fière de la personne qu'elle est devenue. Mais, je suis aussi triste — pas pour elle, mais pour moi. Pendant vingt-cinq ans, il y a eu un enfant dans cette maison. D'abord, le premier est devenu adulte, puis le second, mais il y avait toujours celle-là… le bébé.

Maintenant, le bébé a grandi. Et malgré ce que disent les gens — *tu ne les perds pas, ils partent mais ils reviennent à la maison, tu aimeras la tranquillité quand elle sera partie, et la prochaine partie de ta vie est la meilleure* — je sais que ce qui m'attend ne ressemblera pas au passé.

J'ai aimé le passé. J'aimais quand elle arrivait dans mon bureau et installait sa machine à écrire jouet à côté de moi. J'aimais la voir accourir de la maternelle pour se jeter dans mes bras après une brève séparation d'à peine deux heures et demie. J'aimais aller acheter des collants avec elle, faire une promenade, aller au cinéma. J'aimais la conduire à sa gymnastique et écouter parler ses amies. J'aimais être celle vers qui elle accourait quand elle était heureuse, ou qu'elle avait peur ou qu'elle était triste. J'aimais être le centre de son univers.

« Maman, viens jouer avec moi. »

« Maman, je suis rentrée. »

« Maman, je t'aime gros comme le monde. »

Qu'est-ce qui remplace ces choses?

« Veux-tu voir mon costume de graduation? » dit-elle maintenant, en jetant un coup d'œil dans mon bureau. Elle me le montre. Elle sourit. Elle est heureuse. Je suis heureuse pour elle. Elle m'embrasse sur la joue et dit « Je t'aime, maman. » Puis, elle remonte dans sa chambre.

Assise à mon bureau, même si j'ai le cœur lourd, je souris. Je pense au privilège d'être une maman et à la chance que j'ai.

Beverly Beckham

Les enfants prêtés

J'oublie toujours de rendre les choses. Par exemple, les livres de bibliothèque. Je n'ai pas l'intention de les garder, mais sans un rappel — comme un téléphone de la bibliothécaire — je ne peux m'en séparer. Aujourd'hui, je suis prête à les retourner trois jours avant l'échéance. Car aujourd'hui, je suis plus consciente que jamais du temps qui passe. Dans trente minutes, si mon fils a terminé ses valises — et ce sera fait — Christopher Paul (« le meilleur garçon de tous » disait-il pour taquiner sa sœur) partira pour sa dernière année d'université. C'est notre plus jeune, le dernier à quitter la maison. Depuis le temps, je me dis que je devrais être habituée à ces départs. *Je suis habituée à ces départs. Je suis habituée à ces départs...*

Sauf que, cette fois, c'est pour de bon. En mai prochain, finis les sacs de linge sale rapportés à la maison. Chris ne rentrera pas à la maison. Après son diplôme, il épousera Pam, l'enjouée Californienne, adorable et déjà notre chérie à tous — et ils entreprendront leur vie à deux à 1 500 kilomètres d'ici. Chaque tic-tac de l'horloge en cuivre de la cuisine dit, *C'est-pour-de-bon. Mai-son-vide.*

Ma sœur, la chimiste qui fait de la recherche, téléphone : « Grands dieux! Tu savais que c'était pour arriver. »

« Je sais aussi que la fin du monde arrivera, mais qui est prêt pour cela? »

« Tu es dans un état... »

Mon silence est éloquent. Qui nous connaît mieux que nos sœurs?

« Après tout, ajoute-t-elle, il reviendra à la maison pour le temps des Fêtes. De plus, tu ne voudrais pas le garder éternellement. »

Ma sœur ne me comprend pas du tout. Je me surprends à caresser ma grosse Timex comme la tête d'un nouveau-né. Nous avons passé beaucoup de temps ensemble — à attendre à l'extérieur de l'école, sur les terrains de sports, aux leçons de piano, aux répétitions et aux pratiques. Plus tard, au lit sans dormir, à attendre le bruit de sa première voiture qui entre dans l'allée. Attendre, que le temps s'écoule avec lenteur. Aujourd'hui, alors que c'est le grand départ, les secondes filent à toute vitesse.

La sonnerie de la porte m'appelle vers une jeune fille qui vend des bonbons pour financer l'orchestre de son école. Les six barres de chocolat qui restent me donnent une excuse pour aller dans la chambre de mon fils qui y est toujours. Des boîtes bloquent l'entrée. Une barricade? Dans des moments semblables, les barrières s'érigent vite. Je cherche à saisir son humeur quand il dit « Salut, maman. » Heureux que je sois là? Contrarié par mon intrusion?

Il lance des objets dans une boîte marquée MÉDICAMENTS. Les calmants pour l'estomac, les crèmes de soins pour la peau, la solution de nettoyage pour lentilles cornéennes, les eaux de Cologne de musc — je me rappelle le Noël, si lointain, où il avait été si content de trouver une bouteille de lotion après-rasage peu coûteuse dans son bas. Il l'avait vidée en une semaine et sa chambre avait empesté tout l'hiver. « As-tu déjà essayé ceci? » demande-t-il alors en me montrant une nouvelle marque de dentifrice en gel. Je souris jovialement en secouant la tête, mais j'ai plutôt envie de lui arracher sa marque étrangère et d'écrire TRAÎTRE sur sa valise. Nous utilisons tous Crest. Nous avons toujours utilisé Crest!

Je me rends compte que je tiens toujours un linge humide au moment où je me surprends en train d'essuyer son vieux réveil. Effort inutile. Non seulement n'y a-t-il plus de taches de beurre d'arachides, ou de taches collantes de Coke, mais je remarque qu'il l'a mis dans la pile des objets à laisser.

« Il tient encore bien le temps? »

« Il ne m'a jamais laissé tomber. »

Ce qui signifie qu'il ne reste que quinze minutes. « As-tu le temps pour un petit café? » Je serais prête à escalader une montagne du Brésil pour cueillir des grains de café si cela pouvait m'acheter plus de temps.

« Certainement. » Il me fait son sourire en coin que j'adore. Il fera un beau marié, mais je ne pensais pas à cela quand, en 2e secondaire, je l'ai incité à maigrir.

Il y avait bien longtemps que je n'avais attendu à regarder le café se faire. Je me rappelle quand je mettais son premier biberon à chauffer, puis je partais le café. Joue contre joue, nous nous serrions l'un contre l'autre en attendant nos infusions matinales. Il était tout chaud de sommeil, moi d'amour maternel. Aucun de nous ne s'impatientait.

Aujourd'hui, assis en face de Chris en buvant ma grande tasse chaude, je dois me satisfaire d'un café et d'une conversation. Autant j'apprécie notre conversation à bâtons rompus, autant je sais qu'elle m'indispose. Nous pourrions parler de choses tellement plus significatives. Je vois à sa montre que c'est l'heure de son départ. Je regarde ses mains, elles sont la réplique de celles de mon père. Je m'étonne de ne pas l'avoir remarqué avant. Quoi d'autre m'a échappé?

Ses yeux deviennent sérieux quand il se met à parler d'hier et du départ de Pam pour son université et comment ils avaient fait un effort pour ne pas en faire un drame. J'y vois un message à mon intention. Dieu sait que je fais des efforts. L'aide du Gars d'en-haut me serait utile en ce moment. *C'est Toi qui m'a mise dans cette situation,* lui dis-je. *Tu m'as permis de partager ton histoire d'accouchement, mais tu t'es trompé sur la maternité — ou j'ai oublié de lire les petits caractères à la fin.*

« Bon… » Chris se lève et replace sa chaise. Il n'avait jamais encore replacé sa chaise. « Aujourd'hui, c'est *Et voilà, vieille chaise. Salut, vieille cuisine, vieille maman…* »

Je me lève aussi, mais je laisse ma chaise où elle est. Il se penche et me donne un baiser. C'est toujours une douce surprise, ce baiser franc qui montre qu'il n'a pas peur de témoigner son affection pour moi. Sait-il vraiment ce que cela signifie?

« Hé, je t'appelle dès que je suis installé », dit-il. Sa délicatesse déclenche mes larmes.

« J'essaie vraiment de ne pas en faire un drame », dis-je avec un sourire forcé.

« Maman, ce n'est pas comme si… »

« Je sais. Je sais. »

Trois minutes AD — Après le Départ — je me suis mouchée, j'ai refait mon maquillage et je me suis armée de livres. En me dirigeant vers la porte, mes yeux tombent sur la plaque au-dessus de celle-ci. Elle est là depuis des années, ignorée dans nos allées et venues précipitées, déterminées, alors que nous allions et venions dans nos vies en tant que famille. Le texte de Tennyson a dû attendre ce moment précis.

Dieu nous donne l'amour. Les choses à aimer, Il nous les prête.

Des enfants prêtés. Et je n'ai jamais eu de talent pour rendre les choses.

Norma R. Larson

6

CHANGER LES CHOSES

Répandez l'amour partout où vous allez :
en premier lieu dans votre maison…
ne laissez jamais une personne vous approcher
sans qu'elle reparte meilleure et plus heureuse.
Soyez l'image vivante de la bonté de Dieu;
bonté sur votre visage, bonté dans vos yeux,
bonté dans votre accueil chaleureux.

Mère Teresa

Les vertus

Dans ce monde, nous devons nous aider les uns les autres.

Jean de La Fontaine

Un vendredi de février 1996, un garçon de quatorze ans est venu à l'école secondaire où étudiait mon fils, a sorti une arme qu'il cachait sous son manteau et a tué deux étudiants et un professeur.

Notre petite communauté était effondrée. Le lundi suivant, l'école a été rouverte pour ceux qui voulaient venir. J'ai décidé d'y aller, juste pour être présente. Il y avait quelques autres mères, des policiers et des membres de la communauté qui ont eu la même idée. Nous avons serré les enfants dans nos bras, nous les avons laissés parler et pleurer — nous avons fait tout ce que nous pouvions pour les réconforter. Ils étaient comme des petits zombies, encore en état de choc, remplis de peur et de souffrance. La chose qui m'a le plus frappée était cette absence dans leurs yeux. L'innocence et l'enthousiasme qui émanaient normalement des visages de ces enfants avaient disparu.

J'ai continué d'offrir mes services à l'école pour le reste de l'année scolaire. En octobre, l'école m'a engagée comme directrice des ressources communautaires afin que je puisse continuer d'aider les enfants à l'école. Ma présence à la cafétéria faisait partie de mes fonctions, et je me faisais un devoir de sourire aux étudiants, de leur parler et de rire avec eux. Je voulais être une force positive dans un endroit qui menaçait de crouler sous le poids des émotions négatives.

Puis, tout juste avant la relâche de Noël, dix mois à peine après la première fusillade, l'inimaginable s'est produit. Un autre garçon de l'école est retourné chez lui et a tué sa sœur et sa mère avant de se tuer. La communauté était complètement anéantie. La confiance ténue qu'il nous avait été si difficile de bâtir était détruite. Toute notre communauté était paralysée par la douleur. Le vide que j'avais vu dans les yeux des enfants s'était aussi retrouvé dans les yeux des adultes. Je ne savais pas si nous pourrions nous en remettre.

Pendant les Fêtes, j'ai pleuré et j'ai prié. J'ai toujours trouvé du réconfort et de l'inspiration dans la prière, et pendant cette période noire, une idée m'est venue. Je voulais faire quelque chose pour combler le vide que je voyais autour de moi. Qu'arriverait-il si chacun dans le village se concentrait sur les vertus? C'était une idée très précise et pourtant simple. Premièrement, il fallait que chacun pense aux vertus. Deuxièmement, il fallait encourager tout le monde à examiner les vertus dans leur vie — les leurs et celles des autres. Et le plus important ensuite, il fallait enseigner aux gens à reconnaître les vertus qu'ils voyaient autour d'eux. J'ignorais si ça réussirait, mais je savais que je devais essayer.

J'ai décidé de commencer avec quatre vertus : la compassion, le respect, la responsabilité et la tolérance. J'avais préparé 150 affiches — les vertus et leurs définitions en gros caractères noirs sur papier blanc. Mon idée était d'accrocher les affiches à l'école et de demander ensuite aux enfants de m'aider à en placer davantage dans toutes les vitrines des commerces. Je voulais inonder la communauté avec quelque chose de positif pour qu'elle prenne conscience de ce qui était important — de ce qui était vrai en fin de compte — dans la vie.

J'étais très emballée par mon idée. Le directeur de l'école a appuyé le projet et je me suis donc consacrée à ce programme, que j'ai appelé « Réalité vertueuse ». Tout de suite, j'ai rencontré de la résistance de la part de quelques étudiants. Il y en avait un, Andy, le meneur des enfants qui étaient « trop *cool* » pour le programme des vertus. Andy avait clairement pris position : il était renfrogné, sarcastique et grossier, l'exemple même de l'adolescent rebelle. Je savais que je devais le rallier à ma cause si je voulais que mon plan puisse porter fruit. J'ai donc continué de prier pour Andy.

Une fin de semaine, j'ai eu une idée concernant Andy. Encore une fois, mon idée était très précise et spécifique. J'en étais si excitée que je n'étais pas certaine de pouvoir attendre au lundi pour l'essayer.

Le lundi matin, quand je suis entrée dans le secrétariat de l'école, Andy était assis devant le bureau du directeur. On l'avait envoyé là pour « discuter » de l'épingle de sûreté qu'il exhibait à travers son oreille. Il était d'humeur massacrante et m'a presque insultée quand j'ai passé devant lui.

Je me suis assise à mon bureau et j'ai dit : « Andy, viens ici. »

Il m'a regardé en grimaçant, mais il s'est levé et s'est traîné les pieds jusqu'à mon bureau. « Bon, qu'est-ce que tu veux? » a-t-il dit avec aigreur.

« J'ai pensé à toi pendant le week-end », lui ai-je répondu.

Étonné, il a dit : « Ah oui? » le masque du dur à cuire glissant quelque peu.

J'ai répondu : « Oui, je pensais à toi. Aimes-tu les animaux? »

« Ouais », fut sa réponse prudente.

« Surtout les chiens? »

« Ouais. Comment sais-tu ça? » Il était devenu simplement un garçon de quatorze ans animé par la curiosité. Mon truc marchait.

Tout en ignorant sa question, j'ai poursuivi : « Sais-tu ce qu'il faut pour être un ami des bêtes? » Il me fit signe que non. « Il faut avoir de la compassion. »

J'ai immédiatement remarqué le relâchement de ses épaules et son visage qui s'est adouci. « Andy, ai-je continué, tu es un homme de compassion. Le savais-tu? »

« Non », a-t-il répondu avec une petite voix. Son visage était si doux qu'il était difficile de croire que c'était le même enfant.

La conversation s'est poursuivie. « Montres-tu à tes amis ce côté de toi? » Il a dit non en secouant la tête et j'ai ajouté : « Les gens sont vraiment attirés par la compassion, Andy. Si tu te montrais aux gens sous ce jour, ils seraient attirés vers toi pour toutes les bonnes raisons. »

Nous avons terminé notre conversation en croisant ensemble notre petit doigt en guise de promesse. Et si vous connaissez les adolescents, c'est un signe qui montre à quel point ce garçon était sentimental. Je lui ai demandé de croiser son petit doigt avec le mien et de promettre de démontrer sa compassion envers les autres pendant la prochaine semaine.

Andy était maintenant de mon côté. Nous avions eu une profonde communication. Il savait que j'avais vu — et surtout reconnu — le bon en lui.

Depuis ce temps, le programme des vertus s'est développé. Les étudiants l'aiment beaucoup et il est aussi devenu un projet communautaire. Chaque semaine, les étudiants choisissent une vertu sur laquelle tout le village doit se concentrer. Il y a des affiches partout dans l'école et dans le village. Les étudiants parlent de la vertu de la semaine pendant les cours, et même la station de radio présente de courts messages « Réalité vertueuse » tout au long de la semaine. Récemment, à l'hôpital local, nous avons créé un mur des vertus. Les étudiants choisissent une vertu, l'illustrent à la manière de courte-pointe et, par la suite, un artiste local la transpose sur le mur de l'hôpital. Des sentiments d'amour et d'espoir remplacent peu à peu le sentiment de vide que nous ressentons.

Il est certain que les tragédies que nous avons vécues ont changé à jamais notre petite communauté. Certains de ces changements ont constitué des transformations majeures. La semaine dernière, alors que j'assistais à un rassemblement de supporters à l'école, j'ai été étonnée de voir Andy, aujourd'hui au deuxième cycle du secondaire, danser devant tous les étudiants avec l'équipe d'exercices de précision. Ensuite, alors que j'étais dans le hall, Andy est venu vers moi, son visage tout joyeux. « Mme T! » cria-t-il. Puis, il m'a serrée très fort. « Compassion! », s'est-il exclamé. Puis, il est reparti aussitôt dans le couloir.

Colleen Trefz

[NOTE DE L'ÉDITEUR : Pour plus d'information sur le programme *Virtuous Reality*, et comment il peut améliorer votre communauté, communiquez avec Colleen Trefz au (509) 766-7291.]

Le partage

À peine de retour à la maison, papa s'est arrêté dans la cuisine où maman préparait le repas pendant que je mettais la table. À le voir, nous savions que quelque chose le tracassait.

« L'état du père de Charles Roth s'aggrave, dit-il. Le médecin dit que c'est une question de temps. Le vieil homme ne se plaint pas beaucoup de ses souffrances, mais des longues heures qu'il passe dans la solitude. Ses yeux sont tellement mauvais qu'il ne peut pas lire, et il n'a pas beaucoup de visite. Il demande sans cesse un gros chien pour lui tenir compagnie, un chien qu'il peut toucher quand il est assis au soleil dans son fauteuil roulant. »

« Pourquoi ne lui achètent-ils pas un chien? » ai-je demandé.

« Chérie, M. Roth est très souvent à l'hôpital, ce qui occasionne beaucoup de dépenses. Ils n'ont pas assez d'argent. »

« Ils peuvent aller dans un refuge pour animaux et en trouver un », ai-je suggéré.

« Oui, dit papa. Je suppose que c'est possible. Mais il faut que ce soit un chien spécial, un chien qui soit très doux. Ce n'est pas le cas de tous les gros chiens. »

Après le repas, je suis sortie à l'arrière où mon gros berger allemand, Dan, était assoupi sous un arbre. Il s'est levé d'un bond et il a couru à ma rencontre, comme il le faisait toujours quand il m'apercevait. Il n'y avait aucune autre fille de douze ans dans notre voisinage, Dan était donc mon seul compagnon. Quand je me promenais à bicyclette, il courait derrière moi; quand j'allais en patin à roulettes sur le trottoir, il trottinait sur mes talons. C'est ainsi depuis quatre ans, depuis que papa a ramené ce gros chien brun à la maison.

Et maintenant, je ne pouvais pas oublier les paroles de papa dans la cuisine. J'ai jeté mes bras autour du cou de Dan et j'ai enfoui mon visage dans son poil raide. Il a senti ma tristesse et s'est mis à gémir.

« Je t'aime, lui ai-je murmuré. Je serais perdue sans toi, mais... mon Dan, je sais ce que je devrais faire, et je ne le veux pas. »

J'ai pensé à M. Roth. Il était vieux, malade et presque aveugle. Il me semblait qu'il ne lui restait plus beaucoup de bon temps. Je me suis relevée rapidement. Je savais ce qu'il fallait faire et si je n'agissais pas tout de suite, je changerais d'idée.

Je suis allée retrouver papa qui lisait le journal dans son gros fauteuil. Même s'il ne fallait pas l'interrompre quand il lisait, j'ai lâché le morceau : « Dan peut partir. »

Il a levé les yeux de son journal et m'a regardée. « Qu'est-ce que tu dis? »

« M. Roth peut emprunter Dan. » Des larmes coulaient sur mon visage.

Papa a laissé tomber son journal sur le plancher. « Viens ici », dit-il, en me tendant les bras. J'ai rampé avec mes longues jambes sur ses genoux et ses bras m'ont encerclée.

« Je ne veux pas vraiment le laisser partir, ai-je pleurniché. Il me manquera terriblement. Mais papa, c'est ce que je dois faire, n'est-ce pas? »

« C'est un geste qui me rendrait fier de toi », a-t-il ajouté.

« Ils le traiteront bien, crois-tu? »

« Ils prendront grand soin de Dan, m'a-t-il assuré. Il y a une clôture très haute dans la cour et le père de Charles sera assis là dans son fauteuil roulant la plupart du temps. Je demanderai à Charles de mettre une chaîne à Dan quand il sera seul dans la cour afin qu'il ne puisse pas sauter par-dessus la clôture et se perdre. »

Je n'aimais pas l'idée que Dan soit clôturé ou enchaîné. Lui et moi courions en liberté tous les deux. Il n'aimerait pas du tout être limité. Et il détesterait être loin de moi. Comment allons-nous faire pour vivre éloignés l'un de l'autre?

Comme s'il lisait mes pensées, papa a dit : « Ce ne sera pas pour très longtemps, chérie. Te souviens-tu de ce que le médecin a dit à propos de M. Roth? »

Je me suis levée rapidement. Je ne pouvais plus parler de ce sujet.

« S'il te plaît, téléphone-lui, ai-je dit d'une voix forte. Dis-lui de venir et de prendre Dan ce soir. » Ma voix a faibli et j'ai ajouté : « Avant que je change d'idée. »

J'essuyais la vaisselle du souper quand Charles Roth et sa femme sont arrivés. Ils m'ont promis de prendre bien soin de Dan et m'ont dit que je rendais un vieil homme très heureux.

Quand j'ai essayé de dormir cette nuit-là, je n'avais que mon Dan dans la tête, à l'autre bout de la ville, l'autre côté de la rivière, à une vingtaine de kilomètres d'ici.

L'après-midi suivant, je tournais en rond, malheureuse. Ma sœur aînée, Leila, avait une amie à la maison et elles ne voulaient pas qu'une petite sœur traîne autour d'elles. Faire du vélo ou du patin à roulettes seule n'était pas agréable. En m'apitoyant sur mon sort, j'ai pris un livre et je me suis assise sous un arbre pour lire. Il n'y avait rien d'autre à faire!

Le reste de la semaine a finalement passé, et l'autre a suivi. Un samedi, alors que je finissais d'épousseter les chaises de la salle à manger — même les barreaux du bas que maman vérifiait toujours — j'ai offert d'épousseter le salon à la place de Leila, juste pour avoir quelque chose à faire.

Après le lunch, c'était à mon tour de sortir les ordures. Comme j'ouvrais la porte moustiquaire et que je descendais sur le balcon arrière, un gros chien brun a monté les marches, sa grande langue pendante. Il m'a sauté dessus, les pattes sur mes épaules, ses yeux fixant mon visage.

« Papa, maman, ai-je crié. Leila, viens ici, vite. Regarde! Dan est revenu! »

De l'intérieur de la cuisine, maman a dit : « On sonne à la porte avant. Je vais répondre. » Puis, maman a appelé papa. Je l'ai entendu dire : « Charles Roth est ici. »

Je me suis penchée pour prendre mon chien dans mes bras. Il m'a léché les bras et a frotté vigoureusement sa tête contre mon menton. J'ai rempli son bol au robinet de la cour et je me suis agenouillée près de lui, caressant son dos pendant qu'il lapait avidement son eau. Une fois ou deux, il s'est arrêté assez longtemps pour lécher mon bras, mais il retournait rapidement vers son eau. Il devait avoir très soif.

Papa et Charles Roth sont venus sur le balcon arrière.

« Je le vois bien, s'est exclamé M. Roth, mais je ne peux pas encore y croire! »

Tôt ce matin-là, Charles Roth avait roulé le fauteuil de son père dans la cour et il avait enlevé la chaîne du collier de Dan afin que le vieil homme puisse le flatter et jouer à le faire courir. Plus tard, on avait rentré le vieux M. Roth dans son fauteuil pendant que Charles et sa femme étaient allés acheter les victuailles.

« J'étais pressé et j'ai oublié de mettre la chaîne au collier du chien. Je suppose qu'il était assez intelligent pour comprendre qu'il était seul, et libre de sauter la clôture et revenir chez lui. »

Pendant qu'il parlait, je regardais mon chien. J'étais étonnée qu'il ait retrouvé son chemin. On l'avait emmené en voiture, de nuit, à la maison des Roth, un endroit où il n'était jamais allé avant. Il était impossible qu'il puisse avoir reconnu les rues et trouvé le chemin du retour. Comment avait-il fait?

M. Roth a répondu à ma question par ces mots : « C'est l'amour à l'état pur qui a dirigé ce chien vers toi. Aussi difficile que ce sera pour moi de dire à mon père que le chien ne reviendra pas, je ne peux pas te demander de te l'enlever encore une fois. »

J'ai regardé papa et j'ai lu dans son visage qu'il ne me le demanderait pas non plus. J'ai regardé Dan, étendu de toute sa longueur sur le gazon de la cour arrière. Il était totalement détendu, totalement heureux d'être revenu à la maison. Moi, j'étais tellement heureuse de l'avoir de nouveau!

Je me suis par contre souvenue du vieil homme dans son fauteuil roulant. Il serait triste, il ne connaîtrait plus de jours heureux avec un chien. Il serait encore seul, comme je l'étais quand Dan est parti.

Comme je l'étais... Sauf que ce ne serait pas pareil parce que je n'étais ni malade ni vieille, et je n'étais pas assise dans un fauteuil roulant tout le temps. Je pouvais faire beaucoup de choses. Je pouvais aller à vélo et patiner, même sans Dan. Je pouvais lire, aussi; le vieux M. Roth ne le pouvait pas.

« M. Roth, ai-je dit spontanément, je veux que vous rameniez Dan avec vous. »

Lui-même et papa m'ont regardée, surpris, mais je leur ai souri en disant : « À une condition. Vous devez me promettre de me laisser aller le visiter. Peut-être que Dan n'essaiera pas de revenir à la maison s'il sait qu'il me verra bientôt. »

J'ai regardé papa. « Peut-être qu'une fois par semaine, toi ou maman pourriez m'amener en auto et me laisser passer l'après-midi. Je pourrais voir Dan. Et je pourrais faire la lecture à M. Roth, s'il le veut bien. »

C'est ainsi que j'ai commencé à passer mes jeudis après-midi avec le vieux M. Roth. Il se souvenait de merveilleux livres de son enfance — des livres que je n'aurais sans doute pas pu lire sans lui — et nous en avons profité ensemble. Entre nos visites, il pensait à des devinettes à me poser, et je cuisinais des biscuits pour apporter à nos pique-niques dans la cour. Nous avons développé une grande tendresse l'un pour l'autre, et Charles Roth a dit que Dan et moi avons rendu heureux les derniers jours du vieil homme.

Dan était toujours heureux de me voir, et il gémissait un peu certains jours quand je partais. Pourtant, il n'a jamais essayé de revenir à la maison, jusqu'à trois mois plus tard… après le décès du vieux M. Roth, quand nous l'avons ramené dans notre auto pour être avec moi le reste de sa vie.

J'ai aimé Dan plus que tout autre chien que j'ai eu. Il était intelligent et loyal, et il m'aimait totalement. Plus encore, il m'a aidée à apprendre que l'amour qu'on partage est l'amour qu'on garde.

Drue Duke

Une vie à la fois

Comme la voiture roulait lentement à travers les rues bondées de Dhaka, la capitale du Bangladesh, une ville de plus de six millions d'habitants, je croyais savoir à quoi m'attendre. Chef d'une équipe médicale de bénévoles américaine (AVMT), j'avais vu les grandes souffrances et la dévastation en Irak, au Nicaragua et à Calcutta. Mais je n'étais pas préparée à ce que j'ai vu au Bangladesh.

Je voyageais là-bas avec un groupe de médecins, infirmières et autres bénévoles de AVMT après qu'une série de cyclones eurent frappé ce petit pays en 1991. Plus de 100 000 personnes avaient été tuées et maintenant, en raison des inondations qui avaient pollué l'eau et les systèmes sanitaires, des milliers d'autres mouraient de diarrhée et de déshydratation. Des enfants mouraient de la polio et du tétanos, des maladies presque oubliées aux États-Unis.

En nous dirigeant vers l'hôpital où nous devions installer une clinique, je croyais savoir ce contre quoi nous allions devoir lutter : l'humidité, la chaleur torride pendant le jour, des pluies très fortes et le surpeuplement. Après tout, depuis que le Bangladesh est devenu indépendant du Pakistan, il y a plus de vingt ans, quelque 125 millions de personnes vivent maintenant dans une région un peu plus petite que l'État du Wisconsin.

J'ai regardé par la fenêtre les rues bondées de monde : des hommes qui parlaient en groupe, des femmes vêtues de saris aux couleurs vives, rouge et jaune, et des enfants qui se pourchassaient, se faufilant entre la multitude de charrettes et de pousse-pousse.

Puis, j'ai regardé plus attentivement. Les gens marchaient dans des eaux usées. Un homme a enjambé un corps devant une porte, juste au moment où une des nombreuses charrettes servant à ramasser les morts se rangeait pour l'emporter. À un coin de rue achalandé, j'ai vu une femme immobile qui tenait un petit paquet, un bébé. Pendant que j'observais son visage, elle a légèrement retiré son châle noir et j'ai vu avec certitude que son bébé était mort. J'ai pensé tout à coup à mes propres enfants en santé à la maison, et j'ai pleuré. Je n'avais jamais rien vu de si horrible.

Le jour suivant, j'ai décidé d'aller à l'orphelinat de Mère Teresa dans le vieux Dhaka. Un ami m'avait demandé, avant de quitter le pays, d'aller là-bas pour voir de quelle aide médicale ils avaient besoin.

Deux des Petites sœurs des pauvres m'ont accueillie à la porte et m'ont conduite immédiatement à l'étage des nourrissons. J'ai été étonnée d'y trouver 160 bébés, la plupart des filles, hurlant pour obtenir l'attention de quelques religieuses fort occupées.

« Il y en a tant », ai-je dit, étonnée.

« Certains ont été abandonnés parce que leurs parents ne pouvaient pas les nourrir », a dit une religieuse.

« D'autres ont été abandonnés parce que ce sont des filles », a dit une autre. Elle a ajouté que souvent les filles sont tuées à la naissance parce qu'elles sont considérées inférieures suivant leur culture à domination mâle. Le peu de nourriture disponible doit servir à nourrir les mâles.

L'ironie m'a fortement ébranlée. Ces bébés filles étaient des déchets de la société et pourtant, qu'est-ce que j'avais vu aujourd'hui? Des femmes partout, travaillant dans les champs de riz à l'extérieur de la ville, rassemblant des enfants dans la ville bondée, essayant de gagner leur vie en vendant des babioles sur la rue, et ici, à l'orphelinat, d'autres femmes qui prenaient soin des oubliées.

« Deux de ces bébés ont des problèmes médicaux graves, a dit la religieuse. Voulez-vous les voir? »

Je l'ai suivie à travers une rangée de berceaux en forme de panier jusqu'aux toutes petites filles malades, qui avaient toutes deux environ deux mois. L'une avait un problème cardiaque et l'autre une sévère malformation par un bec-de-lièvre associé à un palais fendu.

« Nous ne pouvons pas faire grand-chose pour elles, a ajouté la religieuse. S'il vous plaît, aidez-les. Quoi que vous puissiez faire sera une bénédiction. »

J'ai tenu chacun des bébés, en caressant gentiment leur chevelure noire et en contemplant leur petit visage. Comme mon cœur souffrait pour ces anges innocents. Quel sorte d'avenir avaient-elles, si tant est qu'elles en avaient un?

« Je vais voir ce que nous pouvons faire », ai-je dit.

Quand je suis retournée à la clinique, des centaines attendaient des traitements et il y avait beaucoup d'autres choses à faire. Je ne suis pas médecin et mon travail est diversifié : je dirige la pharmacie, je trouve des médicaments quand on en manque, je négocie avec les autorités de l'endroit pour de l'équipement ou du transport, et je recherche dans la file de patients ceux qui sont des cas critiques.

À la fin de la journée, la tête me tournait. Les pleurs des bébés sans défense et les centaines de visages dans les rues et dans notre clinique semblaient tous exprimer le même sentiment — le désespoir. Cette pensée m'a effrayée. *Ces gens sont sans espoir.* Même à Calcutta, c'était moins désolant. *Sans espoir.* J'ai répété ces mots dans ma tête, et mon cœur s'est serré. AVMT essaie si fort de donner de l'espoir.

Mon inspiratrice était une femme qui avait consacré sa vie à donner de l'espoir aux autres — ma grand-mère. Nous l'appelions Lulu Belle et elle dirigeait pratiquement le village de Cairo, dans l'État de l'Illinois, sur les bords du Mississippi. Elle n'était ni le maire ni le fonctionnaire officiel, mais si un homme sans emploi frappait à sa porte, elle téléphonait à tous ceux qu'elle connaissait jusqu'à ce qu'elle lui trouve du travail. Une fois, je suis entrée chez elle par la porte de la cuisine et j'ai été étonnée de trouver à sa table plein d'étrangers qui y mangeaient.

« Une nouvelle famille dans le village, Cindy », m'a-t-elle dit en déposant des pommes de terre en purée sur la table, pour se diriger ensuite vers la cuisinière pour y chercher la sauce. « J'essaie juste de leur donner un bon départ. » J'ai appris plus tard que l'homme n'avait pas encore trouvé de travail et Lulu Belle veillait à ce que sa famille ait au moins un repas chaud par jour.

Lulu Belle avait une grande foi, et elle était de ce fait la plus forte de toutes les femmes que je connaissais. Son verset favori de la Bible était tout simple : « Ne fais pas aux autres ce que tu ne voudrais pas qu'on te fasse. » Elle croyait que si on traitait les gens correctement, comme on voudrait être traité, Dieu ferait le reste. Elle ne s'est donc jamais inquiétée de savoir d'où viendrait le travail ou la nourriture — elle savait que Dieu y pourvoirait.

Mais Dieu me semblait si loin du Bangladesh. Je me débattais avec cette pensée pendant notre réunion du matin. Nous étions installés dans une clinique près de Rangpur, au nord du pays, et notre équipe s'était réunie pour passer en revue l'horaire de la journée. À la fin de la réunion, je leur ai dit ce que je dis à chaque équipe : « N'oubliez pas, nous sommes ici pour donner de l'espoir. » Mais les mots se sont un peu étouffés dans ma gorge en me demandant comment nous y arriverions. D'où viendrait l'espoir pour ces gens, surtout les femmes, tant éprouvés par la maladie, la pauvreté et les conditions de vie?

Déjà, 8 000 personnes faisaient la queue pour des traitements. En observant la file d'attente, j'ai remarqué quelque chose de curieux. Il n'y avait que des hommes, et plusieurs paraissaient plutôt en bonne santé. Ce n'est pas avant d'avoir atteint la fin de la file que j'ai vu des femmes et des enfants, la plupart ayant l'air très malades, certaines près de la mort. Mon cœur battait à grands coups quand j'ai compris ce qui se passait. Les hommes s'attendaient à être examinés en premier, même s'ils étaient en parfaite santé. Les femmes pouvaient attendre.

Je me demandais ce que je devais faire. Je me suis souvenue de la femme que j'avais vue dans la rue, qui tenait son bébé mort parce qu'elle n'avait peut-être pas pu obtenir des soins assez rapidement. Je pensais aux bébés abandonnés à l'orphelinat, et j'ai senti la colère et la frustration monter en moi.

J'avais peut-être hérité d'une partie des gènes de Lulu Belle, car j'ai parcouru rapidement la file et suis entrée dans la clinique pour dire au médecin responsable ce qui se passait. Il était aussi contrarié que moi.

« Alors, que pensez-vous?, a-t-il demandé. Ou nous voyons tous ces hommes en santé, ou nous amenons les femmes malades et les enfants en tête de ligne. »

« Faisons-le, ai-je répondu. Faisons ce pourquoi nous sommes ici. »

J'ai couru à l'extérieur et j'ai demandé à l'interprète de dire aux hommes à l'avant de se ranger sur le côté. Il l'a fait et, aussitôt, j'ai entendu un murmure de mécontentement dans la foule. Les hommes étaient en colère et les femmes avaient peur de s'avancer. L'interprète a répété le message et comme nous tentions de faire bouger la foule, une bagarre a éclaté et bientôt des soldats sont apparus, leurs fusils en bandoulière. Ils ont essayé de restaurer l'ordre, mais plusieurs hommes tentaient encore d'aller au début de la ligne.

« Dites-leur de ne pas faire ça, ai-je dit à l'interprète, en rassemblant tout mon courage. Dites-leur que nous traitons les femmes malades et les enfants d'abord, sinon nous fermons la clinique. »

Les hommes m'ont regardée pendant un moment, puis ont reculé et ont commencé à laisser les femmes avancer. La peur et la tristesse que j'avais vues sur le visage des femmes ont cédé la place à la joie alors qu'elles se pressaient pour entrer les premières à la clinique. Elles m'ont souri et m'ont remerciée en me serrant les mains et les bras.

Alors qu'une femme tendait la main pour m'offrir une fleur, nos yeux se sont croisés et j'ai vu une chose incroyable : l'espoir. Maintenant je comprenais. Nous n'avions pas besoin de faire des miracles. C'était ce en quoi croyait ma grand-mère en faisant aux autres ce qui était bien. Par ce simple geste, Dieu avait apporté l'espoir en la vie.

Nos médecins et nos infirmières ont sauvé des vies ce jour-là, et ils ont traité des milliers de cas pendant nos deux semaines au Bangladesh. Au moment de retourner à la maison, je suis passée par l'orphelinat, pour emmener aux États-Unis pour traitement les deux bébés malades que j'avais vus . Dans l'avion, je savais que j'avais une surprise pour mon mari — que nous adopterions un des deux bébés, devenue notre jolie Bridget.

Plusieurs mois plus tard, j'ai eu le privilège de rencontrer Mère Teresa concernant les besoins médicaux à Calcutta. À sa façon belle et simple, elle a cristallisé ce que j'avais ressenti au Bangladesh.

« Comment réagissez-vous devant les besoins immenses, la maladie, la mort? » lui ai-je demandé.

« Vous regardez un visage », a-t-elle répondu d'une voix empreinte de sérénité, « et vous poursuivez le travail. » Avec la certitude que Dieu fera le reste.

Cindy Hensley McCain
tel que raconté à Gina Bridgeman

De bons voisins

Une des raisons pour lesquelles notre famille a déménagé de notre appartement du centre de Chicago à une maison de banlieue était que nous espérions trouver un véritable « voisinage » pour nos filles. À mon avis, cela signifiait un endroit où les gens étaient plus que des connaissances, où les gens partageaient des rires, échangeaient des recettes et des tours de gardiennage, veillaient les uns sur les autres et acceptaient de partager une tasse de farine ou une tasse de thé.

Nous avons donc déménagé à l'été de 1989, espérant avoir pris la bonne décision.

Pour aider Anna, dix ans, et Rachael, sept ans, à apaiser l'anxiété de ces nombreux changements, nous leur avons promis de leur acheter un chien. Au chenil, nous avons trouvé Lady, une bâtarde adulte aux couleurs d'un berger allemand, un des animaux les plus doux que j'avais jamais rencontrés. Il s'est avéré que non seulement Lady a charmé nos filles, mais elle est instantanément devenue une attraction pour tous les enfants du voisinage. Quand les filles, Lady et moi avons exploré le voisinage, les jeunes autour ont été attirés par le nouveau chien du quartier comme par un aimant — et, conséquemment, se lièrent d'amitié avec les maîtresses de Lady.

Les choses se sont bien passées. Il y avait plusieurs jeunes familles et, rapidement, Anna et Rachael avaient fait connaissance avec la plupart des nombreux enfants. Pendant les chaudes soirées d'été, ils étaient tous dehors sur leurs bicyclettes ou parcourant les trottoirs en patins à roulettes. Les adultes aussi se parlaient et mon mari et moi avons rencontré plusieurs couples avec qui nous avions beaucoup de choses en commun.

Pourtant, il y avait un couple, en face de chez nous, qui ne sortait jamais ces soirs-là. Leur maison avait un air étrange : les stores étaient toujours baissés et la pelouse n'était pas souvent tondue. La maison ne choquait pas la vue, elle n'était tout simplement pas aussi bien entretenue que les autres. Les enfants du voisinage ont raconté à mes filles des histoires sur le vieux couple qui y habitait.

« Ils nous donnent la chair de poule! Vraiment! » disait un des jumeaux de dix ans qui habitait à côté. « Quand nous avons recueilli des vêtements pour le bazar de l'école, nous avons sonné chez eux. L'homme a ouvert la porte et nous avons pu voir dans la maison. Il y faisait totalement noir à l'exception d'une chandelle étrange dans le salon! »

« Ils sont aussi drôlement vêtus, a ajouté une fillette qui habitait plus loin sur la rue. Même quand il fait vraiment chaud dehors, ils portent toujours des manches longues et de hauts collets. »

« De plus, ils parlent drôlement! » a renchéri un autre petit.

Je ne prenais pas ces ragots au sérieux et, comme les autres mères du quartier, je disait à mes filles de ne pas être impolies ou désagréables. Quand j'ai entendu un des enfants sauter à la corde en ânonnant une comptine qui se moquait de la vieille dame — « Mme Feldman, les dents jaunes, est allée en ville voir la faune… » — je lui ai dit de cesser immédiatement. Ces voisins excentriques rendaient le quartier intéressant. Non pas qu'ils se considéraient comme faisant partie du voisinage.

Un soir, vers la fin de l'été, quand les jours ont commencé à raccourcir, les filles et moi sommes sorties après le repas pour parler avec nos nouveaux amis et respirer l'air de l'été qui achevait. Nous étions tellement détendues et heureuses que nous n'étions pas préparées à ce qui allait se passer.

Rachael a ouvert la barrière de la cour et Lady nous a rejointes en jappant et elle courait en rond pour fêter sa liberté retrouvée. Mais, pour quelque raison, au lieu de profiter de l'attention des enfants, elle s'est dirigée tout droit vers la seule maison du voisinage où elle n'était pas la bienvenue. Ignorant nos ordres, elle a traversé la rue en courant et s'est dirigée droit vers la porte d'entrée du vieux couple étrange.

J'ai couru après Lady, mais je me suis arrêtée quand Mme Feldman a ouvert la porte, a menacé le chien d'un balai en criant quelque chose. Je suis restée un moment figée, consternée et terrifiée. Lady s'est éloignée de la femme hystérique, est revenue vers moi et s'est assise à mes pieds. Je l'ai prise par le collet.

Que faire? Rentrer le chien à la maison? M'excuser auprès de notre nouvelle voisine qui, du haut de ses marches, tremblait de tous ses membres, en larmes?

L'instant d'après, mon mari et mes enfants étaient à mes côtés et M. Feldman est apparu. Il a pris sa femme par la taille pour la ramener dans la maison. Le porte s'est fermée dans un bruit sourd.

« Qu'est-ce qu'elle a crié?, a demandé Rachael, apeurée. Va-t-elle appeler la police? Allons-nous perdre Lady? »

J'ai regardé le visage strié de larmes de ma fille. Pendant un instant, je n'ai su que dire. Quelque chose devenait clair, mais il a fallu un moment avant de comprendre de quoi il s'agissait.

Mes parents parlaient yiddish à la maison quand j'étais petite fille. Les mots que Mme Feldman avait criés n'étaient pas du yiddish, mais ils leur ressemblaient assez pour que je comprenne. En allemand, elle avait crié « Jamais plus, jamais plus, pas le chien! »

Ce soir-là, j'ai dit aux filles qu'on ne nous enlèverait pas Lady pour une offense si mineure. Le lendemain, une question pressante s'est imposée à moi.

« Les filles, ai-je dit, nous allons aller chez les Feldman pour nous excuser. »

« Et s'ils ne voulaient pas écouter? » a demandé Anna, apeurée.

« Au moins, ils entendront », ai-je dit.

Main dans la main, nous avons monté toutes les trois les marches des Feldman. Rachael a sonné à la porte. Quand M. Feldman a ouvert, j'ai immédiatement regretté de ne pas avoir apporté quelque chose… un gâteau, peut-être. Je craignais qu'il ne nous ferme la porte au nez en nous voyant.

Il ne l'a pas fait.

« Nous voulons nous excuser auprès de votre femme et vous pour avoir laissé notre chien lui faire peur. Lady s'est sauvée par accident. Elle ne recommencera plus, comptez sur nous. »

Derrière le vieil homme, la maison était sombre en effet, comme l'avaient dit les enfants du quartier; la petite chandelle dont ils avaient parlé brûlait dans le salon. Mais j'ai aussi aperçu quelque chose d'autre. Au-dessus de la chandelle, il y avait une vieille photo d'une petite fille, dans un petit cadre en argent.

M. Feldman n'a rien répondu. Sa femme est sortie de l'ombre derrière lui. Elle a regardé mes filles — et a souri.

En retournant à la maison, je savais ce que je devais expliquer à mes enfants. Assise à la table de cuisine, nous avons parlé de l'Holocauste. Je leur ai dit que je croyais que nos voisins étaient des survivants de cette horrible période. J'ai expliqué leur méfiance, les vêtements qu'ils portaient, visant probablement à cacher les chiffres qu'on leur avait tatoués sur les bras, leur accent étranger. Je leur ai dit que la chandelle qui brûlait dans le salon était un cierge juif du souvenir; nous avons parlé de la photo de la petite fille.

Quelque chose s'est produit chez les enfants à compter de ce moment — non seulement chez mes enfants, mais aussi chez ceux de tout le voisinage. Le mot s'est passé. Les jumeaux d'à côté ont commencé à tondre la pelouse des Feldman tour à tour. Leurs journaux et leur courrier n'étaient plus laissés près de la rue, mais déposés soigneusement entre la porte-moustiquaire et la porte intérieure. Un pot de géraniums a fait son apparition sur leur porche... et Mme Feldman a commencé à sortir pour les arroser. Les enfants qui passaient à bicyclette ont commencé à lui envoyer la main, et elle leur répondait.

Le temps s'est refroidi et les feuilles ont commencé à tomber. Les enfants sont entrés à l'école. Un soir, nous sommes sortis en famille pour la promenade de Lady. En sortant, nous avons vu M. et Mme Feldman qui sortaient aussi.

Lady a jappé après eux et, pendant un moment, je les ai vus se figer. L'instant d'après, nos voisins souriaient, nous envoyaient la main et continuaient leur marche. Car ils étaient vraiment nos voisins, maintenant. Que nous l'ayons réalisé ou non, il y avait eu un échange entre nous. Un échange encore plus important que tous les gâteaux, toute la farine ou même un signe de la main et un sourire. Les Feldman avaient donné un passé à notre quartier — et nous, en retour, les avions aidés à trouver un avenir.

Marsha Arons

Vivre dans le cœur de ceux que nous laissons, ce n'est pas mourir.

Thomas Campbell

Lettres au père d'Anne Frank

Pour qu'une lampe puisse continuer d'éclairer, nous devons veiller à y mettre de l'huile.

Mère Teresa

Assise sur ma valise, le train suisse m'amenait vers une rencontre dont j'avais rêvé pendant vingt ans. Au bout de mon voyage, Otto, le père d'Anne Frank, m'attendait. Je correspondais avec lui depuis l'âge de quatorze ans.

Je souhaitais que la rencontre avec cet homme, que je considérais comme un second père, soit pleine d'émotion, de caresses et de larmes. Mais j'ai plutôt pensé qu'Otto se contenterait de me serrer la main de façon formelle, que notre rencontre serait parfaitement civilisée et qu'elle se limiterait à cela. Je m'y étais préparé.

Je rêvais de cette journée depuis l'âge de douze ans alors que je grandissais dans la vallée de San Fernando, en Californie. J'avais auditionné pour obtenir le premier rôle dans le film de 1959 *Le journal d'Anne Frank*. Je n'ai pas été choisie, mais j'ai découvert un nouveau monde dans le journal d'Anne Frank.

Malgré les grandes différences qui nous séparaient, je me suis fortement identifiée à cette éloquente fille de mon âge. Sa situation difficile est restée marquée dans mes pensées : comment elle s'est cachée des nazis dans une minuscule annexe au-dessus du bureau de son père à Amsterdam, prête à éclater dans une vie frustrante, « comme un oiseau en cage ». Comment elle est restée cachée pendant deux ans avec ses parents, Otto et Edith, sa sœur aînée, la famille Van Daan et un dentiste. Comment ils ont été capturés et emprisonnés dans un camp de concentration où elle est morte. Comment elle n'a jamais cessé de croire, même après ce qu'elle avait vécu, que « au fond les gens sont vraiment bons. »

Deux ans après avoir lu son journal, j'ai écrit à Otto Frank, à Birsfelden, en Suisse, où lui et sa seconde femme, Fritzi, s'étaient finalement installés. Me répondrait-il? Parlait-il anglais? Pouvais-je même lui parler d'Anne ou serait-ce trop pénible?

Puis, j'ai reçu une lettre. J'ai dû la lire une centaine de fois.

Le 21 août 1959

J'ai reçu ta gentille lettre et je t'en remercie. Le souhait le plus cher d'Anne était de travailler pour l'humanité, et c'est ainsi qu'on a créé la Fondation Anne Frank à Amsterdam pour respecter sa volonté. Tu as raison de dire que je reçois beaucoup de lettres de jeunes de tous les coins du monde, mais tu comprendras qu'il ne m'est pas possible d'entretenir une correspondance, même si, comme tu le vois, je réponds à chaque lettre.

Je te souhaite le meilleur, je demeure ton attentionné,

Otto Frank

Je lui ai répondu qu'il n'avait pas besoin de me répondre. Je continuerais de lui écrire même s'il ne répondait pas. Après cela, dès qu'une attaque de « je-ne-peux-plus-endurer-cela » me prenait, je lui écrivais de longues lettres. Il m'a toujours répondu.

À quinze ans, je lui ai écrit que je voulais devenir actrice. Il m'a répondu :

Continue d'étudier la danse, continue d'étudier la littérature et le théâtre, mais que cela demeure ton passe-temps... Le métier d'actrice et de danseuse est très difficile.

À l'université, où je changeais de majeure comme on change de bas, Otto Frank était là pour moi. De la danse au théâtre, à la littérature anglaise, mon cher et lointain « conseiller en orientation » était bien plus tolérant que ceux de UCLA (Université de Californie à Los Angeles).

Il était là également quand j'envisageais d'épouser un homme qui n'était pas juif. Il m'a conseillé de lui faire lire des livres sur le judaïsme. Nous l'avons fait.

Quand nous nous sommes épousés, Otto a écrit :

Ignorez la désapprobation des autres. La chose importante est que vos personnalités s'accordent et que vous vous respectiez l'un l'autre.

Même si ce fut un mariage joyeux, c'était pendant la difficile année 1968. Après l'assassinat de Robert Kennedy, j'ai écrit :

Bobby Kennedy est mort. Martin Luther King Jr est mort. John F. Kennedy est mort. Medgar Evers est mort. Tous ont été assassinés par des fous. Comment pourrai-je mettre un enfant au monde?

Sa réponse :

N'abandonne jamais! J'ai lu quelque part ce qui suit : « Si la fin du monde était imminente, je planterais un arbre aujourd'hui. » La vie continue et ton enfant rendra peut-être le monde meilleur.

Cette année-là, à l'occasion de mon anniversaire, M. Frank m'a envoyé une note :

Deux arbres en Israël au nom de Mme Cara Wilson à l'occasion de son anniversaire. Plantés par M. O. Frank, Birsfelden.

La vision d'espoir de Otto Frank nous a donné, à mon mari et à moi, le courage de devenir parents. Nous avons eu deux fils, Ethan et Jesse. C'était la première fois que je les quittais pour ce voyage en Suisse.

Le train ralentissait. Le conducteur a annoncé le nom de la station et les portes se sont ouvertes.

J'ai scruté la foule et j'ai vu un homme, le dos bien droit avec un visage à la Lincoln. Des cheveux de neige entouraient sa calvitie naissante. Un grand vieillard, encore fort et de belle apparence.

C'était vraiment lui. Otto Frank.

« Cara! Enfin! » dit-il chaleureusement. J'étais vraiment dans ses bras. Une vraie prise de l'ours. Merci, mon Dieu. Pas de poignées de mains cérémonieuses, pas de bonjours polis. Soudain, un peu gêné, il a mis son bras autour du mien. Fritzi s'est accrochée à mon autre bras et nous sommes partis.

Quand je suis entrée chez les Frank, je me suis sentie chez moi. Otto m'a emmenée dans leur petit cabinet de travail. Sur le bureau, il y avait une pile de courrier fraîchement arrivé. Il m'a montré les murs couverts de cahiers remplis de lettres.

Puis, Otto a sorti un autre cahier. « Ce sont tes lettres, Cara. Je les ai toutes conservées. » Je ne pouvais le croire. Je me revoyais à travers vingt années de lettres. J'ai vu mon écriture d'enfant de douze ans évoluer en écriture d'adulte, avant de se transformer en lettres dactylographiées. Il y avait une foule de points d'exclamation et de mots soulignés, des débordements d'émotions.

Puis, Otto a dit : « Tu n'es pas la seule à m'écrire depuis si longtemps. »

En souriant, il m'a parlé de quelques autres. Il y avait Sumi, du Japon, qui avait perdu son père. Elle avait lu le journal d'Anne, ce qui l'avait poussée à écrire à Otto. Elle lui avait dit qu'elle aimerait devenir sa « fille de lettres » — et elle signait toutes ses lettres « Votre fille, Sumi ». Otto l'avait conseillée pendant toutes ces années.

Puis, il y avait John Neiman, étudiant à l'université, qui avait relu *Le journal d'Anne Frank* et avait écrit à M. Frank. Otto lui avait dit : « Si tu veux honorer la mémoire d'Anne et des gens qui sont morts, fais ce qu'Anne voulait tellement — fais du bien aux autres. »

Pour John, cela signifiait devenir prêtre. Aujourd'hui, le père John, prêtre catholique à Redondo Beach, en Californie, tend toujours la main aux survivants de l'Holocauste.

Puis, il y avait Vassa. Quelque temps auparavant, Otto avait reçu une lettre d'Athènes. Il était allé à l'Ambassade de Grèce où il a été référé à un professeur des environs qui avait traduit la lettre.

La jeune signataire avait raconté à Otto son passé horrifiant. Son père, qui faisait partie de la résistance contre les nazis, avait été tué devant elle. Vassa avait perdu tout intérêt — dans la vie elle-même.

Puis, elle a vu la pièce, *Le journal d'Anne Frank.* Elle a écrit à Otto et s'est vidé le cœur. Il a répondu que même si Anne avait été empêchée de réaliser ses buts, Vassa avait, elle, toute sa vie pour le faire. La correspondance s'est poursuivie et, avec l'aide d'Otto, Vassa a vaincu sa dépression.

Comprenant que la jeune fille n'avait plus besoin de son aide, Otto lui a écrit pour expliquer qu'il était fastidieux de faire traduire ses lettres. Il était maintenant trop vieux. Il devait cesser de lui écrire.

Pendant une année entière, Otto n'a pas eu de nouvelles de Vassa. Puis, une lettre est arrivée, portant sa signature familière. La lettre était en français, langue que pouvait lire Otto. Pendant tous ces mois, Vassa avait étudié le français pour pouvoir écrire à son cher mentor.

Pendant toute ma visite, je me suis efforcée de retenir tout ce que disait Otto, sentant qu'il serait important de me souvenir de chaque instant. Il m'a dit, comme s'il lisait dans mes pensées : « C'est bien que tu sois venue maintenant. Je suis un vieillard, tu sais. »

Nous avons continué à échanger des lettres pendant deux autres années. Puis, un jour, j'ai reçu une lettre de Fritzi qui commençait ainsi :

Très chère Cara,

Maintenant, mon cher Otto m'a quittée ainsi que tous ses amis...

Je ne pouvais que m'émerveiller du grand nombre de vies que ce gentil homme avait touchées — et me sentir reconnaissante que la mienne fut l'une d'elles. Nous sommes de nationalités et de religions différentes, mais, d'une certaine façon, nous nous ressemblons. Après tout, n'avons-nous pas été envoyés par Anne pour tenir compagnie à son père?

Cara Wilson

Une raison de vivre

En octobre 1986, le fermier Darrell Adams avait besoin d'aide pour sa récolte de maïs. Il a demandé à sa femme, Marilyn, si Keith, âgé de onze ans, le fils de Marilyn et le beau-fils de Darrell, pouvait s'absenter de l'école pour aider. La demande de Darrell était chose courante dans une région agricole où on fait souvent appel aux enfants pour les récoltes.

Marilyn a refoulé un pressentiment et a donné sa permission. *S'absenter de l'école pour aider aux récoltes est un rite de passage pour les jeunes élevés sur une ferme,* s'est-elle dit. Keith avait démontré à sa mère qu'il connaissait les règles de sécurité de la machinerie agricole et le garçon était très fier que Darrell ait demandé son aide.

Le lendemain matin, avant de partir pour son cours d'informatique à Des Moines, Marilyn a préparé un gros déjeuner de fermier pour Keith et Darrell. En sortant, elle leur a dit : « Soyez prudents aujourd'hui. Je ne sais pas ce que je ferais sans l'un de vous. »

Plus tard cet après-midi-là, quand Darrell a ramené sa moissonneuse-batteuse dans la cour pour décharger d'autre maïs, il a trouvé Keith, en position fœtale, sous plus de six tonnes de maïs au fond du chariot à grain, la gorge bloquée par des grains de maïs. Paniqué, Darrell a amené Keith rapidement vers la clinique médicale locale où les employés ont fait ce qu'ils ont pu pour le garçon en attendant un hélicoptère de l'hôpital qui apportait du secours.

Marilyn avait été tirée de son cours d'informatique par un appel téléphonique que tous les parents redoutent. Elle a été conduite à l'hôpital, envahie par la terreur. Darrell, conduit à l'hôpital par le personnel de la clinique, l'attendait là-bas.

« Je l'ai tué! Je l'ai tué! » criait-il, le visage enfoui dans ses grosses mains de fermier.

Au chevet de Keith, Marilyn regardait son fils avec anxiété. Son corps de 36 kilos tremblait, en état de choc. Son visage disparaissait presque totalement sous le masque à oxygène. Keith était branché à toute une panoplie d'équipement médical et un sac de solution intraveineuse pendait à un support au-dessus de sa tête. En replaçant les cheveux de Keith sur son front, Marilyn a senti que son visage était moite et froid. Elle a tâté ses bras, ses jambes et ses pieds — ils étaient glacés.

Affligée et impuissante, Marilyn s'est assise et a prié pour Keith qui avait lu la Bible en entier et voulait devenir ministre du culte. Plusieurs heures plus tard, pendant sa vigile, elle s'est penchée et a parlé à son fils.

« Keith, dit-elle. Nous devons maintenant parler à Jésus. »

Une seule larme est tombée du coin de l'œil gauche du garçon et a coulé sur sa joue.

À 2 h 30 du matin, alors que Marilyn et sa grand-mère étaient à son chevet, Keith a cessé de trembler. Marilyn a senti que son précieux fils s'en allait vers un lieu éloigné de la peine et de la souffrance. Son fils unique était parti.

Marilyn est devenue tellement triste que même tout l'amour et la compassion de sa famille ne réussissaient pas à l'atteindre. Elle a cessé d'aller à l'église car elle ne pouvait s'empêcher de pleurer sans arrêt. Elle ne pouvait plus s'impliquer dans les programmes scolaires ou aller aux rencontres de parents avec les professeurs. Ses deux filles restantes ont dû la materner. Elle assistait, hébétée par son chagrin, à l'éloignement de leur couple.

Une demande d'aide de sa fille Kelly a mis Marilyn sur la voie du rétablissement. Kelly était devenue membre de la FFA (Future Farmers of America), qui enseigne aux jeunes les rudiments de l'agriculture et ses métiers dérivés. La mort de son jeune frère l'avait incitée à faire un exposé sur les dangers des chariots à grain.

Ensemble, la mère et la fille ont fait des recherches sur le sujet et ont découvert une recommandation qui suggérait qu'on mette des autocollants d'avertissement sur le côté de ces véhicules. À leur grande surprise et consternation, personne n'avait donné suite à cette recommandation. Personne, jusqu'à ce que Marilyn Adams décide que sa famille et elle le feraient.

Marilyn a pensé qu'elle pourrait perpétuer la mémoire de son fils, sinon sa vie, en parlant des dangers de l'agriculture pour les enfants. Habitée par sa mission, Marilyn a canalisé son profond sentiment de perte vers la création d'une association qu'elle a nommée Farm Safety 4 Just Kids [La sécurité à la ferme pour les enfants].

Son employeur lui a donné assez d'argent pour faire imprimer les autocollants d'avertissement que Marilyn et sa famille avaient créés, assis autour de la table de cuisine. Les groupes de la FFA de l'Iowa ont distribué des milliers de ces autocollants en les apposant sur les chariots à grain pendant que les fermiers attendaient pour décharger leur cargaison aux silos de l'Iowa. Marilyn s'est sentie renaître. Elle avait trouvé une raison de vivre et une manière de perpétuer la mémoire de Keith.

Marilyn savait qu'il restait beaucoup de travail difficile à faire. Elle a obtenu l'appui du Conseil de sécurité agricole de l'Iowa, a donné une entrevue à la radio. Puis deux articles ont été publiés dans les magazines agricoles au sujet de Marilyn et de sa jeune organisation. La publicité a suscité un flot d'appels téléphoniques, tant du public que des médias.

« Le téléphone n'arrêtait pas de sonner. Nous ne pouvions même pas souper. Plusieurs personnes qui avaient perdu un enfant dans des accidents de ferme nous ont appelés. Ils voulaient parler avec moi et me tendre la main. Plusieurs personnes qui s'impliquent dans la Farm Safety 4 Just Kids ont aussi perdu des enfants dans des accidents de ferme — ils disent que cela les aide dans leur chagrin. Chaque fois qu'un parent éploré m'appelle, je le mets au travail. Cela nous donne quelque chose de positif à faire dans notre vie. C'est suite à cela que j'ai senti que j'avais un but dans la vie, que je pouvais recommencer à me donner », se rappelle Marilyn.

Marilyn voyage sans arrêt partout au pays pour s'adresser aux entreprises. Elle a fini par obtenir assez de financement pour laisser son emploi et consacrer tout son temps à la sécurité agricole. Elle a convaincu l'épouse du Président d'alors, Barbara Bush, de devenir la présidente honoraire de Farm Safety 4 Just Kids.

« Personne ne peut dire "non" à Marilyn Adams », a déclaré Mme Bush.

Au cours des dix dernières années, l'organisation a grandi énormément. Aujourd'hui, Farm Safety 4 Just Kids a un personnel de neuf personnes, un budget annuel de 750 000 $ et soixante-dix-sept groupes aux États-Unis et au Canada.

Récemment, une étude a démontré que les décès d'enfants dûs aux accidents de ferme avaient diminué de 39 pour cent depuis la création de Farm Safety 4 Just Kids. Il y a plusieurs raisons qui expliquent cette baisse, mais la plupart des experts sont d'accord pour dire que Farm Safety 4 Just Kids en est une.

Épanouie par son succès, sa famille de nouveau entière et heureuse — Marilyn et Darrell ont même eu un autre bébé — Marilyn semble en paix. Quand on lui a demandé comment elle imaginait Keith au ciel, Marilyn a ri et répondu : « Je crois qu'il est très occupé à montrer le bon chemin à sa mère. »

Jerry Perkins

[NOTE DE L'ÉDITEUR : *Pour plus d'information sur Farm Safety 4 Just Kids, écrivez à P.O. Box 458, Earlham, IA 50072 ou appelez le 515-758-2827.*]

Le soir où j'ai écrit mon prix Pulitzer

J'aimerais accomplir de grandes et nobles choses, mais mon devoir est de réaliser de petites choses comme si elles étaient grandes et nobles.

Helen Keller

En tant qu'écrivaine, je sentais qu'un jour, quelque part, mon œuvre toucherait le cœur des hommes, rapprocherait les continents et unirait les générations. Un soir, c'est arrivé.

Je suis à la brasserie McKelvey et je sirote une Amber Bock. Le *Blues Band* est en pause. À deux tabourets de moi est assis au bar un petit homme aux cheveux blancs.

« J'ai dix enfants, se vante-t-il. Et deux petits-enfants en route. La plus jeune de mes filles est dans l'armée. Je ne jure que par elle. Elle est en Allemagne depuis cinq ans. »

« Vous téléphone-t-elle? »

« Parfois. Mais à cause de son horaire chargé et des fuseaux horaires, nous ne nous parlons plus beaucoup. » Ses lèvres se serrent et il regarde dans sa bière. « C'est très cher téléphoner là-bas. Elle me dit, "Appelle à frais virés, papa." Non, je ne veux pas lui imposer cette dépense. »

Je lui suggère, « Écrivez-lui une lettre. »

« Je ne peux tenir une plume, dit-il. J'ai eu quatre attaques et mon bras est paralysé. » Pour me le prouver, il lève le membre inerte avec sa bonne main.

Je saisis mon cahier, trouve une page blanche et je m'installe, plume à la main. « Comment s'appelle-t-elle? »

« Suzie. »

Je regarde ses yeux rougis et je lui demande : « Je commence comment? “Chère Suzie” ou “Salut, Suzie” ou “Suzie, comment diable vas-tu?” »

« Tout cela. » Il sourit, exhale sa fumée.

Je répète lentement *Chère Suzie* avant d'écrire les mots. « Vous parlez et j'écris. »

Il éteint son mégot dans le petit cendrier en métal, sort une autre Camel, l'allume et prend une bouffée. « Dites-lui que j'en suis à un seul paquet par jour… et… que je mange chaque jour… au centre des retraités. La nourriture est excellente. Spaghetti, gâteau, crème glacée. Autant qu'on en veut. » Il ajoute en gloussant, « Mais, pas de bière. »

J'écoute et j'écris sans m'interrompre.

« Dites-lui que je l'adore. Dites-lui que Jen et Dave vont se marier, et que Pat et Tim vont divorcer. Dites-lui qu'oncle Wilbur est toujours sur l'île Doe, il cultive toujours son champ de citrouilles. C'est là que tous mes enfants ont grandi. »

À mesure que je l'écoute, une certaine intimité s'établit entre le vieil homme au visage ratatiné et moi.

« Dites-lui de ne pas s'inquiéter. Je n'ai pas à me plaindre. Je danse chaque soir, quand je le peux. » Ses yeux pétillent. « Dites-lui de se souvenir de grand-père Jones. Il est mort en faisant du jogging — à 104 ans. Ce qui me laisse encore plus de 20 ans. Dites-lui… que je ne jure que par elle. » Sa voix tremblote. Il vide sa bière et s'essuie la bouche.

Il reste deux lignes vides au bas du verso de la page. Je prends son bras paralysé, je mets la plume dans sa main rigide et je serre ses doigts. « Vous signez ici », lui dis-je avec insistance.

Pour se donner de la force, il met sa main gauche autour de sa main qui écrit. Je le regarde esquisser chaque trait. Son gribouillage se lit, « T'aim Pa. » Je sais qu'il voulait écrire « Je t'aime, Papa ». La plume tombe de sa main. Son bras droit retombe sur son côté. D'un doigt de sa main gauche, il essuie une larme sous ses lunettes.

« Merci », dit-il tout bas. Puis, il s'éclaircit la gorge.

« De rien. J'écris dans ce cahier tous les jours. » Je lui donne une tape sur l'épaule et, en partant, je lui dis : « Quand le *Blues Band* jouera de nouveau samedi prochain, apportez l'adresse de Suzie. J'apporterai une enveloppe affranchie. »

J'ai pleuré en rentrant chez moi. Je savais que je venais d'écrire un texte digne du prix Pulitzer.

Shinan Barclay

La théière parfaite

Il y a des points culminants dans toute notre vie et la plupart prennent leur source dans l'encouragement venant d'une autre personne. Peu importe l'importance, la célébrité ou le succès d'un homme ou d'une femme, nous avons tous besoin d'applaudissements.

George M. Adams

Une foule impatiente de près de deux cents chasseurs d'aubaines s'entassaient dans l'immense salon du vieux domaine des Withers. La chaleur accablante de plus de 30 degrés ne décourageait personne. Ils étaient tous à la recherche de la trouvaille de l'été à cette vente de débarras.

La dame qui menait la vente, une connaissance de longue date, m'a saluée de la tête pendant que nous regardions les vautours du petit matin. « Quel chahut! » dit-elle en riant.

Je souris d'approbation. « Je ne devrais même pas être ici. Je dois être à l'aéroport dans moins d'une heure, lui ai-je confié. Cependant, quand j'étais adolescente, je vendais des produits de beauté dans ce quartier et Hillary Withers était ma cliente favorite. »

« Alors, montez vite au grenier, suggéra-t-elle. Il y a beaucoup de vieux produits de beauté là-haut. »

Rapidement, je me suis faufilée parmi la meute grandissante et je suis montée jusqu'au grenier. Il n'y avait personne, sauf une petite femme âgée qui surveillait plusieurs tables pleines de vieux sacs jaunis de toutes les tailles.

« Qu'est-ce qui vous amène jusqu'ici? demanda-t-elle en retirant le bouchon d'une bouteille de parfum. Il n'y a rien, sauf de vieux produits Avon, Tupperware et Fuller Brush. »

J'ai pris une longue respiration. L'odeur caractéristique du parfum « Voici mon cœur » m'a ramenée près de vingt ans en arrière.

« Mais, c'est mon écriture! » me suis-je exclamée en apercevant une facture brochée à un des sacs. Le sac, non ouvert, contenait plus de 100 $ en crèmes et en eaux de Cologne — ma toute première vente à Mme Withers.

Au cours de cette journée de juin, il y a bien longtemps, j'avais arpenté la grande avenue bordée d'arbres pendant plus de quatre heures, mais aucune femme ne m'avait invitée à entrer. Au contraire, plusieurs m'avaient claqué la porte au nez. En sonnant à la dernière porte, je m'étais préparée à un rejet maintenant familier.

« Bonjour madame, je suis votre nouvelle représentante Avon, ai-je bégayé lorsque la porte s'est ouverte. J'aimerais vous montrer mes très bons produits. » Quand j'ai finalement trouvé le courage de regarder la dame dans la porte, j'ai vu qu'il s'agissait de Mme Withers, la pétillante et imposante soprano de la chorale de notre église. J'admirais ses belles robes et ses chapeaux en rêvant un jour de porter des vêtements à la mode, moi aussi.

À peine deux mois auparavant, alors que je m'étais rendue dans une ville éloignée pour une opération au cerveau, Mme Withers m'avait inondée des plus belles cartes de vœux. Une fois, elle avait même inclus un verset des Écritures : « Je peux faire tout avec la force que me donne le Christ. » Je l'avais mis dans mon portefeuille de vinyle rouge. Quand mes professeurs me disaient que je ne pourrais jamais aller à l'université, je le sortais, le lisais en me répétant sa promesse à voix basse.

Je croyais en ce verset, même quand mes professeurs n'arrêtaient pas de me dire, « Avec toutes tes absences de l'école, Roberta, tu ne pourras jamais rattraper ton retard. » Ils croyaient peut-être qu'il valait mieux que je ne me fasse pas d'illusions, car je souffrais de neurofibromatose, un grave trouble neurologique.

« Si ce n'est pas Roberta! Mais entre, ma chère, entre, dit la voix mélodieuse de Mme Withers. J'ai besoin d'un million de choses. Je suis si contente que tu sois venue me voir. »

Avec précaution, je me suis installée dans le sofa blanc immaculé et j'ai ouvert ma valise de tweed contenant tous les échantillons de produits de beauté que j'avais pu acheter pour cinq dollars. Quand j'ai remis un catalogue à Mme Withers, je me suis sentie la fille la plus importante du monde.

« Mme Withers, nous avons deux sortes de crème, une pour les teints rosés et une autre pour les teints jaunâtres, expliquai-je, ma confiance revenue. De plus, elles sont aussi excellentes pour les rides. »

« Bien, bien », dit-elle.

« Laquelle aimeriez-vous essayer? » demandai-je en ajustant la perruque qui masquait mon crâne couvert de cicatrices de chirurgies.

« Oh, j'aurai sans doute besoin des deux, répondit-elle. Et quelles fragrances avez-vous? »

« Voilà. Essayez celle-ci, Mme Withers. On suggère d'en mettre sur le poignet pour un meilleur effet », lui conseillai-je en montrant son poignet couvert de diamants et d'or.

« Ma foi, Roberta, tu connais bien ton sujet. Tu as dû étudier pendant des jours. Quelle jeune femme intelligente tu es! »

« Vous le croyez vraiment, Mme Withers? »

« Oh, je le sais. Et que comptes-tu faire avec tes gains? »

« Je veux économiser pour aller à l'université et devenir infirmière diplômée », ai-répondu, étonnée de mes propres paroles. « Mais aujourd'hui, je pense acheter un cardigan à ma mère pour son anniversaire. Elle m'accompagne toujours à mes traitements et quand nous prenons le train, il serait bien qu'elle ait un chandail. »

« Merveilleux, Roberta, tu es si attentionnée. Maintenant, dis-moi, quelle sorte de cadeaux proposes-tu? » a-t-elle demandé avant de commander deux exemplaires de chaque article que je lui ai proposé.

Sa commande extravagante se montait à 117,42 $. Avait-elle eu l'intention d'acheter tant de choses? Je me le demandais. Mais, elle a souri et a dit : « J'attends la livraison avec impatience, Roberta. Tu m'as bien dit mardi prochain? »

Je me préparais à partir quand Mme Withers a dit : « Tu as l'air absolument affamée. Aimerais-tu un thé avant ton départ? Ici, nous pensons que le thé est du soleil liquide. »

J'ai acquiescé et je l'ai suivie dans sa cuisine impeccable, pleine de toutes sortes d'objets curieux. Je la regardais, médusée, préparer le thé, juste pour moi, comme dans les films que j'avais vus. Elle a soigneusement empli la bouilloire d'eau froide, l'a amenée à la « bonne » ébullition, puis elle a laissé les feuilles de thé infuser pendant « exactement » cinq longues minutes. « C'est pour permettre à la saveur de s'épanouir », a-t-elle expliqué.

Puis, sur un plateau d'argent, elle a mis un délicat service à thé, un couvre-théière en chintz, des scones aux fraises, bien appétissants et autres petites splendeurs. À la maison, il nous arrivait de boire du thé glacé, mais je ne m'étais jamais sentie comme un princesse invitée à un thé d'après-midi.

« Excusez-moi, Mme Withers, mais n'y a-t-il pas une façon plus rapide de préparer le thé?, ai-je demandé. À la maison, nous utilisons des sachets de thé. »

Mme Withers a mis ses bras autour de mes épaules. « Il y a des choses dans la vie qu'il ne faut pas presser, me confia-t-elle. J'ai appris que préparer le thé comme il se doit est une façon de vivre qui plaît à Dieu. Cela demande plus d'effort, mais le résultat vaut toujours le travail.

« Toi, par exemple, malgré tous tes problèmes de santé, tu es pleine de détermination et d'ambition, tout comme le thé parfait. Plusieurs personnes dans ta situation auraient abandonné, mais pas toi. Et avec l'aide de Dieu, tu pourras accomplir tout ce que tu entreprendras, Roberta. »

Mon voyage dans le temps a brusquement pris fin quand la dame dans le grenier suffocant a demandé : « Vous connaissiez Hillary Withers, vous aussi? »

J'ai essuyé la sueur sur mon front. « Oui... je lui ai déjà vendu de ces produits de beauté. Mais je ne comprends pas qu'elle ne les ait pas employés ou donnés. »

« Elle en a donné beaucoup, a répondu la dame, d'une façon très détachée. Mais, pour une raison quelconque, plusieurs ont fini ici. »

« Mais pourquoi les achetait-elle si elle ne les utilisait pas? » ai-je demandé.

« Oh, elle utilisait une marque spéciale de produits de beauté pour son usage personnel, dit la dame d'un ton confidentiel. Hillary ne pouvait résister aux vendeurs itinérants. Elle n'a jamais pu leur dire non. Elle me disait toujours "Je pourrais leur donner de l'argent, mais l'argent à lui seul ne donne pas l'estime de soi. Alors, je leur donne un peu de mon argent, je les écoute et je partage mon amour et mes prières. On ne sait jamais jusqu'où un peu d'encouragement peut mener quelqu'un." »

J'ai fait une pause en me rappelant à quel point mes ventes de produits de beauté avaient grimpé en flèche après ma première visite chez Mme Withers. J'ai acheté le nouveau chandail à maman avec ma commission sur la vente, et il me restait encore assez d'argent pour mon fonds d'études. J'ai même fini par gagner plusieurs prix de vente dans mon district et même à l'échelle nationale. Finalement, cela m'a permis de payer moi-même mes études et de réaliser mon rêve de devenir infirmière diplômée. Plus tard, j'ai obtenu ma maîtrise et un Ph.D.

« Mme Withers priait pour toutes ces personnes? » ai-je demandé, en montrant des douzaines de vieux sacs sur la table.

« Certainement, me dit-elle. Elle le faisait et ne voulait pas qu'on le sache. »

J'ai payé la dame pour mes achats, le sac de produits de beauté que j'avais vendus à Mme Withers et un petit médaillon en or, en forme de cœur. J'ai enfilé le médaillon dans la chaîne en or que je portais au cou. Puis, je me suis rendue à l'aéroport. Plus tard, ce jour-là, de devais prendre la parole à un congrès médical à New York.

Quand je suis entrée dans l'élégante salle de bal de l'hôtel, je me suis dirigée vers le lutrin des conférenciers et j'ai regardé la foule — des spécialistes de la santé de partout au pays. Je me suis soudain sentie aussi peu sûre de moi que ce jour lointain où je vendais des produits de beauté dans ce quartier étranger et riche.

Puis-je y arriver?, me suis-je demandé.

Mes doigts tremblants ont cherché le médaillon. Il s'est ouvert révélant une photo de Mme Withers. J'ai de nouveau entendu ses mots, doux mais énergiques : « Avec l'aide de Dieu, tu pourras accomplir tout ce que tu entreprendras, Roberta. »

« Bon après-midi, ai-je lentement commencé. Merci de m'avoir invitée à vous parler de la manière de remettre de l'attention dans les soins de santé. On dit souvent que la profession d'infirmière est l'amour rendu visible. Mais, ce matin, j'ai appris une leçon inattendue sur le pouvoir de l'amour discret, exprimé en secret. Le genre d'amour qu'on donne non pas pour épater, mais pour le bien qu'il peut apporter dans la vie des autres. Certains de nos plus importants gestes d'amour passent parfois inaperçus. Jusqu'à ce qu'ils aient le temps d'infuser — pour permettre à leur saveur de s'épanouir. »

J'ai alors raconté à mes collègues l'histoire d'Hillary Withers. À ma grande surprise, elle a été accueillie par un tonnerre d'applaudissements. En silence, j'ai prié, *Merci, mon Dieu, et Mme Withers.* Et pourtant, tout cela n'a commencé que par une théière parfaite.

Roberta Messner, R.N., Ph.D.

7

SURMONTER LES OBSTACLES

Marchez sur un sentier arc-en-ciel;
marchez sur un sentier de chants,
et tout autour de vous sera beauté.
Un sentier arc-en-ciel permet
de sortir de tout brouillard.

Chant Navajo

Un lunch avec Helen Keller

Mon mari et moi adorions notre maison en Italie. Elle était située sur une falaise au-dessus de Portofino, avec une vue imprenable sur le port bleu et sa plage blanche entourée de cyprès. Par contre, il y avait un serpent dans notre paradis : le sentier pour escalader la falaise. Les autorités municipales nous refusaient le droit de construire une route carrossable au lieu du sentier à mulets. Le seul véhicule capable d'escalader l'étroit sentier et de négocier les virages en épingle, la pente abrupte et les nids de poule était une vieille jeep de l'armée américaine achetée à Gênes. Elle n'avait ni ressorts ni freins. La seule façon d'arrêter était de la mettre en marche arrière et de s'appuyer sur quelque chose. Par contre, elle était indestructible, et on pouvait s'y fier peu importe la température.

Un jour de l'été 1950, notre voisine, la comtesse Margot Besozzi, qui, par nécessité, possédait également une jeep, nous a appelés pour nous dire que sa cousine venait d'arriver avec une compagne et que sa jeep était en panne. Aurions-nous l'obligeance d'aller chercher les deux vieilles dames avec la nôtre? Elles étaient à l'hôtel Splendido.

« Qui devrais-je demander à l'hôtel? »

« Mademoiselle Helen Keller. »

« Qui? »

« Mademoiselle Helen Keller, K-e-l-l... »

« Margot, vous voulez dire *Helen Keller?* »

« Bien sûr, répondit-elle. C'est ma cousine. Vous l'ignoriez? »

J'ai couru au garage, j'ai sauté dans la jeep et j'ai dévalé la montagne.

J'avais douze ans quand mon père m'a donné le livre sur Helen Keller écrit par Anne Sullivan, la femme admirable que le sort avait choisie pour enseigner à l'enfant aveugle et sourde. Anne Sullivan avait transformé la rebelle et bestiale petite fille en membre civilisé de la société en lui enseignant à parler. Je me souviens encore clairement de la description des premiers mois de lutte physique avec l'enfant, jusqu'au jour glorieux où, tenant la main d'Helen sous l'eau courante, la petite fille, aveugle, sourde et jusqu'alors muette, avait fait l'histoire en balbutiant un mot intelligible : « Eau. »

Au cours des années, j'avais lu des articles sur Helen Keller dans les journaux. Je savais qu'Anne Sullivan n'était plus là et qu'une nouvelle compagne la suivait partout. Mais le trajet de quelques minutes pour descendre de la montagne ne m'a pas suffi pour me faire à l'idée que j'allais rencontrer cette figure mythique de ma prime jeunesse.

J'ai appuyé la jeep contre un mur couvert de bougainvilliers et je me suis présentée à l'hôtel. Une grande et plantureuse femme à l'aspect vigoureux s'est levée d'une chaise sur la terrasse de l'hôtel pour m'accueillir : Polly Thomson, la compagne de Helen Keller. Une deuxième personne s'est levée lentement de la chaise à côté d'elle et a tendu la main. Helen Keller avait plus de soixante-dix ans. C'était une femme frêle, aux cheveux blancs, aux yeux bleus grands ouverts et au sourire timide.

« Comment allez-vous? » dit-elle lentement d'une voix un peu gutturale.

J'ai pris sa main qu'elle tendait trop haut car elle ignorait ma taille. Elle avait tendance à faire cette erreur avec les gens qu'elle rencontrait pour la première fois, mais elle ne la faisait jamais deux fois. Plus tard, quand nous nous sommes dit au revoir, elle a mis sa main solidement dans la mienne, à la bonne hauteur.

Les bagages ont été empilés à l'arrière de la jeep et j'ai aidé la joviale Mlle Thomson à s'asseoir près de ceux-ci. Le portier de l'hôtel a soulevé le corps frêle de Helen Keller et l'a déposé sur le siège avant à côté de moi. C'est seulement à ce moment que j'ai compris que le voyage serait périlleux. La jeep était ouverte; il n'y avait rien pour s'agripper convenablement. Comment pourrais-je empêcher cette femme sourde et aveugle de tomber de ce vieux tacot quand nous prendrions une courbe, ce que nous devions faire à assez grande vitesse étant donné l'angle de la pente et la condition générale de la jeep? Je me suis tournée vers elle et j'ai dit : « Mlle Keller, je dois vous avertir — nous allons monter une pente abrupte. Pouvez-vous vous agripper bien solidement à cette pièce de métal sur le pare-brise? »

Mais elle continuait à regarder droit devant, avec l'air d'attendre quelque chose. Derrière moi, Mlle Thomson dit patiemment : « Elle ne peut vous entendre, chère, ni vous voir. Je sais qu'il est difficile de s'y faire au début. »

J'étais tellement gênée que j'ai bafouillé comme une idiote en essayant d'expliquer le problème qui nous attendait. Pendant tout ce temps, Mlle Keller n'a jamais tourné la tête ni n'a semblé intriguée par le délai. Elle était assise immobile, attendant patiemment avec un léger sourire. Mlle Thomson s'est étendue sur les bagages et lui a pris la main. Elle a bougé les doigts d'Helen rapidement vers le haut, le bas et de côté, lui expliquant dans le langage des aveugles sourds ce que je venais de dire.

« Ça ne me dérange pas, dit Helen, en riant. Je me tiendrai bien solidement. »

Courageusement, j'ai pris ses mains et je les ai placées sur la pièce de métal devant elle. « OK », a-t-elle crié gaiement, et j'ai démarré. La jeep a fait un saut en avant et Mlle Thomson est tombée de son siège sur les bagages. Je ne pouvais m'arrêter pour l'aider à cause de la pente raide, la courbe dangereuse devant nous et l'absence de freins. Nous avons filé vers les hauteurs, le moteur ronflant, mes yeux rivés sur l'étroit sentier et Mlle Thomson aussi démunie qu'un scarabée retourné sur le dos.

J'avais transporté bien des passagers dans cette jeep et ils s'étaient tous plaints du manque de suspension. Pas étonnant, avec toutes ces roches et nids de poule, sans parler des virages en épingle à travers les oliviers qui ne masquaient que partiellement le précipice qui avait énervé plusieurs de nos invités. Helen était la première passagère qui ne voyait pas le danger, elle était enchantée des cahots et riait simplement quand elle était projetée sur mon épaule. En fait, elle s'est mise à chanter. « C'est amusant », roucoulait-elle en bondissant. « Super! » criait-elle.

Nous avons passé devant notre maison à pleine vitesse — du coin de l'œil, j'ai vu notre jardinier, Giuseppe, qui faisait le signe de la croix — et nous avons poursuivi notre ascension. Je n'avais aucune idée de ce qui arrivait à Mlle Thomson, car le vacarme étourdissant de la jeep avait depuis longtemps noyé ses protestations angoissées. Je savais cependant que Helen était toujours à mes côtés. Ses minces cheveux blancs étaient défaits et volaient au vent. Elle avait autant de plaisir qu'un enfant qui se balançait de haut en bas sur un cheval de bois dans un carrousel.

Enfin, nous avons pris la dernière courbe entre deux figuiers géants, et j'ai aperçu Margot et son mari qui nous attendaient à la barrière. Helen a été soulevée hors de la jeep et elle a eu droit à une étreinte; les bagages ont suivi et Mlle Thomson s'est relevée et époussetée.

On m'a invitée pour le lunch. Pendant que les deux vieilles dames étaient amenées à leurs chambres pour se rafraîchir, Margot m'a parlé de sa cousine et de sa vie. Helen était connue dans le monde entier et dans tous les pays civilisés, les grands et les célèbres voulaient la rencontrer et faire quelque chose pour elle. Les chefs d'État, les érudits et les artistes rivalisaient pour la recevoir et elle voyageait dans le monde entier pour satisfaire sa grande curiosité.

« N'oubliez pas, dit Margot, tout ce qu'elle remarque vraiment, ce sont les changements d'odeurs. Qu'elle soit ici, à New York ou en Inde, elle est dans un grand trou noir et silencieux. »

Bras dessus, bras dessous, comme s'il s'agissait simplement de très bonnes amies, les deux vieilles dames ont traversé le jardin vers la terrasse où nous les attendions.

« Je crois que ce sont des glycines, dit Helen, et il doit y en avoir beaucoup. Je reconnais leur odeur. »

Je suis allée cueillir un gros bouquet des fleurs qui entouraient la terrasse et je l'ai déposé sur ses genoux. « Je le savais! » cria-t-elle heureuse, en les touchant.

Évidemment, la diction de Helen n'était pas normale. Elle parlait par à-coups, comme une personne qui a eu une attaque, et ses consonnes étaient lentes et pénibles. Elle s'est tournée vers moi, directement, car elle avait senti où j'étais assise. « Vous savez, nous sommes en route pour Florence pour voir le David de Michel-Ange. Je suis tellement excitée; j'ai toujours voulu le voir. »

Mystifiée, j'ai regardé Mlle Thomson qui a fait un signe de tête.

« C'est vrai, dit-elle. Le gouvernement italien a fait ériger un échafaudage tout autour de la statue pour que Helen puisse y monter et la toucher. C'est ce qu'elle appelle "voir". Nous allons souvent au théâtre à New York, et je lui raconte ce qui se passe sur la scène et je lui décris les acteurs. Parfois, nous allons dans les coulisses pour qu'elle puisse "voir" les décors et les acteurs. Puis, elle rentre à la maison avec l'impression qu'elle a vraiment assisté à la représentation. »

Pendant que nous parlions, Helen attendait. De temps à autre, quand nous parlions trop longtemps, je voyais ses doigts prendre la main de son amie, lui demandant ce qui se passait, mais sans impatience.

Le repas a été servi sur la terrasse. Helen a été conduite à sa chaise et je l'ai observée en train de « regarder » les ustensiles. À la vitesse de l'éclair, ses mains touchaient les objets sur la table — assiette, verre, coutellerie — mémorisant leur emplacement. Jamais, au cours du repas, a-t-elle cherché quelque chose. Elle tendait la main de façon décontractée et avec fermeté, comme nous tous.

Après le lunch, nous sommes restés sur la terrasse ombragée, entourés de bouquets de glycines, comme un rideau mauve, le soleil jouant sur la mer en contre-bas. Helen avait sa posture habituelle, la tête légèrement relevée comme si elle écoutait quelque chose, ses yeux bleus aveugles grands ouverts. Son visage, bien que celui d'une vieille femme, affichait une certaine innocence d'écolière. Si elle avait souffert, ou même si elle souffrait encore, son visage n'en laissait rien paraître. C'était un visage mystique, un visage de sainte.

Par l'intermédiaire de son amie, je lui ai demandé ce qu'elle visiterait d'autre en Italie. Elle m'a lentement tracé son itinéraire, les endroits qu'elle voulait visiter et les gens qu'elle rencontrerait. Étonnamment, elle parlait assez bien le français et pouvait se faire comprendre en allemand et en italien. Naturellement, la sculpture était sa forme d'art favorite car elle pouvait la toucher et l'apprécier directement.

« Il me reste tant de choses que j'aimerais voir, dit-elle. Tant de choses à apprendre. Et la mort approche. Ce n'est pas que cela m'inquiète. Au contraire. »

« Croyez-vous à la vie après la mort? » ai-je demandé.

« Très certainement, dit-elle énergiquement. Ce n'est pas différent de passer d'une pièce à l'autre. »

Nous étions assis, silencieux.

Soudain, Helen a parlé de nouveau. Lentement et très distinctement, elle a dit : « Mais il y a une différence pour moi, vous savez. Car dans cette autre pièce, je pourrai voir. »

Lilli Palmer

Un enfant à la fois

La patience et la persévérance ont un effet magique grâce auquel les difficultés s'aplanissent et les obstacles disparaissent.

John Quincy Adams

Je me considère une personne ordinaire. J'aime mon mari et mes enfants, et j'adore mes petits-enfants. J'ai un faible pour les enfants — tous les enfants. Particulièrement les enfants nés avec des problèmes physiques. Ils n'y peuvent rien et il me semble qu'ils méritent de profiter de la vie autant que tous les autres.

Mon neveu Stevie est né sans glandes sudoripares, une maladie qu'on nomme le HED, ce qui signifie que tout effort pourrait amener une surchauffe de son corps et causer d'importants dommages à son système. En fait, jouer pourrait le tuer! Il était horriblement difficile d'empêcher un jeune enfant de « trop en faire ». Il ne comprenait pas pourquoi nous ne lui permettions pas de s'amuser et de courir comme les autres enfants. Quel enfant peut vivre sans jouer?

Un jour, éperdue, je me suis plainte à mon mari : « Si nous pouvons envoyer un homme sur la Lune, nous pouvons certainement faire *quelque chose* pour Stevie! » Cette observation m'a fait réfléchir et la conclusion logique m'a amenée à la NASA. « Je vais téléphoner à la NASA », ai-je dit bien décidée.

Mon mari, étonné, s'est moqué de moi. « *Tu* vas appeler la NASA? Chérie, tu es une femme de maison. Que diras-tu à la NASA? »

Je ne le savais pas exactement, mais j'ai pensé qu'il valait la peine d'essayer. J'ai donc téléphoné. Étonnamment, j'ai rejoint quelqu'un qui pouvait m'aider. Après que je lui eus exposé le problème de Stevie, l'homme à l'autre bout du fil a réfléchi un moment, puis il m'a parlé d'un « sous-vêtement thermique ». Les cosmonautes l'avaient utilisé lors de missions sur la Lune et il pensait que ce vêtement pourrait régler le problème de Stevie. J'étais enchantée.

Mais, il y avait un petit problème — le sous-vêtement thermique coûtait 2 600 $. Nous n'avions pas cette somme. Je savais cependant que je trouverais cet argent. Il le fallait.

J'ai donc fait le nécessaire. J'ai vendu des plats maison et fait des ventes de garage. J'ai vendu des hot dogs et des hamburgers devant le Sam's Club local. Lentement, l'argent s'est accumulé. Nous avons acheté le sous-vêtement thermique et en avons revêtu notre petit homme. Il avait alors huit ans et il fallait voir son expression quand nous lui avons dit qu'il pouvait aider son papa à tondre le gazon. Puis, il est parti à bicyclette sur les ailes de la joie.

La NASA a suivi avec intérêt les progrès de Stevie. Ils étaient enchantés d'avoir l'occasion d'utiliser ainsi une technologie de l'espace. Ils nous ont demandé s'ils pouvaient produire un documentaire sur Stevie et son sous-vêtement thermique, et nous avons accepté.

Après la diffusion du documentaire, j'ai été inondée d'appels et de lettres de parents dont les enfants souffraient du HED. Ils me demandaient tous : « S'il vous plaît, aidez mon enfant. » Je n'ai pu tourner le dos à ces familles désespérées. Je connaissais trop bien la peine qu'elles ressentaient.

J'ai donc créé une fondation pour recueillir de l'argent afin que chaque enfant ait son propre sous-vêtement thermique. Nous avons continué à trouver l'argent nécessaire par les moyens traditionnels, mais je pouvais maintenant approcher les entreprises aussi bien que les individus. Je leur ai tous demandé, souvent et avec urgence, de donner ce qu'ils pouvaient pour rendre la vie d'un enfant « supportable ».

C'était il y a plus de dix ans. Stevie est devenu un beau jeune homme, prêt à entrer à l'université. Il porte toujours son sous-vêtement thermique quand il va en camping ou à la pêche. Je le taquine en lui disant qu'il devrait l'avoir à la portée de la main maintenant qu'il a une petite amie!

La fondation fonctionne toujours à plein régime. À ce jour, nous avons aidé plus de 400 enfants souffrant de diverses maladies rares à vivre plus normalement. Chaque cas est différent et demande une étude individuelle. Pas plus tard que l'an dernier, j'ai entendu parler d'une famille anglaise qui avait deux petits garçons, Kyle, six ans, et Ryan, quatre ans, qui souffraient d'une affection de la peau nommée XP. Les garçons devaient éviter *tout* rayon ultraviolet, sinon ils risquaient un cancer de la peau. Ils ne pouvaient jamais jouer dehors et devaient rester à l'intérieur dans des pièces sombres, car même une ampoule de 40 watts présentait un danger pour eux.

De nouveau, la technologie de l'espace de la NASA est venue à notre aide. Ils ont équipé les garçons de petites combinaisons d'astronaute qui les protégeaient totalement des rayons UV. Puis les enfants ont vécu leur première sortie de jour — à Disney World! Leurs sourires étaient presque aussi rayonnants que le beau soleil sous lequel ils se promenaient ce jour-là!

Les gens de la NASA m'ont téléphoné il y a deux ans et m'ont demandé si je voulais devenir consultante pour eux. Moi! Une femme de maison, une grand-mère qui n'avait même pas fréquenté l'université! J'ai ri, mais ils étaient sérieux. Un des hommes avec qui j'avais communiqué, M. Calloway, a dit que je pensais comme un ingénieur. Il m'a dit que ma façon d'aborder un problème était aussi efficace que toutes les méthodes qu'il connaissait. Il m'a dit : « Sarah, si on vous avait orientée dans cette direction pendant que vous étiez à l'école, vous travailleriez probablement ici à la NASA dans notre programme spatial. Nous cherchons toujours de bons esprits ici. »

Je ne sais pas si c'est vrai, mais je sais que, lorsque je suis confrontée à un problème, il y a toujours une partie de moi qui dit très fort et très clairement : « Je peux le résoudre ! » Lorsque j'ai un pépin ou que je suis découragée, j'entends une voix en moi qui dit : « N'abandonne pas maintenant ! » Je sais que je ne pourrais pas *vraiment* laisser tomber — il n'y a personne d'autre pour s'occuper de ces enfants. Leurs maladies sont trop rares ou trop obscures pour les organismes d'aide normaux.

Il est étonnant de voir ce qui peut résulter d'un simple coup de téléphone. La souffrance de Stevie m'a incitée à trouver un moyen de l'aider. Cela semble bien évident aujourd'hui mais, il y a dix ans, la NASA ne savait simplement pas qu'elle détenait la clé qui permettrait à de nombreux enfants de revivre, de jouer, de courir et de respirer l'air frais dehors.

En ma qualité d'épouse, de mère, de parent inquiet — et aujourd'hui, de consultante pour la NASA — je sais que j'ai été mise sur terre pour faire ce travail : améliorer la vie de ces enfants, un à la fois.

Sarah Ann Reeves Moody

Faible en gras et heureuse

Qui croit pouvoir vaincre, le peut!

Virgile

Il est difficile d'être différent quand on est enfant. À l'âge de dix ans, j'étais déjà plus grande que la plupart des autres enfants et j'étais obèse. C'est à ce moment que j'ai commencé à cacher ma consommation de nourriture. J'étais déjà assez malheureuse de ma taille, mais quand les autres riaient de moi, je me sentais encore pire et je me jetais dans la nourriture pour me consoler.

Pendant quelque temps, j'ai essayé de me tenir le dos voûté pour me rapprocher de la grandeur de mes amies, mais ma mère ne l'a pas pris ainsi. Maman me disait toujours « Sois fière de ta grande taille. Tu n'as jamais vu un mannequin de petite taille, non? » *Cette* remarque m'avait frappée. Dans mon esprit, le mot « mannequin » signifiait beauté, mot qui ne faisait certainement pas partie du vocabulaire que j'utilisais pour me décrire.

Un jour, je pleurais parce que les garçons s'intéressaient à certaines de mes amies plutôt qu'à moi. Maman m'a fait asseoir devant elle une fois de plus. Je me souviens du regard doux et réconfortant dans ses beaux yeux bleus quand elle m'a raconté l'histoire du Vilain Petit Canard — et comment la beauté du petit oiseau s'est manifestée le moment venu. Maman m'a dit que nous avions tous notre moment de gloire sur Terre. « C'est à leur tour, dit-elle. Le tien viendra quand tu seras une femme. » J'ai souvent entendu ma mère raconter cette histoire quand je grandissais, mais il me semblait que mon heure ne viendrait jamais.

Adulte et mariée, j'ai commencé à avoir mes bébés. Après la naissance de chacun de mes trois garçons, je prenais 10 kilos. Quand je suis devenue enceinte de mon dernier garçon, je pesais 95 kilos. Après cela, pendant huit ans, j'ai désespéré de retrouver un poids normal. J'étais la première à faire des blagues sur ma taille, riant avec les autres extérieurement, mais pleurant très fort intérieurement. Je me cachais de ma famille pour m'empiffrer. Je me haïssais pour ce que je faisais, mais j'étais incapable de me contrôler.

À l'âge de 34 ans, je pesais 136 kilos. Je souffrais sans arrêt, à cause de problèmes dégénératifs des disques lombaires. Je sentais mon corps à la fois étiré et écrasé. Quand j'ai vu les 136 kilos sur le pèse-personne, ce fut le point tournant de ma vie. Le pèse-personne indiquait cet énorme chiffre, mais je me sentais totalement nulle. J'ai alors compris clairement que si je ne reprenais pas le contrôle de ma vie, je mourrais bientôt. J'ai pensé à mes fils adorés — je ne serais plus là pour les voir grandir. Je manquerais leurs premières amours, leurs premières peines d'amour, leur bal de graduation, leur permis de conduire, la remise des diplômes, leur mariage — je ne tiendrais jamais mes petits-enfants dans mes bras. À cet instant, j'ai su que j'avais le choix : vivre ou mourir. Quelque chose en moi s'est libéré et je me suis entendue crier, « Je vais vivre! Je mérite de vivre, vivre, *vivre!* »

J'ai crié assez fort pour réveiller un nouveau moi. Combien je désirais vivre ce jour-là! Je ressentais une énergie jusqu'alors inconnue. J'ai su que je ferais tout en mon pouvoir pour gagner cette bataille. Jamais plus je perdrais espoir en moi-même.

Cette force puissante en moi pour la vie était aussi une force d'amour. J'ai ressenti une étincelle d'amour pour moi-même — telle que j'étais — que j'avais depuis longtemps perdue. Pour la première fois de ma vie, j'ai décidé que j'allais perdre du poids de façon saine. Par le passé, j'avais abusé des régimes autant que j'avais abusé de la nourriture. J'avais jeûné pour perdre du poids au point où j'en avais perdu mes cheveux et que ma vue était devenue embrouillée.

Cette fois, je me fixerais de petits buts pour garder confiance de continuer quand je les aurais atteints. J'ai appris à préparer et à aimer les aliments faibles en gras et sains. J'ai aussi mis au point une nouvelle façon de me parler à propos de la nourriture. Lorsque la nourriture « me faisait signe », au lieu de me dire *Vas-y ma fille, mange. Personne ne le saura,* la nouvelle Teresa restait ferme. *Non! Je ne mangerai pas en cachette et je ne veux plus me culpabiliser en silence. Je mangerai quand je choisirai de le faire, non quand la nourriture me l'imposera.* Comme je me sentais bien quand je réussissais à passer une nouvelle journée sans tricher!

Le plus difficile était de me concentrer sur les aspects positifs de ma vie. J'avais toujours eu de la facilité pour encourager les autres. Aujourd'hui, je comprenais que j'étais la personne qui avait le plus besoin de mes encouragements. Je me suis forcée à me maquiller car ça me faisait sentir plus fière de moi. Certains jours, c'était juste ce dont j'avais besoin pour me permettre de passer la journée. À mesure que je perdais du poids et que je devenais plus mince, la confiance en moi grandissait.

Je me souviens de la première fois où je me suis rendue au rayon des tailles régulières, et non au rayon des tailles fortes, du grand magasin de notre ville. J'ai pleuré en regardant les étalages de vêtements que je savais pouvoir porter désormais. J'ai pris vingt ensembles et je me suis dirigée vers la salle d'essayage. La préposée a levé les sourcils de surprise en me disant, « Tout cela? »

Je lui ai fait un grand sourire. « *Tout* cela », ai-je répondu fièrement.

En remontant la fermeture éclair d'une paire de jeans, j'ai ressenti une merveilleuse sensation de liberté. *Je vais y arriver,* ai-je pensé.

En neuf mois, j'avais perdu 49 kilos. C'est alors que j'ai atteint un pallier. Pendant des années, j'avais mis le blâme de mon poids sur un métabolisme lent, et j'avais résisté à l'exercice avec la même ardeur que j'avais évité les régimes. Je savais que, dorénavant, tout progrès incluait de faire bouger mon corps. Je me souviens de m'être dit : *Ma fille, tu n'as pas été gâtée avec ton métabolisme, mais tu as deux jambes, alors occupe-toi de ce métabolisme lent.* Alors, je l'ai fait.

Je garais la voiture près d'un champ de blé non loin de chez moi. Je marchais le long de la clôture jusqu'au bout du champ, une distance de 1,6 km. Si je voulais rentrer à la maison, je devais refaire le trajet en sens inverse. Au début, c'était difficile, mais c'est devenu de plus en plus facile avec les semaines et les mois.

Huit mois plus tard, j'avais atteint ma taille cible, soit 77 kilos. J'avais perdu 59 kilos! À 1,77 mètre, j'habille 12 ans. Au surplus, ce n'est pas seulement mon corps qui est vivant, mon moral l'est aussi.

Aujourd'hui, mon mari flirte avec moi, nos enfants croient que nous sommes bizarres tant nous sommes bien ensemble. De plus, je peux désormais être une mère active avec ses enfants, comme j'en rêvais depuis toujours. Nous allons à la pêche, nous jouons à la balle ou nous passons du temps ensemble et, étonnamment, j'ai l'énergie pour les suivre.

Aujourd'hui, à trente-six ans, j'ai le bonheur d'avoir une nouvelle carrière. J'ai écrit et publié mon livre de recettes faibles en gras; c'est l'aventure la plus excitante de ma vie. Le livre et les conférences de motivation que je fais pour le promouvoir m'ont donné l'occasion de rejoindre d'autres personnes qui, comme moi à une certaine époque, ont à peu près abandonné tout espoir de perdre du poids et de reprendre le contrôle de leur vie.

Dans mon cas, perdre du poids signifiait choisir la vie chaque jour. Je me souviens d'une de mes promenades près du champ de blé. J'ai tendu la main au-dessus de la clôture et j'ai cueilli un épi de blé que j'ai tenu en marchant. Je me suis rappelé qu'à l'école j'avais appris que, selon les anciens Grecs, le blé représentait la vie. Chaque fois que j'avais envie de tout laisser tomber, ce jour-là, je regardais l'épi de blé dans ma main et ça m'a encouragée à terminer ma marche de 3 km.

J'ai conservé cet épi de blé. Quand je connais une journée difficile, je le regarde et il me rappelle une fille, et plus tard une femme, qui a désespéré pendant des années mais, grâce au courage, à la foi et à l'amour, a trouvé son espoir et sa vie — de nouveau. Mon heure de gloire est enfin arrivée.

Teresa Collins

Message de graduation

Je suis avocat spécialisé en divorce. Parfois, il me semble que j'ai tout vu et tout entendu. Pourtant, il y a dix ans, une femme est entrée dans mon cabinet avec un tout nouveau programme qui a changé à la fois ma vie et ma pratique du droit.

Elle s'appelait Barbara. Quand elle est entrée dans mon bureau, vêtue de façon très quelconque, j'ai cru qu'elle avait autour de dix-neuf ans et qu'elle était bien innocente.

Je me trompais. Elle avait trente-deux ans et quatre enfants âgés entre trois et neuf ans. J'avais déjà entendu bien des histoires de brutalité, mais la violence physique, psychologique et sexuelle que Barbara avait subie de la part de son mari m'a rendu malade.

Pourtant, elle avait terminé son récit en ajoutant : « M. Concolino, vous savez, ce n'est pas entièrement de sa faute. Mes enfants et moi avons enduré cette situation parce que je l'ai voulu. Je suis responsable de cela. Je savais que je mettrais fin à mes souffrances seulement quand je déciderais que j'en avais assez enduré. J'ai maintenant pris ma décision. Je désire briser le cycle. »

À cette époque, je pratiquais le droit depuis quinze ans. Je dois admettre que, mentalement, je me faisais une joie à la pensée de crucifier ce gars.

« Croyez-vous au pardon, M. Concolino? » a-t-elle demandé.

« Bien sûr, ai-je dit. Je crois au juste retour des choses et que, si nous faisons le bien, il nous est rendu. Mes clients qui n'ont pas pardonné en ont été les premières victimes. »

Ces mots étaient si courants pour moi qu'ils sont presque sortis tout seul. Et pourtant, Barbara avait bien toutes les raisons d'être remplie de rage.

« Moi aussi, je crois au pardon, a-t-elle dit calmement. Je crois que si je tiens rancune à mon mari, je ne ferai que mettre de l'huile sur le feu et ce sont mes enfants qui seront brûlés. »

Elle a souri timidement. « Le problème est que les enfants sont très intelligents. Ils sauront si je n'ai pas vraiment pardonné à leur père... si je ne prononce que des paroles. Je dois donc vraiment lâcher prise sur ma colère.

« C'est pourquoi je dois vous demander une faveur. »

Je me suis avancé en me penchant au-dessus de mon bureau.

« Je ne veux pas que ce divorce soit haineux. Je ne veux pas qu'il porte tout le blâme. Ce que je veux le plus, c'est lui pardonner vraiment, et que vous et moi agissions en conséquence. » Elle a fait une pause et m'a regardé droit dans les yeux. « Je veux que vous me promettiez de ne jamais me laisser oublier cela. »

Je dois dire que cette demande allait contre mon instinct d'avocat. Par contre, il convenait tout à fait à mon instinct humain.

« Je ferai de mon mieux », ai-je dit.

Cela n'a pas été facile. Le mari de Barbara n'était pas intéressé à agir avec noblesse. Les dix années qui ont suivi ont été marquées par les attaques violentes de son caractère exécrable et de nombreuses périodes sans versement de la pension alimentaire pour les enfants. À plusieurs reprises, elle aurait pu le faire emprisonner, mais elle ne l'a jamais fait.

Après une autre audience au tribunal qu'elle avait gagnée, elle m'a rejoint dans le corridor. « Vous avez tenu votre promesse, Bob, dit-elle en riant. Je dois dire qu'à certains moments je vous en ai voulu de me forcer à respecter mes principes. Parfois, je me demande encore si cela en valait le coup. Merci quand même. »

Je savais ce qu'elle voulait dire. À mon avis, son « ex » violait constamment les principes normaux de la décence. Pourtant, elle ne lui avait jamais rendu la monnaie de sa pièce.

Finalement, Barbara a rencontré et épousé l'amour de sa vie. Même si les démarches juridiques avaient cessé, je recevais toujours avec plaisir ses cartes de Noël où elle me donnait des nouvelles de la famille.

Puis, un jour, j'ai reçu un appel. « Bob, c'est Barbara. J'ai besoin de vous voir et de vous montrer quelque chose. »

« Bien sûr », ai-je dit.

Quoi encore? ai-je pensé. *Pendant combien de temps ce type continuera-t-il son manège? Quand finira-t-elle par craquer?*

La femme qui est entrée dans mon bureau était charmante et pleine d'assurance, tellement plus confiante que dix années auparavant. Sa démarche semblait même avoir plus d'allant.

Quand je me suis levé pour l'accueillir, elle m'a tendu une photo de 20 sur 25 cm prise durant la dernière année de son fils aîné à l'école secondaire. John était vêtu de son uniforme de football; son père se tenait raide et froid à sa gauche. Le garçon regardait fièrement sa mère qui se tenait près de lui, souriante. Ses lettres de Noël m'avaient appris qu'il avait obtenu son diplôme d'une prestigieuse école secondaire privée.

« C'était après qu'il eut marqué le touché de la victoire durant le match de championnat, dit-elle en riant. Vous ai-je dit que, grâce à cette victoire, son équipe s'est classée la meilleure en Amérique? »

« Je crois avoir lu quelque chose à ce sujet », ai-je dit en souriant.

« Lisez ce qu'il y a à l'arrière », dit-elle.

J'ai retourné la photo pour voir ce que son fils avait écrit.

Maman,

Je veux que tu saches que tu as été la meilleure maman et papa qu'un garçon puisse rêver d'avoir. Je le sais parce que papa s'est tellement acharné pour nous rendre la vie misérable. Même quand il refusait de payer sa part des frais de scolarité, tu as travaillé encore plus fort pour t'assurer qu'aucun de nous ne manquerait de quoi que ce soit. Je crois que ce que tu as fait de mieux est ce que tu n'as pas fait. Tu n'as jamais parlé en mal de papa. Tu *ne m'as jamais dit qu'il avait de « nouveaux » enfants à faire vivre;* il *l'a fait.*

De tout mon cœur, je te remercie de ne pas nous avoir élevés dans une famille où l'autre parent est le méchant, comme chez mes amis dont les parents ont divorcé. Papa était un imbécile et l'est encore. Je le sais non pas à cause de toi, mais parce qu'il a choisi de l'être. Je vous aime tous les deux (tu me donnerais sans doute encore la fessée si je disais que je n'aime pas papa), mais je t'aime, te respecte et t'admire plus que toute personne au monde.

Je t'aime,

John

Le visage de Barbara était radieux. Nous savions tous deux que le jeu en avait valu la chandelle.

Robert A. Concolino

Notre garçon de Noël

Enfant unique, Noël était assez tranquille quand j'étais petite. Je me suis juré qu'un jour je me marierais et que j'aurais six enfants pour qu'à Noël ma maison vibre d'énergie et d'amour.

J'ai rencontré l'homme qui partageait mon rêve, mais nous n'avions pas envisagé la possibilité de l'infertilité. Nullement ébranlés, nous avons entrepris des démarches d'adoption et, en moins d'un an, il est arrivé.

Nous l'avons appelé notre enfant de Noël, car il nous est arrivé pendant cette saison de joie alors qu'il n'avait que six jours. Puis, la nature nous a fait une autre surprise. En succession rapide, notre famille s'est enrichie de deux autres enfants biologiques — pas autant que nous l'aurions souhaité, mais en comparaison avec ma propre enfance tranquille, trois était une foule tout à fait satisfaisante.

À mesure que notre enfant de Noël grandissait, il s'est proclamé le seul expert en matière de sélection et de décoration du sapin de Noël chaque année. Il allongeait la saison en commençant sa liste de cadeaux avant que la dinde de l'Action de grâce ait été mangée. Il nous entraînait à chanter des cantiques, nos voix de crécelles contrastaient avec son don musical du ton parfait. Chaque année, à l'époque des Fêtes, il nous stimulait en nous entraînant dans une ronde de joyeux chaos.

Nos amis avaient raison de dire que les enfants adoptés sont différents. Sa propre hérédité a fait que notre enfant de Noël a mis de la couleur dans notre vie avec sa bonne humeur que rien n'affectait, et son esprit autoritaire. Il nous a fait nous dépasser, devenir meilleurs.

Puis, à son vingt-sixième Noël, il nous a quittés de façon aussi inattendue qu'il nous était venu. Il a été tué dans un accident de voiture sur une rue glacée de Denver, en rentrant à la maison vers sa jeune femme et leur petite fille naissante. Cependant, il était d'abord arrêté chez nous pour décorer l'arbre de Noël, un rituel qu'il n'avait jamais abandonné.

Brisés par le chagrin, son père et moi avons vendu notre maison où il y avait trop de souvenirs. Nous nous sommes établis en Californie, loin de nos amis et de notre église.

Au cours des dix-sept années qui ont suivi son décès, sa veuve s'est remariée; sa fille a obtenu son diplôme d'études secondaires. Son père et moi avons vécu assez longtemps pour prendre notre retraite, et en décembre 1986, nous avons décidé de retourner à Denver.

Nous sommes rentrés dans la ville à la fin d'un blizzard, dans des rues brillamment illuminées. J'ai regardé vers les Rocheuses au loin, où notre fils adoptif aimait bien aller chercher l'arbre parfait. Aujourd'hui, dans les collines se trouvait sa tombe — une tombe que je ne pouvais pas supporter de visiter.

Nous nous sommes installés dans une petite maison carrée, tellement différente de la maison familiale où nous avions orchestré notre vie. Elle était silencieuse, comme la maison de mon enfance. Notre autre fils s'était marié et avait établi ses propres traditions de Noël dans un autre État. Notre fille, artiste, semblait comblée par sa carrière.

Un jour que je regardais les montagnes enneigées, j'ai entendu une voiture arriver, puis l'appel impatient de la sonnette. C'était notre petite-fille, avec ses yeux gris-vert et son sourire insolent. J'ai vu l'image de notre garçon de Noël.

Derrière elle, traînant un grand pin, sa mère, son beau-père et son demi-frère de dix ans. Ils sont entrés dans un tourbillon de rires; ils ont débouché une bouteille de vin et ont porté un toast à notre retour à Denver. Ils ont décoré l'arbre et empilé des cadeaux sous les branches.

« Vous reconnaîtrez les décorations, dit mon ancienne bru. C'était les siennes. Je les ai conservées pour vous. »

Quand j'ai murmuré, en me souvenant de ma peine, que nous n'avions pas fait d'arbre depuis dix-sept ans, notre petite-fille espiègle a dit : « Alors, il est temps de se secouer un peu. »

Ils sont partis dans un tourbillon, se suivant l'un derrière l'autre dans la porte, mais pas avant de nous avoir demandé de nous joindre à eux le lendemain à l'église et pour le dîner de Noël chez eux.

« Oh! ai-je dit, nous n'en sommes pas capables. »

« Vous êtes mieux de venir », commanda notre petite-fille, aussi autoritaire que son père. « Je chante le solo et je veux vous y voir. »

Depuis longtemps, nous n'assistions plus aux messes émouvantes de Noël, mais aujourd'hui, sous la pression, nous étions assis dans le premier banc, retenant nos larmes.

Puis vint le solo. La voix de soprano magnifique de notre petite-fille s'est élevée, forte et claire, et très juste. Elle a chanté « Sainte Nuit », ce qui nous a rappelé des souvenirs doux-amers. Dans une rare réaction émotive, les gens présents ont applaudi, ravis. Oh, comme son père aurait savouré cet instant!

On nous avait avertis qu'il y aurait « foule » pour le repas — trente-cinq personnes! Des membres de la famille très variés occupaient toute la maison; des petits enfants, bruyants et exubérants, semblaient rebondir contre les murs. Je ne savais pas qui appartenait à qui, mais cela n'avait aucune importance. Ils s'appartenaient tous les uns aux autres. Ils nous ont accueillis, nous ont inclus dans leur joyeuse camaraderie. Nous avons chanté des cantiques à tue-tête, nos pauvres voix sauvées par cette étonnante soprano.

Après le souper, un peu avant la tombée de la nuit, j'ai pensé qu'une vraie famille n'est pas nécessairement biologique. C'est un état d'âme. Sans notre fils adoptif, nous ne serions pas entourés d'étrangers aimants qui nous aidaient à écouter la musique une nouvelle fois.

Plus tard, notre petite-fille nous a demandé de l'accompagner. « Je vais conduire, dit-elle. Il y a un endroit où je veux aller. » Elle s'est installée derrière le volant et, avec l'assurance d'une nouvelle conductrice, elle s'est dirigée vers les collines.

Près de la pierre tombale, il y avait une petite pierre en forme de cœur, peinte par notre fille, l'artiste. Sur la pierre érodée, on pouvait lire « À mon frère, avec amour ». Sur la tombe, il y avait une couronne de houx. Notre deuxième fils, avons-nous appris, en envoyait une chaque année.

Debout près de la pierre tombale, dans le silence froid mais réconfortant, nous n'étions certes pas préparés à ce qu'a fait notre petite-fille imprévisible. Pour une deuxième fois, ce jour-là, sa voix, tellement semblable à celle de son père, a entonné un chant et la montagne a renvoyé à l'infini l'écho de « Joy to the World ».

Après la dernière note, j'ai ressenti pour la première fois depuis la mort de notre fils une sensation de paix, de la continuité positive de la vie, une foi renouvelée et de l'espoir. Nous avions retrouvé le véritable sens de Noël. Alléluia!

Shirley Barksdale

L'anniversaire de Judy

Un jour, j'ai entendu un sage conseil donné à une jeune personne : « Fais toujours ce que tu as peur de faire. »

Ralph Waldo Emerson

Je ne me souviens pas quand j'ai fait la connaissance de Judy. Tout ce que je sais, c'est que, lorsqu'elle est entrée dans ma vie, un rayon de soleil a percé les nuages. Au moment où mon monde rétrécissait, Judy a vu les autres possibilités et m'a donné l'élan nécessaire pour me créer une nouvelle vie… une vie avec la sclérose en plaques.

En 1979, on a diagnostiqué que je souffrais de SP primaire progressive. Peu après, j'ai commencé à me retirer de toutes les activités familiales, sauf pour l'essentiel. J'avais très peu d'énergie. Il me fallait me reposer pendant deux heures après m'être habillée. Lorsque je n'ai plus été capable de me tenir debout ou de me déplacer, je me suis sentie anéantie. J'en suis venue à ne plus pouvoir faire quoi que ce soit par moi-même. Mon univers rétrécissait de jour en jour. En 1984, je devais utiliser un scooter, car j'avais perdu l'usage de mes jambes, et de ma main et mon bras droits.

Pourtant, tous ces changements dans ma vie n'ont pas rebuté Judy comme d'autres de mes amies. Peu importait que je ne puisse plus garder ses enfants ou prendre mon tour pour les reconduire. Elle ne s'intéressait qu'à moi et à ce qui m'arrivait.

Parmi les choses qu'elle a faites pour moi, Judy m'a encouragée à écrire. Avant d'avoir ses enfants, elle enseignait l'anglais. Après avoir lu quelques-uns de mes textes, Judy a vu ce que je n'avais su voir : je pouvais écrire. Elle m'a guidée et cajolée pendant les années où je doutais de moi-même. Ses doux encouragements étaient toujours délicats et pleins de compréhension. Elle voyait bien ce que la SP avait fait de ma vie. Elle ne m'a pourtant jamais abandonnée. Elle m'a remonté le moral à plusieurs reprises. Elle m'a fait comprendre que je pouvais encore faire quelque chose d'important.

Pas étonnant que Judy ait eu un merveilleux groupe d'amies qui, elles aussi, m'ont acceptée. À la veille de ses quarante-cinq ans, ses amies ont voulu souligner l'événement de façon spéciale. Elles voulaient aller de Madison, Wisconsin, là où nous habitions, à Milwaukee, pour le dîner et pour rencontrer deux autres amies qui y avaient récemment déménagé. Les filles m'ont demandé de les accompagner.

Mon premier réflexe a été de dire que cela m'était impossible. Milwaukee est situé à une heure et demie de Madison, et je ne pouvais passer autant de temps sans aller à la toilette. David, mon mari, était le seul qui m'avait toujours aidée à la toilette. De plus, qui pourrait me soulever et me sortir du siège de passager de notre camionnette spécialement aménagée pour un fauteuil roulant et m'aider à m'installer sur mon scooter? Seul David l'avait fait jusqu'à présent. Et si le restaurant où le groupe désirait aller n'était pas accessible aux handicapés? Enfin, plus important encore, pourrais-je passer toute une journée d'activités sans ma sieste quotidienne?

Je suis habituellement une personne positive et optimiste. Cette fois pourtant, je craignais que cette aventure soit trop pour moi. Puis, Judy a appelé. Sa voix nasillarde aux intonations mélodieuses de l'Oklahoma me faisait toujours sourire. Elle a dit que ce ne serait pas une fête si je n'y assistais pas. Elles avaient choisi un restaurant accessible aux fauteuils roulants, y compris la salle de toilettes. Les filles avaient discuté et feraient tout le nécessaire pour m'aider, incluant m'amener à la toilette. Ne pourrais-je changer ma décision et les accompagner?

Pendant des jours, j'ai hésité. Puis, tour à tour, les filles ont téléphoné pour me parler de cette aventure de l'anniversaire de Judy. Plus on en parlait, plus je croyais que je pourrais peut-être y arriver. Nous avions partagé tant de choses, les filles et moi — les naissances, les décès, les problèmes matrimoniaux, le défi d'élever des enfants et les parents vieillissants. Depuis des années, nous étions l'une pour l'autre une « deuxième famille ». Ces femmes connaissaient mes limites et ce qu'elles offraient. Pourquoi n'accepterais-je pas? N'y avait-il pas là un peu d'orgueil?

Depuis des années, je laissais tomber des pans entiers de ma vie. Dès que j'abandonnais quelque chose, comme travailler, conduire, m'habiller, rester debout, c'était définitif. Jamais je ne pourrais reprendre cette activité. N'était-ce pas une occasion de reprendre quelque chose que j'avais perdu?

Je crois que mon amour et mon respect pour mon amie Judy ont fait pencher la balance. Voilà quelque chose que je pouvais faire pour elle. Avec l'aide et l'encouragement de toutes, j'étais prête à prendre le risque et à participer à la fête.

En préparation, je me suis reposée pendant les jours qui ont précédé la fête. Quand le jour est arrivé, Dave m'a déposée sur le siège du passager sous le regard des filles. Puis, il a mis le scooter Amigo de 50 kilos dans l'espace réservé aux bagages à l'arrière. Nous avons discuté de la manière de me faire descendre à Milwaukee et comment m'aider à remonter pour le voyage de retour. Deux ou trois des femmes m'aideraient pour les transferts. Personne ne semblait dérouté. Leur attitude était plutôt : « Dis-nous quoi faire et nous le ferons. » Nous avons discuté de la manière de m'aider à la toilette. Deux autres femmes ont offert leurs services pour cette tâche. J'étais heureuse que toutes mettent la main à la pâte pour m'aider. Je ne voulais pas être un fardeau pour personne.

Une fois les instructions terminées, mon mari m'a donné un baiser pour la chance et nous nous sommes mises en route.

Le voyage à Milwaukee et la fête ont été un grand succès! Nous avons ri, fait des blagues, ressassé des souvenirs et nous nous en sommes fabriqué de nouveaux. Je suis rentrée exténuée mais excitée. J'avais eu beaucoup de plaisir et j'ai pleuré des larmes de joie ce soir-là parce que j'avais fait quelque chose que je *ne croyais jamais* pouvoir faire. La chose la plus importante que j'ai faite pour moi-même était de me donner la permission d'accepter l'aide dont j'avais besoin.

C'était peut-être l'anniversaire de Judy, mais c'est moi qui ai reçu le plus beau cadeau.

Shelley Peterman Schwarz

Les Jeux Olympiques spéciaux

Il y a quelques années, alors que j'étudiais à l'université, je me suis portée volontaire comme « étreigneuse » aux Jeux Olympiques spéciaux du Kentucky, tenus à Richmond. Comme j'étudiais pour devenir éducatrice spécialisée, j'étais très intéressée aux jeux et aux gens, et je voulais m'impliquer un peu plus.

Le jour de l'épreuve était morne. Il pleuvait et il faisait gris. Je suis arrivée tôt et j'ai regardé les participants arriver avec leur famille, leurs amis et les représentants de leur école. Malgré la pluie et le froid, je n'ai entendu personne se plaindre. En fait, la plupart des participants étaient si excités d'être là qu'ils ne semblaient même pas remarquer la température.

Quand le ciel s'est éclairci un peu, les premières épreuves ont débuté. Ma tâche consistait à me tenir au bout d'un couloir sur la piste et de « serrer dans mes bras » la personne qui traversait la ligne d'arrivée. Il m'a semblé que plusieurs participants terminaient leurs courses simplement pour avoir droit à l'étreinte « de la fin ». Au moment où les bras de l'« étreigneuse » se refermaient sur eux, leurs visages s'illuminaient de pure joie, qu'ils aient fini premier ou dernier.

Nous parlions entre nous en attendant la fin d'une course ou le début de la suivante. J'ai ainsi appris que la plupart des participants s'entraînaient toute l'année pour ces courses. J'étais impressionnée. Athlète sérieuse, j'avais été capitaine de l'équipe de soccer de mon collège pendant deux ans et malgré cela, même *moi*, je ne m'entraînais pas toute l'année.

J'ai aussi remarqué que, contrairement à beaucoup d'athlètes de nos jours, les participants aux Jeux Olympiques spéciaux n'étaient pas là seulement pour la victoire.

Ils ne se faisaient pas d'arnaques et ne critiquaient pas les autres concurrents. En réalité, ils s'étreignaient et se souhaitaient bonne chance avant le départ, et ils recommençaient le manège à la fin de la course, qu'ils aient gagné ou non. J'ai même vu un garçon offrir sa médaille d'or à un homme à ses côtés. Le garçon a expliqué que même les derniers sont des gagnants, et qu'après tout l'homme avait travaillé aussi fort que lui.

Mon souvenir le plus vif de cette journée est la course de longue distance. C'était une longue course selon tous les critères : douze tours de piste. Il n'y avait que quatre participants, trois garçons et une fille. La course entamait à peine le deuxième tour que la pluie s'est mise à tomber. Sous la pluie, j'ai commencé à me sentir malheureuse. J'avais mal aux pieds. J'étais trempée. J'avais faim. J'avais froid sous la pluie et le vent, et chaud quand le soleil sortait. Irritée, j'ai pensé, *Cette course est beaucoup trop longue.* Les trois garçons achevaient leur course, mais la fille avait au moins quatre tours de retard. Je me demandais pourquoi elle continuait alors qu'il était clair qu'elle n'avait aucune chance de gagner.

Finalement, les garçons ont terminé leur course et la fille courait seule. Les garçons ne sont pas allés chercher leur prix immédiatement, mais ils ont plutôt attendu sur le côté de la piste, encourageant la fille à chacun de ses passages. *Elle a tellement de retard,* ai-je pensé. *Pourquoi n'abandonne-t-elle pas?*

Elle courait dans mon couloir. Et chaque fois qu'elle passait devant moi, je souhaitais presque qu'elle s'arrête pour son étreinte. Elle était trempée, elle souffrait et elle était, de toute évidence, exténuée.

À chaque tour, son visage était de plus en plus rouge et elle se tenait les côtés un peu plus. Mais, elle n'a pas lâché.

À la fin de la course, elle ne pouvait presque plus courir. Le public a crié de joie quand elle a traversé la ligne d'arrivée. Elle est tombée dans mes bras et s'est mise à pleurer. Je me suis dit qu'elle pleurait parce qu'elle était trempée et qu'elle avait froid, ou qu'elle souffrait beaucoup, ou encore qu'elle était gênée d'avoir mis autant de temps à terminer la course. C'est alors que je l'ai entendue murmurer quelque chose sur mon épaule. Elle s'est retirée, a joint ses mains et a commencé à prier. « Merci, mon Dieu, de m'avoir donné la force de terminer cette course aujourd'hui. Merci d'avoir permis aux garçons de gagner. Merci pour toutes ces merveilleuses personnes. » Elle m'a serrée de nouveau, puis s'est dirigée vers la table des prix.

Je suis restée sans bouger, étonnée et impressionnée. Je ne pouvais pas croire ce que je venais tout juste d'entendre. Des larmes ont coulé sur mon visage quand je l'ai vue accepter avec joie le prix pour sa quatrième place.

C'est à ce moment que j'ai compris combien ces Jeux Olympiques étaient « spéciaux ».

Denaé Adams

La petite annonce

En entrant dans la salle de rédaction, j'ai immédiatement remarqué la femme près de mon pupitre. Elle ne s'était pas assise pour m'attendre, elle marchait nerveusement en se tordant les mains. Lorsque la secrétaire me dit qu'elle désirait mon aide pour écrire une petite annonce, j'ai été doublement intriguée. Notre journal est petit, mais je suis reporter; et je ne m'occupe pas habituellement de vendre de l'espace publicitaire. De plus, les gens qui achètent les petites annonces pour vendre des biens, comme une maison, une auto ou un piano, le font habituellement au téléphone. Je devais cependant apprendre que les gens qui achètent des annonces pour se vendre le font en personne.

Cette femme voulait placer une annonce pour adopter un bébé. Il était important pour elle de choisir les termes appropriés; c'est la raison pour laquelle elle avait demandé à parler à une rédactrice. J'avais bien sûr remarqué les annonces dans les grands journaux, mais, à ma connaissance, le nôtre n'en avait jamais publié. Il y a des titres assez standards pour ces annonces. Je lui en ai suggéré plusieurs : *Cherche bébé à aimer; SVP donnez-nous de l'espoir* ou *Chère mère biologique, laissez-nous vous aider.* L'annonce devait comporter certaines informations sur elle et son mari — qu'ils étaient stables, qu'ils avaient les moyens d'élever un enfant et qu'ils avaient beaucoup d'amour à donner. Nous y avons ajouté un numéro sans frais que la mère biologique pourrait utiliser à toute heure du jour ou de la nuit pour communiquer avec le couple. Dans le texte, j'ai tenté de ne pas laisser paraître le désespoir que j'entendais dans la voix de cette femme.

J'ai passé beaucoup de temps avec elle. Je voyais que cette démarche lui était très difficile. Elle semblait avoir à peu près mon âge — le début de la quarantaine — elle ne cessait de tourner ses alliances en petits gestes nerveux. Quand ses yeux se sont posés un moment sur la photo de mes quatre filles sur mon pupitre, elle a dit : « Vous êtes tellement chanceuse. »

« Je sais », ai-je répondu. Puis, peut-être parce que je ne savais pas quoi dire, j'ai ajouté : « Vous le serez peut-être à votre tour. » C'est alors que je me suis mise à penser : les grands journaux publiaient souvent des annonces de ce type et leur tirage était des centaines de fois plus important que le nôtre. Pourquoi, me suis-je demandé, cette femme ne faisait-elle pas appel à eux?

« Je l'ai déjà fait, dit-elle. En réalité, nous avons placé notre annonce partout et utilisé toutes les avenues imaginables. Mon mari et moi avons vraiment décidé de cesser nos recherches. Par contre, comme je travaille près d'ici, j'ai décidé en entrant au travail ce matin de tenter ma chance une autre fois. Qui sait? » Elle a souri timidement, m'a donné un chèque pour trois semaines de parution et elle est partie.

Je me sentais si triste pour cette femme. Les journaux étaient remplis d'histoires d'horreur à propos de l'adoption : des gens se rendaient dans des pays étrangers à la recherche d'enfants à adopter pour se retrouver englués dans la bureaucratie. Ils dépensaient des sommes énormes pour se faire flouer par des avocats ou des courtiers en adoption peu scrupuleux. Même si l'adoption se passait bien, que tout était en règle, il y avait des cas devant les tribunaux où les parents adoptifs avaient dû rendre le bébé parce que les parents biologiques avaient changé d'avis.

J'étais chanceuse, en effet. J'ai regardé la photo de mes enfants et je me suis mise au travail.

Une semaine plus tard, la femme a téléphoné. « S'il vous plaît, cessez la publication de l'annonce », dit-elle. Au ton de sa voix, j'ai osé lui demander si elle avait de bonnes nouvelles.

« Oui, dit-elle. Nous avons communiqué avec une mère biologique. Le bébé naîtra dans un mois. »

« Quelle superbe nouvelle! ai-je dit. J'espère que tout se passera bien. »

Comme je suis journaliste, je lui ai demandé si elle souhaitait garder le contact au cas où son expérience d'adoption aurait une conclusion heureuse. Elle a accepté.

Un mois plus tard, la femme a téléphoné pour me dire que son mari et elle avaient maintenant un fils. Tout s'était bien passé, mais l'adoption ne serait finale que dans six mois. À ce moment, elle serait prête à me donner une interview.

J'ai souvent pensé à cette femme au cours des six mois suivants, particulièrement quand je lisais un article portant sur les enfants. Il y en a eu plusieurs : les premiers septuplés vivants de l'histoire étaient nés en Iowa. Un couple du Wisconsin a été condamné suite à des actes de violence contre un enfant; ils gardaient leur fillette de sept ans enfermée dans une cage d'animal dans leur sous-sol sombre et froid. Un bébé naissant avait été kidnappé de la pouponnière d'un hôpital de comté mais retrouvé indemne et rendu à sa mère.

Toutes ces histoires suscitaient de fortes émotions chez moi. Cependant, j'étais directement mêlée à l'expérience d'adoption de cette femme. Je crois que je m'identifiais à elle d'une certaine façon. Je ne pouvais imaginer ce que serait ma vie si je n'avais pas eu d'enfants. Je ne voulais même pas essayer.

Un après-midi d'hiver, je me préparais à partir à la fin de ma journée, tout en pensant au covoiturage et au souper, quand le téléphone a sonné. J'ai immédiatement reconnu sa voix.

« L'adoption est finale!, a-t-elle dit. Je savais qu'il nous était destiné dès qu'on l'a mis dans mes bras, mais aujourd'hui tout est légal et final! Aimeriez-vous le rencontrer? »

J'étais si contente d'entendre la bonne nouvelle. J'ai pris rendez-vous avec elle pour le lendemain. Je lui ai dit que je serais accompagnée d'un photographe et que le journal aimerait lui donner une photo gratuite.

Quand nous sommes arrivés à la maison, le bébé dormait. La femme nous a fait entrer et nous a offert des rafraîchissements. Tout dans la maison était superbe. Il y avait une odeur de cannelle qui se mêlait à celle du café. Il y avait du feu dans la cheminée.

« Il s'appelle Ben, dit-elle pendant que je prenais des notes. Il a fait ses nuits dès le début. Aujourd'hui, il sourit et commence à se tourner. Bien sûr, je ne le force pas. J'ai attendu tellement longtemps pour ce bébé. Je n'ai pas d'objection à ce qu'il soit un peu lent. » Elle a fait une pause. « Oh! je dois vous dire — Ben souffre du syndrome de Down. »

J'ai cessé d'écrire. Je ne savais plus comment réagir. Mais la nouvelle maman a souri. « Ne voyez-vous pas que Ben nous était destiné. J'ai tout le temps qu'il faut pour l'aider et il a encore plus besoin de moi qu'un enfant qui se développerait normalement. »

Le moniteur du bébé sur la table à café nous a informé que Ben était maintenant réveillé. Sa mère est partie le chercher. Je pouvais l'entendre chantonner doucement en le prenant et en le changeant. Je pouvais aussi entendre le bébé lui répondre d'un gazouillement satisfait.

Elle était assise sur le divan et tenait son fils. Les deux ont souri quand le photographe a pris la photo. « Vous vouliez une histoire qui finit bien, a dit ma nouvelle amie. Vous l'avez. »

Quand j'ai mis mon manteau et regardé une dernière fois la maison, et que je l'ai vue embrasser doucement son fils sur la tête, j'ai su, sans l'ombre d'un doute, qu'elle avait raison.

Marsha Arons

L'ange et son balai à franges

Quand mon fils de deux ans, Larkin, est monté sur mes genoux en disant « Maman, j'ai mal au ventre », j'ai pensé que c'était une rechute de la grippe. En un sens, j'étais contente qu'il ait de la fièvre parce que j'avais ainsi quelque chose de tangible à faire : lui donner du Tylenol, le déshabiller et le baigner dans une eau tiède. C'est un point commun chez toutes les mères : nous sommes plus efficaces quand nous sommes en contrôle, quand nous pouvons aider, quand nous pouvons remettre les choses à la normale.

Ce vendredi de mai 1992 par contre, tout n'était pas normal. Non seulement mon plus jeune était-il malade, mais la télévision diffusait des images d'émeutes et de feu à Los Angeles — à quelques rues d'où vivait ma mère. Malgré des tentatives répétées pour la rejoindre, les lignes de téléphone restaient bloquées.

Après son bain, Larkin a grimpé de nouveau sur mes genoux, gémissant et le corps brûlant. L'après-midi passait et la fièvre continuait de monter. Au téléphone, l'infirmière a confirmé que c'était probablement la grippe, mais qu'il serait préférable que je l'amène pour plus de sécurité. J'ai mis les autres enfants dans la voiture — Robin, onze ans, Summer, six ans, Emerald, cinq ans, et Jesse, quatre ans — et nous sommes partis.

Notre pédiatre a perdu son sourire en examinant le petit corps chaud de Larkin. Ses doigts pressaient avec douceur l'abdomen du garçon et les gémissements angoissés continuaient. Après quelques moments de concentration déroutante, le médecin nous a envoyés de l'autre côté de la rue, à la salle d'urgence de l'hôpital. « Larkin est trop jeune pour avoir des problèmes d'appendice », nous a-t-il rassurés.

Le chirurgien de l'hôpital a également murmuré quelque chose du genre « très rare » chez un enfant de deux ans d'avoir une crise d'appendicite. Il voulait donc une autre opinion.

La seule chose que je pouvais faire maintenant pour être utile était de paraître calme face aux autres enfants. Plus le temps passait, plus c'était difficile — dix minutes, vingt minutes, une demi-heure. Quand le médecin est arrivé, les gémissements de Larkin avaient cessé et le petit était calme et ne bougeait plus. Malgré les liquides intraveineux qu'on lui injectait, la fièvre continuait de grimper.

Le diagnostic du chirurgien a été sans équivoque : mon fils devait être opéré immédiatement.

Avant de pouvoir poser quelque question la gorge serrée, le médecin était parti. Une équipe d'infirmières a préparé Larkin pour la chirurgie. J'avais le sang glacé dans les veines et j'essayais de me contrôler alors que je téléphonais à mon mari.

Il est arrivé pendant que Larkin attendait toujours. Mon mari est un homme résolument analytique et il est rapidement désarmé devant toute crise émotive. J'étais reconnaissante qu'il ramène les autres enfants à la maison pour le souper, mais il était évident qu'il ne sortirait jamais assez vite de cet hôpital. Je savais qu'il serait incapable d'y revenir.

Ainsi, Larkin et moi avons attendu. Et attendu. Une infirmière est venue en coup de vent dire qu'un accident d'automobile avait rempli toutes les salles d'opération, mais nous étions les suivants. Nous avons attendu encore une autre demi-heure.

Entre les victimes, un chirurgien avec un masque est venu vérifier l'état de Larkin. Au-dessus de son masque, son front s'est plissé davantage. Puis, il est parti.

Nous avons attendu encore deux heures. Les antibiotiques ne faisaient plus effet. Larkin devenait plus chaud. Il gisait sans mouvement, ses doigts accrochés aux miens. De temps en temps, il ouvrait ses yeux vitreux pour s'assurer que j'étais toujours là. Puis, il retombait dans l'inconscience.

Le cauchemar de tout parent se déroulait devant moi. Mon enfant allait mourir et je ne pouvais rien faire.

Si seulement j'avais pu faire quelque chose, ou au moins m'accrocher à quelqu'un, comme mon bébé malade s'accrochait à moi! Au lieu de cela, j'étais assise seule, à prier et à tenir les mains brûlantes de Larkin, à entendre chaque tic-tac de l'horloge.

S'il vous plaît, mon Dieu. S'il vous plaît, quelqu'un.

À 2 heures, le rideau s'est levé. « Nous avons une salle d'opération. Allons-y! » La civière a roulé à toute vitesse dans le corridor, ma main et celle de mon fils toujours reliées pendant que je courais à côté d'eux.

À la porte de la salle d'opération, j'ai dénoué les doigts de Larkin des miens et il s'est réveillé à demi en criant, terrifié : « Maman, Maman! »

Les portes se sont refermées derrière lui. Le bruit s'est répercuté dans le hall.

À la télévision dans la salle d'attente, on donnait toujours des nouvelles de l'émeute en montrant du sang et des flammes. La ville de Los Angeles était en proie à la peur et à la haine; une ville qui tenait ma mère dans sa poigne rageuse.

C'en était trop. Je me suis assise par terre. Terrifiée et totalement impuissante, je me suis adossée au mur et j'ai pleuré.

J'ai vaguement pris conscience que les portes de l'ascenseur en face de moi s'ouvraient. Une petite femme de ménage maigre en est sortie, en poussant un gros balai à franges duveteux. J'ai tourné la tête pour qu'elle ne voit pas mes larmes. Il y a eu un instant de silence, aucune de nous ne bougeait ni ne parlait.

Puis, elle a appuyé son balai contre le mur et s'est glissée à côté de moi.

« Qui est là? » a-t-elle demandé, faisant un signe de tête vers la salle d'opération.

« Mon fils », ai-je répondu en hoquetant. Le torrent contenu des émotions de la journée a éclaté et je me suis retrouvée en train de verser toutes les larmes de mon corps. À travers le flot saccadé de paroles et de sanglots, elle s'est assise en prenant une de mes mains dans ses mains rudes, usées, en parlant doucement et en me tapotant gentiment.

Enfin, j'étais vidée de mes larmes, fatiguée et, étrangement, la peur avait disparu. J'ai regardé ses mains sur la mienne, et j'y ai vu la vie difficile qui se lisait sur les siennes.

Elle m'a parlé de ses propres enfants, un mort, un autre au loin, la plus jeune aux prises avec la drogue. Elle les avait élevés seule, le mieux possible. Maintenant, elle élevait aussi sa petite-fille. Pendant qu'elle me disait combien sa précieuse petite-fille était intelligente, son visage s'adoucissait. Sa voix était calme quand elle parlait de la mère de cette fille, perdue dans l'habitude du crack, que même une mère ne pouvait pas aider.

« Mais… vous avez eu tellement d'épreuves! C'est injuste! Comment pouvez-vous survivre et continuer? »

Elle a ri de mon indignation. « Il faut avoir la foi. Rien n'est éternel; tout passe. Quand on ne peut plus tenir le coup, on lâche prise et les anges prennent vos problèmes pendant un moment. » Elle m'a encore tapoté la main. « Tout ira bien. »

Elle est restée avec moi, assise en silence, jusqu'à ce que les portes de la salle d'opération s'ouvrent.

Le Dr Taylor en est sorti, fatigué mais souriant. « Nous avons réussi, a-t-il dit joyeusement. L'appendice était gangreneux mais il n'a pas éclaté. Il est sauvé. »

En suivant la civière jusqu'à la salle de réveil, les portes de l'ascenseur se sont ouvertes. Je me suis tournée à temps pour les voir se refermer sur une femme maigre qui avait une journée de travail devant elle.

Larkin dormait calmement pendant que la nuit faisait place à la lumière d'un jour nouveau. À la télévision, les images de haine avaient fait place à des scènes de prière et de réparation, les gens s'unissant pour guérir au lieu de souffrir. Je savais d'instinct ce que je découvrirais plus tard dans la matinée : ma mère était saine et sauve.

En touchant les doigts fragiles de mon fils, je me suis souvenue de ce qu'avait dit la femme de ménage. Combien parfois il est aussi important de savoir comment lâcher prise que de savoir comment avoir le contrôle. Je crois aussi à ce qu'elle avait dit d'autre : quand nous ne pouvons plus tenir le coup, les anges porteront nos problèmes pendant un moment. J'ai souri, sachant que parfois ces anges sont humains — et parfois, parfois seulement, ils transportent des balais.

Lizanne Southgate

Grand-maman a recouvré la santé

Ne comptez pas seulement les années, faites qu'elles comptent.

Ernest Meyers

En juillet 1996, j'étais dans une maison de convalescence. Ma litanie de malheurs aurait déprimé quiconque : je n'avais pas de jambes, j'étais aveugle d'un œil, et le médecin venait de m'annoncer que je devais apprendre à m'injecter de l'insuline pour contrôler mon diabète. J'avais soixante-dix-sept ans, et il était clair que mes « belles années » étaient derrière moi.

« Ça va, maman, disaient mes filles. Nous te ramènerons à la maison et nous prendrons soin de toi. Nous engagerons une infirmière. »

Être un fardeau pour mes filles? Qu'elles me transportent partout parce que je ne pouvais plus me déplacer par moi-même? Je pleurais jusqu'à épuisement tous les soirs.

À la maison de convalescence, j'avais beaucoup de temps pour prier et pour penser. Les médecins avaient dit que je ne marcherais jamais plus. D'autre part, si j'avais cru tout ce qu'on m'a dit, je n'aurais jamais eu de « bonnes années! » J'ai souri en pensant au moment où, en Irlande, j'étais une jeune fille de quinze ans prête à m'embarquer pour l'Amérique.

« Tu es si chanceuse, Margaret!, me disaient mes amies en chœur. En Amérique, les rues sont pavées d'or! »

Je n'ai jamais trouvé d'or dans les rues, juste quelques sous. Par contre, l'esprit invincible de l'Amérique m'a donné la volonté de réussir dans la vie.

J'ai eu comme premier emploi un travail d'aide-infirmière dans un hôpital. J'y étais heureuse, même s'il me fallait être debout toute la journée. Qu'à cela ne tienne? J'avais deux bonnes jambes. En fait, j'aimais tellement ce travail que j'ai consacré ma vie à œuvrer dans les hôpitaux.

Entre le travail et la famille, la vie était très bonne à ce moment-là. Quand j'ai pris ma retraite, j'avais hâte de vivre mes « années dorées ». Mais ma santé a commencé à se détériorer. Il semblait que j'étais toujours chez le podologue pour des ulcères aux orteils. On m'avait amputé un orteil et un autre était traité pour la gangrène. Après une infection, le médecin avait dû amputer ma jambe gauche. J'étais au désespoir. Après sept mois à l'hôpital, je suis allée en réhabilitation dans une maison de convalescence. Je n'étais là que depuis trois semaines — jusqu'en mai 1996 — alors qu'une tache noire est apparue sur mon gros orteil droit. De retour à l'hôpital, le chirurgien m'a dit qu'on devait amputer ma jambe droite.

J'étais déprimée et j'ai pleuré pendant une semaine. Que ferais-je sans jambes? J'avais déjà perdu la vue dans mon œil gauche. J'avais soixante-dix-sept ans. Au moment où je me suis retrouvée à la maison de convalescence en juillet 1996, j'étais prête à tout abandonner. Je me sentais entourée de gens qui avaient vécu leur vie et perdu espoir. Ils avaient accepté leurs années de vieillesse — certains semblaient même attendre la mort.

D'une façon très étrange, quand les médecins m'ont dit que je ne marcherais jamais plus, ils ont fait résonner en moi des voix du passé. Est-ce que j'avais déjà choisi la voie facile? Que serait-il arrivé si j'étais restée en sécurité avec ce que je connaissais en Irlande? Et si j'étais venue aux États-Unis et que j'avais attendu de trouver tout cet or dans les rues?

En priant chaque jour, le message m'est apparu clairement : « Dieu aide les personnes qui s'aident elles-mêmes. Mes "bonnes années" passées sont-elles arrivées par magie? » m'a demandé une voix.

Non. J'avais accepté de travailler fort et de me battre pour réussir. Je voyais clairement que je devais faire la même chose aujourd'hui. Ce n'était pas une question d'âge mais de détermination.

J'ai commencé par me laver et m'habiller moi-même. Je ne laisserais personne m'aider. Le personnel a essayé de me dire que j'étais trop indépendante, mais j'étais décidée. Par la suite, j'ai appris par moi-même à me mettre au lit et à en sortir.

Ma plus grande difficulté était d'insister pour que les médecins me donnent des prothèses permanentes. Ils disaient que je n'étais pas raisonnable. J'ai répondu : « Où est le gym? »

Mon premier jour au gymnase, j'étais tellement décidée à marcher que j'ai fait deux pas, ce qui a étonné tout le monde. À partir de ce jour, j'ai travaillé si fort que les autres résidents ont commencé à me dire que j'étais un exemple pour eux.

Parfois, le personnel me demandait d'aider d'autres personnes à voir ce qu'elles pouvaient faire, et j'ai même donné des cours sur la façon d'entrer et de sortir d'un lit. À l'hôpital, j'avais déjà appris à conduire mon fauteuil roulant. Maintenant, j'apprenais à marcher avec un déambulateur. J'ai demandé à mon thérapeute de m'enseigner à monter l'escalier et je pratiquais trois fois par jour. Mon défi suivant était d'apprendre à aller aux toilettes sans aide. Ce fut une réussite majeure et je l'ai fait!

Je suis allée en maison de convalescence en juillet 1996, sans jambes et sans espoir, et le 23 février 1997, j'en suis sortie! Non seulement j'en suis sortie, mais on m'a ramenée dans ma propre maison, où je pouvais être indépendante. Pendant cette période, j'ai appris à demander, et à accepter avec gratitude, l'aide de mes médecins, thérapeutes, infirmières, soignants et l'aide de ma famille.

J'ai trouvé particulièrement difficile de quitter tous les amis avec qui je m'étais liée à la maison de convalescence. Ma famille m'a surprise en m'offrant des cartes professionnelles où il était écrit : « Modèle extraordinaire » que j'ai laissées aux patients et au personnel afin qu'ils puissent m'appeler pour un mot d'encouragement.

Pourtant, je n'étais pas très souvent à la maison! Peu après avoir obtenu mon congé, je suis allée en Virginie avec ma fille et mon gendre pour le mariage de ma petite-fille. En chemin, nous avons fait plusieurs arrêts pour visiter la région. Je ne peux pas décrire la sensation de simplement pouvoir entrer et sortir de la Jeep, d'être une personne entière. Faire partie de nouveau du genre humain!

C'était merveilleux d'être avec toute ma famille, dont six petits-enfants et trois arrière-petits-enfants! Tout aussi excitant est le fait de marcher chaque jour, sachant que je peux entrer et sortir de la douche par moi-même, cuisiner et aller me promener sur mon fauteuil mécanique.

Hourra! Les « bonnes années » sont de retour.

Margaret McSherry

8

MOMENTS SPÉCIAUX

Quand votre vie est pleine du désir
de voir le sacré dans la vie de tous les jours,
la magie opère:
la vie ordinaire devient extraordinaire
et le processus même de la vie commence
à nourrir votre âme!

Rabbin Harold Kushner

Le père Noël du magasin à rayons

« Pourquoi y a-t-il autant de pères Noël différents? » ai-je demandé à maman, en serrant sa main très fort pendant que nous marchions sur le trottoir glacé menant au centre-ville. J'avais cinq ans.

« Ce sont tous des aides du père Noël, a répondu maman. Le *vrai* père Noël est celui au magasin à rayons Leavitt. Tu l'as rencontré l'an dernier, tu t'en souviens? »

J'ai acquiescé, ne doutant pas un instant qu'il soit le vrai. Partout ailleurs, les pères Noël, avec leur barbe de coton en bataille, leurs joues très rouges et leur ventre pendant rembourré, ressemblaient peu au père Noël de mon livre d'images préféré, *La nuit avant Noël.* Mais le père Noël au magasin Leavitt, celui-là semblait sorti tout droit d'une des pages.

« Pouvons-nous aller voir le père Noël aujourd'hui?, ai-je demandé. S'il vous plaît? »

« La semaine prochaine », a dit maman en regardant sa montre. « Je te le promets. »

Cinq jours plus tard, au lieu de visiter le père Noël, je me suis retrouvée sur une table froide dans la salle d'examen d'un médecin.

Les yeux grands, je fixais le médecin pendant qu'il débitait plein de termes médicaux que je ne comprenais pas… jusqu'à ce qu'il dise : « Elle perdra probablement tous ses cheveux. »

« Vous vous trompez », a répondu ma mère en secouant la tête. « Je ne veux pas vous contredire, mais je vais l'amener chez un spécialiste pour une deuxième opinion. »

Ce qu'elle a fait. Malheureusement, le diagnostic était le même. J'avais une forme d'alopécie juvénile, une maladie qui ferait tomber mes cheveux.

Je me souviens d'avoir regardé ma mère qui retenait ses larmes chaque fois qu'elle trouvait une touffe de mes cheveux blonds frisés par terre ou éparpillés sur mon oreiller. Je me souviens aussi d'avoir refusé avec colère de la croire quand elle m'a assurée que mes cheveux repousseraient.

Il est compréhensible que je n'aie pas eu beaucoup l'esprit de Noël cette année-là. Même si je me sentais bien physiquement, la vue de mon visage pâle sans cheveux me poussait à m'enfermer dans ma chambre et à me cacher sous mon lit. Quand mon père m'a invitée, tout joyeux, à notre ronde annuelle de magasinage père-fille pour acheter des cadeaux de Noël à ma mère — un événement que j'attendais toujours avec impatience — je lui ai dit que je ne voulais pas y aller.

Papa avait le don d'être persuasif quand il le voulait. Il m'a convaincue que, sans mon aide et mes suggestions, il finirait par acheter à ma mère les cadeaux de Noël les plus affreux de l'histoire du monde.

J'ai accepté d'aller magasiner avec lui uniquement pour sauver le Noël de maman.

Au centre-ville, la foule de gens qui magasinaient, la joyeuse musique de Noël et les milliers de lumières scintillantes m'ont permis d'oublier mes problèmes temporairement. Je commençais même à bien m'amuser... jusqu'à ce que papa et moi décidions d'arrêter pour boire un chocolat chaud.

« Hello, Lou », a dit un des clients en saluant mon père quand nous sommes entrés dans le café. « Dis donc, je ne savais pas que tu avais un petit garçon! Je pensais que tu n'avais qu'une fille. »

J'ai éclaté en sanglots.

Mon père m'a rapidement fait sortir du café et m'a amenée au magasin à rayons Leavitt. « J'ai ce qu'il te faut pour t'égayer, a-t-il dit avec un sourire forcé. Une visite chez le père Noël! Tu aimerais ça, non? »

En reniflant, j'ai fait signe que oui.

Mais même en attendant en ligne au rayon des jouets, où le père Noël était assis sur un trône royal en velours rouge brodé d'or, je ne cessais pas de pleurer. Mon tour finalement venu, j'ai timidement baissé la tête et je suis montée sur les genoux du père Noël.

« Comment t'appelles-tu? » a demandé gentiment le père Noël.

Toujours les yeux au sol, j'ai bien prononcé mon nom au complet — prénom, deuxième prénom et nom de famille — pour m'assurer qu'il trouverait ma maison la veille de Noël.

« Qu'aimerais-tu que le père Noël t'apporte pour Noël? » a-t-il demandé.

Mes yeux en larmes ont rencontré les siens. Lentement, j'ai enlevé mon bonnet brun et j'ai révélé mon crâne nu. « Je veux ravoir mes cheveux, ai-je répondu. Je veux qu'ils soient long et soyeux, qu'ils descendent jusqu'au plancher, tout comme ceux de Rapunzel. »

Le père Noël a jeté un regard interrogateur vers mon père et il a attendu qu'il fasse un signe de la tête avant de continuer. « Ma chérie, il faut du temps avant que tes cheveux poussent, dit-il. Je suis très, très malheureux de ce qui t'arrive, mais même le père Noël ne peut pas accélérer les choses. Tu devras être patiente et ne jamais perdre espoir. Tes cheveux repousseront en temps voulu; je te le promets. »

J'ai cru en sa promesse de tout mon cœur. Dix mois plus tard, quand mes cheveux ont repoussé, j'étais convaincue que c'était uniquement grâce à la magie du père Noël.

Les années ont passé, et quand j'ai obtenu mon diplôme d'études secondaires, je suis allée travailler à temps plein comme standardiste au magasin à rayons Leawitt. Tous mes collègues de travail étaient sympathiques, mais un employé en particulier faisait des efforts supplémentaires pour que je me sente la bienvenue. Il était un boxeur professionnel à la retraite, « Pal » Reed, l'homme à tout faire du magasin et un touche-à-tout.

Pal avait un don pour savoir quand un employé était déprimé et il faisait tout ce qu'il pouvait pour l'aider. Pendant mon apprentissage de standardiste, devenant si frustrée par mes erreurs au point de vouloir abandonner, Pal m'apportait une boîte de chocolats pour me remonter le moral. Il était si facile de parler avec lui que j'avais l'impression de le connaître depuis des années.

Pendant ma première période des fêtes de Noël chez Leavitt, je suis allée à la salle d'entreposage, un après-midi, pour y chercher des boîtes de cadeaux. Là, dans un coin, le dos tourné, il y avait le père Noël du magasin, qui se préparait pour son arrivée annuelle dans le département des jouets.

« Je m'excuse », lui ai-je dit, gênée de l'avoir dérangé pendant qu'il s'habillait. « Je ne voulais pas vous importuner. »

Le père Noël s'est empressé de mettre sa barbe avant de se retourner pour me faire face, mais aucune barbe ou perruque blanche assez longue n'aurait pu dissimuler son identité. C'était le même père Noël à qui j'avais raconté mon souhait quatorze années plus tôt. C'était Pal Reed.

Il m'a souri d'un air entendu, puis il a dit doucement : « Je me suis souvenu de toi dès que j'ai entendu ton nom — et je n'ai jamais été aussi heureux de voir une si belle chevelure. »

Sally A. Breslin

Les anges de l'Halloween

Le jour de l'Halloween, j'avais ramené ma femme de l'hôpital pour qu'elle vive à la maison ses derniers jours. En me rappelant que les enfants viendraient pour la collecte de bonbons et de sous, et en réalisant que je n'avais aucun bonbon, j'ai vite rassemblé ce que j'ai pu trouver dans la maison.

Les premiers à se présenter étaient trois filles d'environ quinze ans. Je me suis excusé de ma maigre ration et je leur ai dit que je ne pouvais pas aller en chercher parce que ma femme était malade. Elles m'ont remercié et sont parties.

Près d'une minute plus tard, elles sont revenues et chacune m'a donné une poignée de bonbons de son sac. À travers mes larmes, j'ai essayé de refuser, mais ces merveilleuses jeunes filles sont parties à toute vitesse en disant :

« Nous espérons qu'elle ira mieux. »

Je ne connais pas ces belles jeunes femmes, mais j'aimerais qu'elles sachent que leur simple geste de bonté m'a apporté de la joie et de l'espoir alors qu'il n'y en avait pas.

Même si ma femme est morte depuis, le souvenir de cette période triste sera toujours égayé par le geste de bonté de ces trois anges. Que Dieu les bénisse!

Steven J. Lesko Jr.
Soumis par Laurie S. Brooks

Les sous de la chance

Le summum du plaisir dans la vie est toujours impromptue. La chance qui sourit; une visite inattendue ; un voyage non prévu; une conversation ou une connaissance non sollicitée.

Fanny Fern

J'ai grandi en face de chez M. Kirby. C'était un homme grand, mince, dans les soixante-dix ans, qui vivait seul et ne semblait avoir ni famille ni visiteurs, sauf les bénévoles de la « Popote roulante » deux fois par semaine. Pendant l'été, je voyais M. Kirby faire sa promenade matinale dans le voisinage. Je courais pour le rejoindre afin que nous puissions parler. C'était le seul adulte que je connaissais qui me parlait comme si j'étais une personne et non une stupide petite fille de huit ou neuf ans. Une fois, il m'a dit qu'il n'avait pas de petits-enfants et il m'a demandé si je voulais être sa petite-fille de substitution. Après avoir entendu la définition complète du mot « substitution », j'ai accepté avec joie.

Nous parlions et marchions presque chaque jour pendant ce qui me semblait des heures. Il m'a parlé de sa femme (son amour depuis l'école secondaire) qui était morte il y a plusieurs années. Il m'a raconté des histoires sur la guerre, même si je ne savais jamais vraiment laquelle. Il faisait des tours de magie, comme tirer une pièce de monnaie de derrière mon oreille. J'avais pris l'habitude de vérifier s'il n'y avait pas d'autres pièces dans mes oreilles quand je retournais à la maison. Les samedis après-midi, M. Kirby m'emmenait au magasin général au coin de la rue et il me laissait choisir pour un dollar de bonbons ou de gomme à mâcher, ou de crème glacée, ou de ce que je voulais. J'essayais toujours d'arriver le plus près possible de un dollar sans dépasser le montant. Un jour, j'ai réussi à acheter pour quatre-vingt-dix-sept cents de *bubble-gum.* En nous éloignant du magasin, M. Kirby a lancé les trois sous restants par-dessus son épaule. Je les ai entendus résonner sur l'asphalte chaud du terrain de stationnement.

« M. Kirby, pourquoi avez-vous jeté ces sous? » lui ai-je demandé.

« Pour que quelqu'un ait une journée chanceuse », a-t-il répondu.

« Oh, je sais, *Trouve un sou, ramasse-le et tu seras chanceux toute la journée* — c'est ça? »

« Tu sais, a-t-il répondu, ceux qui trouvent des sous chanceux en ont le plus besoin parce qu'ils regardent toujours par terre. Parfois, je prends le sou le plus brillant que je peux trouver et je le jette sur la route en face de ma maison, juste pour voir la chance qu'il apportera à quelqu'un pendant la journée. »

« M. Kirby, maman dit qu'être superstitieux, ça porte malchance. » Je l'ai grondé d'une voix sérieuse et j'ai prétendu savoir de quoi je parlais. Il a éclaté de rire et s'est même tapé le genou. Nous avons dû cesser de marcher pendant un moment afin qu'il reprenne son souffle. J'étais là, tenant mon sac de *bubble-gum,* en le regardant et en essayant de savoir ce qui était si drôle. Je crois qu'il ne me l'a jamais expliqué.

Pendant que nous recommencions à marcher, il a dit : « Tu sais, si tu passes plus de temps à regarder en haut et droit devant toi, tu n'as pas besoin de chance parce que tu as la confiance; tu as de l'optimisme. » Il a défini la confiance et l'optimisme, et m'a dit que j'avais les deux, en me conseillant de ne jamais les perdre. J'étais alors trop jeune pour savoir à quel point il serait difficile de tenir à ces deux choses; j'étais alors trop jeune pour prendre les choses trop à cœur. Tout ce que je savais, c'est que j'avais confiance, j'étais optimiste et j'avais un sac tout neuf plein de *bubble-gum* et un voisin qui lançait régulièrement des sous.

Les années passant, je suis devenue occupée et je n'avais que le temps de saluer de la main M. Kirby, alors qu'il était assis sur la balançoire de son balcon. Parfois, je ressentais un pincement que j'ai identifié plus tard comme de la culpabilité parce que je courais ici et là, alors que mon grand-père suppléant, mon ancien compagnon de marche et de conversation, ne pouvait que rester assis et me dire au revoir de la main. Règle générale, par contre, je ne pensais pas beaucoup à M. Kirby ou à notre amitié. J'étais préoccupée par mes activités scolaires, mes amis, les matches et les joueurs de football. Je sais maintenant que je ressentais une espèce de réconfort dans un recoin de ma tête, sachant qu'il était encore là, toujours là, de l'autre côté de la rue, quand j'en aurais besoin.

Après être partie pour l'université, mon amitié avec M. Kirby s'est transformée en souvenir vague. Je suis devenue une jeune femme rebelle et indépendante. Je n'avais besoin de personne. J'étais *cool*. J'affichais un air de confiance. Je refusais d'être optimiste. L'optimisme, c'était pour les majorettes et les habitués du Prozac. Par mon attitude négative, j'attirais des gens semblables à moi. Nous étions dingues et libres. Les cours à l'université n'étaient que des désagréments qu'il fallait subir entre les sorties. J'ai trouvé plusieurs sous chanceux pendant ces années-là. Mais la chance n'était pas au rendez-vous.

Chaque année, quand j'allais chez moi pour Noël, ma mère me suppliait d'aller rendre visite à M. Kirby. « Il parle encore de toi et demande de tes nouvelles. Il aimerait beaucoup te voir », disait-elle. Je n'ai jamais pris le temps de traverser la rue. Je crois que j'avais honte de ce que je n'étais pas devenue, de ce que je n'étais pas. Je n'avais jamais admis cela à cette époque, mais dans mon cœur, je savais que j'étais une meilleure personne que celle que je prétendais être devenue. Avec le temps, les amitiés superficielles ont disparu. Elles ne m'ont jamais manqué.

Après mon diplôme, je suis retournée à la maison pour chercher du travail. À ma surprise, le vieux M. Kirby était assis sur sa balançoire. Il m'a saluée de la main. « C'est toi? » a-t-il crié.

« Oui, M. Kirby, c'est moi », ai-je répondu en traversant la rue pour me diriger vers son entrée.

« Dieu! que tu es devenue jolie! Et intelligente aussi. J'ai entendu dire que tu venais d'obtenir ton diplôme d'université! Que dirais-tu de marcher jusqu'au magasin du coin pour acheter un dollar de bonbons? » Il m'a fait un clin d'œil et s'est tapé le genou. Ses prothèses dentaires brillaient du sourire le plus sincère que je n'avais vu depuis des années. « Regarde-moi ça, tu as le monde à tes pieds. J'ai toujours su que tu réussirais. Imaginez ça, ma petite-fille si intelligente et qui a tant de succès! » Il a ri du même rire qu'il y avait presque quinze ans.

Nous nous sommes assis dans la balançoire et nous avons parlé pendant des heures. C'était comme s'il n'avait pas vieilli. Vraiment, il semblait plus jeune. Pas tout à fait aussi grand. J'avais grandi malgré moi. Juste au moment où je me sentais bien vieille, j'ai entendu ma mère m'appeler comme elle le faisait quand j'étais petite. « Es-tu toujours là-bas? C'est l'heure de manger. » J'ai fait une grosse caresse à M. Kirby et j'ai pressé fortement ses mains dans les miennes. Je n'avais pas compris jusqu'à ce moment-là combien il était important dans la transformation de la personne que j'étais devenue, et dans celle que je deviendrais.

En quittant le lendemain matin pour ma première entrevue de travail, j'aimerais pouvoir dire que j'ai trouvé un sou luisant, mais non, je l'ai manqué. Je regardais en haut.

Jill Williford Mitchell

Faisons connaître nos besoins

Le service était commencé et le ministre avait débuté son sermon dans l'église de notre petit village au sud-est de la Caroline du Nord. Nous écoutions tous les propos sérieux qui nous étaient adressés, qui nous nourriraient pour la semaine et nous éclaireraient sur la parole de Dieu.

Notre église, parce qu'elle était petite, n'avait pas de garderie. J'avais ainsi le privilège d'avoir ma fille turbulente de trois ans assise avec son père et moi. En plus d'être active, Tammie avait un don pour les mots — c'est-à-dire les prononcer — et elle n'avait pas encore maîtrisé l'art de comprendre que le silence était de la plus grande importance à l'église, surtout pendant le sermon du dimanche matin!

Après lui avoir demandé à maintes reprises d'être sage, le papa de Tammie l'a prise dans ses bras pour l'enmener à l'extérieur afin d'avoir une petite conférence.

Ce n'était pas la première fois que la chose se produisait, et elle en comprenait la signification. Elle comprenait manifestement aussi la signification de la prière!

Car, lorsque son père l'a prise et a marché dans l'allée pour l'emmener à l'extérieur, Tammie a étendu ses bras au-dessus de ses épaules vers les fidèles et le ministre. Elle a ensuite dit à qui voulait l'entendre :

« Priez tous pour moi! »

Inutile de dire qu'il a fallu quelques minutes avant de pouvoir nous concentrer de nouveau sur le sermon.

Je crois que cela prouve qu'on n'est jamais trop jeune pour « faire connaître ses besoins »!

Donna Kay Heath

Noël dans l'Œuf d'argent

L'enchantement se manifeste à petites doses.

Robert L. Stevenson

Mon mari, Dave, et moi avons toujours cru qu'on n'est jamais vraiment pauvre tant qu'il y a de l'espoir. L'espoir est la seule chose qu'il nous restait à l'hiver de 1948, quand nous avons emmené nos petits garçons et quitté notre famille et nos amis à Oklahoma pour la « ville champignon » de Houston, Texas, où on nous avait dit que les rues étaient pavées d'emplois.

Sachant que des jours meilleurs nous attendaient, nous avons joyeusement emménagé dans un parc de caravanes, car c'était l'endroit le moins cher que nous pouvions trouver, et nous avons loué la caravane la moins chère du parc. Nous payions trente dollars par mois — même pour les normes du temps, ce n'était pas cher — et nous l'avons baptisée « l'Œuf » parce qu'elle avait la forme d'un œuf en argent. Parfois, elle ne semblait pas beaucoup plus grosse qu'un œuf, surtout avec deux jeunes enfants actifs — Mike, deux ans, et Tony, trois ans et demi. Nous étions donc quatre à essayer de vivre dans une minuscule roulotte, pas suffisamment grande pour se retourner.

Il n'y avait qu'une pièce dans l'Œuf, et elle servait de salle à manger, de cuisine et de chambre à coucher; la salle de bain avait la largeur d'une armoire à balais. Le lit était grand comme une couchette de train… à peine. David et moi devions dormir tous les soirs dans les bras l'un de l'autre, même si nous étions fâchés. Il ne nous arrivait pas trop souvent de l'être — il est impossible de se blottir ainsi l'un contre l'autre sans vous sentir affectueux, et j'ai donc pensé que c'était bon pour notre mariage.

Puisque les garçons étaient si petits, nous pouvions nous tasser tous les quatre dans le coin-repas — deux sièges se faisant face et une table au milieu — si nous nous écrasions vraiment ensemble. La nuit, on descendait la petite table et les garçons dormaient dessus.

Un adulte de grandeur normale pouvait toucher les deux murs en s'étirant les bras. Personne ne le faisait cependant, parce que la mise à la terre de l'œuf était défectueuse et chaque fois que nous touchions à un mur, nous prenions littéralement un choc. Nous avons tous appris à marcher en nous penchant vers l'intérieur.

Pourtant, nous avons quand même eu du bon temps. Le parc de roulottes était rempli de gens agréables et certains d'entre eux étaient assez excentriques pour me ravir. Une femme qui est devenue une de mes meilleures amies avait travaillé comme danseuse de hula dans un carnaval. Elle a accroché ses vieilles jupes de paille à sa fenêtre, les a séparées au milieu, et les a attachées sur les côtés, et voilà! — des rideaux.

« N'est-ce pas une bonne idée? » m'a-t-elle demandé fièrement. J'ai acquiescé de la tête, n'osant pas parler car j'avais un de ces fous rires.

Généralement, c'était plutôt amusant. Puis, Noël approchait. Décembre à Houston ne ressemble pas aux paysages blancs qu'on voit sur les cartes de Noël, mais il peut être très agréable — délicieusement chaud sous le soleil brillant, avec parfois des fleurs et du gazon vert. Ou il peut être misérable — froid et pluvieux, sous un ciel gris et morne. C'est le genre de Noël que nous avons eu cette année-là.

Je suis de descendance Cherokee et je n'ai jamais tant manqué ma merveilleuse grande famille. Nos Noël en Oklahoma n'étaient peut-être pas opulents mais il y avait beaucoup d'amour, de rires, d'odeurs de cuisine savoureuses, et l'arôme terreux du pin qui emplissait la maison.

Le parc de roulottes était une mer de boue qui s'accrochait à nos souliers et qui se déposait sur le plancher dès que nous entrions. Tout était humide, froid et sentait le moisi. Noël semblait à des millions d'années mais c'était dans quelques jours — et nous n'avions pas d'argent.

Oh! Il y en avait un tout petit peu. David travaillait dans un parc d'automobiles — il ne vendait pas d'auto, il les lavait et il les changeait de place. Nous n'avons pas manqué de nourriture, même si le menu était composé surtout de macaroni au fromage. Quand David et moi nous sommes assis quatre jours avant Noël, nous avons constaté que même si nous avions économisé tant et tant, nous avions moins de dix dollars pour un repas de Noël et des cadeaux pour les deux petits.

« Je crois que nous ne fêterons pas Noël cette année, chérie », a dit David, et pour une fois, ses yeux bruns ne brillaient pas. « Pas de jouets pour les enfants, ni rien d'autre. »

Ni rien d'autre. Pas de grands-parents, de tantes, d'oncles, ni de cousins pleins d'énergie qui riraient et raconteraient des histoires. Pas de dinde sur la planche à découper ou de desserts spéciaux qui trôneraient sur la table.

Pas d'arbre de Noël. En un sens, c'était la chose que je trouvais la plus difficile à accepter. L'arbre de Noël avait toujours été à mes yeux le symbole même de Noël, de l'amour et de la prospérité. De l'espoir. Un arbre ne pourrait pas entrer dans l'Œuf, de toute façon.

J'ai serré David une seconde de plus que d'habitude quand il a quitté pour son travail. Mon sourire était très figé car il retenait difficilement un sanglot.

Pendant l'après-midi, la pluie a cessé pour la première fois depuis des jours, alors j'ai emmené les enfants faire une promenade. Il était difficile de garder ces deux petits bouts de chou enfermés dans un endroit comme l'Œuf.

Le vent était vif. Nous avons pataugé dans la boue, nos mains jointes les unes aux autres. Mon cœur était aussi embourbé que mes pieds — mais Tony et Mike s'amusaient ferme. Après avoir été enfermés pendant quelques jours, l'air du dehors était merveilleux — surtout parce qu'il y avait des décorations de Noël partout! Les garçons pataugeaient dans les flaques et riaient de joie en montrant du doigt des couronnes, des pères Noël en plastique et des arbres de Noël dans les fenêtres.

Soudain, Tony a pointé son doigt vers l'autre bout du parc de roulottes. « Regarde, maman, regarde! Un million d'arbres de Noël. Viens, maman! » Mike a été pris dans le tourbillon de l'excitation, et lui et Tony m'ont tirée comme deux remorqueurs tirant un chaland miteux.

Il n'y avait pas un million d'arbres. Il y avait une petite parcelle de terrain où les arbres avaient été plantés dans le sol pour ressembler à une petite forêt. Les enfants et moi avons marché entre les rangées. C'étaient des sapins et des pins, mouillés et froids, qui avaient la fraîche odeur de Noël. L'odeur de la terre m'a ramenée à mes Noël d'enfant, et je suis devenue excitée à mon tour.

Tony a alors murmuré d'un ton insistant : « Achètes-en un, maman, achète-le tout de suite! »

C'est à ce moment que la réalité m'est apparue. Il n'y aurait pas d'arbre pour nous. C'était tellement injuste! Ils ne coûtaient pas si cher, mais même le moins cher était audelà de mes moyens. Tout autour, les gens choisissaient joyeusement celui-ci ou celui-là. Ils allaient même jusqu'à oser dire que les arbres n'étaient pas parfaits et ils demandaient au propriétaire du lot de tailler quelques branches pour les rendre plus symétriques. Ce qu'ils étaient gâtés pour demander de couper ces précieuses branches et de les jeter, alors que je voulais seulement...

J'ai ouvert la bouche de saisissement « ...seulement une belle grosse branche », ai-je murmuré. Oui, une grosse branche bien fournie ressemblerait presque à un arbre de Noël miniature. En fait, même le plus petit arbre serait trop gros pour l'Œuf, mais une branche serait parfaite! Je pouvais certainement me permettre une branche!

Je me suis approchée du propriétaire et je lui ai tiré la manche. « Combien pour une branche? » ai-je demandé, gênée mais décidée.

L'homme, qui avait froid et qui voyait ses arbres comme une petite forêt de signes de dollars — il n'avait probablement pas beaucoup d'argent lui-même — a grommelé : « Madame, je ne vends pas de branches. Vous voulez un arbre, achetez-le. Je ne vais pas gaspiller un arbre simplement pour que vous ayez une branche. »

Je n'étais même pas humiliée. « Non, non! ai-je crié. Je ne veux pas que vous coupiez une branche d'un arbre. Je veux une de celles-ci. » J'ai pointé vers le gros tas de branches enlevées.

« Oh, celles-là, a-t-il grommelé. Servez-vous. »

« Combien pour la grosse? »

« Madame, je vous l'ai dit, je ne vends pas de branches. Prenez toutes celles que vous voulez gratuitement. » Je ne pouvais pas le croire! La joie nous a envahis pendant que les garçons et moi nous accroupissions pour choisir une branche avec le même soin que les autres prenaient pour trouver un arbre complet. Quand nous avons été certains de trouver la plus belle branche de toutes, nous l'avons fièrement apportée à la maison, Mike tenant le dessus, Tony le bas pendant que je soutenais le milieu.

Pendant que mon amie au hula gardait les enfants, j'ai couru cinq rues plus loin au magasin cinq-dix-quinze. J'ai caché mes sacs en entrant dans la maison. J'ai ensuite récupéré les enfants et nous avons accroché la branche solidement dans un coin de la roulotte, où elle allait parfaitement. Dans l'Œuf, elle semblait aussi grosse qu'un vrai arbre de Noël.

Quand David est arrivé à la maison, nous l'avons tous décorée ensemble avec un gros paquet de guirlandes que j'ai trouvé pour dix cents, et quelques petites boules qu'on utilisait pour décorer les paquets et qui avaient coûté un autre dix cents. Une fois la décoration terminée, c'était — eh bien, beau, c'est tout. David a fait une étoile avec un papier aluminium d'un paquet de cigarettes trouvé, et nous l'avons accroché tout au haut. Il n'y avait pas de lumières mais la branche brillait et étincelait par elle-même.

La veille de Noël, David est rentré à la maison avec une poule grasse à bouillir qu'il avait réussi à acheter pour un dollar. Elle n'était pas chère parce que la viande était coriace, mais tant pis. Je la ferais bouillir encore et encore jusqu'à ce qu'elle devienne tendre, et David ferait des boulettes de pâte à l'allemande pour verser dans le riche bouillon, tout comme sa mère lui avait enseigné. Il était un merveilleux cuisinier.

Pendant que cette vieille poule mijotait gaiement sur le réchaud et que les enfants étaient blottis, endormis sur leur table-lit, nous avons mis des jouets sous la branche — deux autos, deux camions, un camion de pompier et un train rouge et jaune. Tous des jouets en plastique, moins de vingt-cinq cents, mais ils étaient magnifiques. La roulotte avait l'air superbe.

Je me suis approchée pour embrasser David sur la joue. Même s'il était très grand, il était facile de le rejoindre parce que bien sûr, dans l'Œuf, il devait se pencher un peu. « Il était une fois quatre personnes qui vivaient dans un Œuf », ai-je dit.

« Oh! chérie, chérie! » Il m'a pris dans ses bras et m'a serrée. Ses yeux brillaient de nouveau, comme des étoiles brun foncé, et nous sommes restés ensemble dans l'ombre de notre arbre, qui sentait Noël et la magie, le souvenir de l'enfance et la promesse de demain. De l'espoir. Nous savions que nous étions une des familles les plus riches sur la Terre.

Mechi Garza

Un coca-cola et un sourire

L'homme le plus riche est celui dont les plaisirs sont les plus simples.

Henry David Thoreau

Je sais maintenant que l'homme assis avec moi sur les vieilles marches d'escalier, pendant cette chaude nuit d'été il y a plus de trente-cinq ans, n'était pas grand. Mais aux yeux d'une enfant de cinq ans, il était un géant. Nous étions assis côte à côte, regardant le soleil se coucher derrière la vieille station-service de l'autre côté de la rue achalandée. Une rue qu'il ne m'était jamais permis de traverser sans être accompagnée d'un adulte, ou à tout le moins d'un frère ou d'une sœur plus âgée. Nous étions un drôle de couple, assis ensemble, perchés sur la dernière marche en haut. Ses jambes rejoignaient deux marches plus bas; les miennes pendaient, rejoignant à peine l'autre marche. La soirée était chaude et humide. L'air était lourd. Nous étions à l'été 1959.

Les maringouins affamés gardaient leurs distances à cause de la fumée à l'arôme de cerise qui sortait de la pipe de grand-papa, pendant que de minces volutes grises dansaient autour de nos têtes. De temps à autre, il soufflait un anneau de fumée et il riait de me voir essayer de viser le trou avec mon doigt. Moi, vêtue d'une légère robe de nuit, et grand-papa, dans son t-shirt à manches courtes, regardions les autos passer, en essayant de sentir la brise imperceptible. Nous comptions les autos et nous essayions de deviner la couleur de la prochaine qui tournerait le coin. J'étais plus chanceuse que grand-papa à ce jeu.

Encore une fois, j'étais victime des circonstances. La quatrième de six enfants, il arrivait souvent que je sois ou trop jeune ou trop vieille pour quelque chose. Ce soir-là, j'étais les deux. Pendant que mes deux petits frères dormaient dans la maison, les trois autres enfants jouaient avec des amis au coin de la rue, où je n'avais pas le droit d'aller. J'étais restée avec grand-papa et c'était bien ainsi. J'étais là où je voulais être. Mon grand-père gardait les petits pendant que ma mère, mon père et ma grand-mère étaient sortis.

« As-tu soif? » m'a demandé grand-papa, sans jamais enlever la pipe de sa bouche.

« Oui », ai-je répondu.

« Aimerais-tu traverser de l'autre côté à la station-service et t'acheter une bouteille de Coke? »

Je n'en croyais pas mes oreilles. Avais-je bien entendu? Me parlait-il? Avec les faibles revenus de ma famille, le Coke ne faisait pas partie de notre budget ni de notre menu. Quelques gorgées très alléchantes, voilà tout ce que j'avais pris, et certainement jamais une bouteille pour moi toute seule.

« OK », ai-je dit l'air gêné, en me demandant déjà comment je traverserais la rue. Il est certain que grand-papa allait venir avec moi.

Grand-papa a étiré sa longue jambe pour la redresser et il a mis sa grosse main dans sa poche. Je pouvais entendre le bruit métallique familier de la menue monnaie qu'il avait toujours sur lui. Ouvrant sa main, il a exposé une montagne de pièces d'argent. Il devait bien en avoir pour un million de dollars. Il m'a dit de prendre un dix sous. J'ai obéi. Après avoir remis le reste de la monnaie dans sa poche, il s'est levé.

« Bon », dit-il en m'aidant à descendre l'escalier jusqu'au bord du trottoir, « je vais rester ici et ouvrir l'oreille sur les bébés. Je te dirai quand ce sera le temps de traverser. Tu iras à la machine à Coke, tu en prendras un et tu reviendras. Attends que je te dise quand ce sera le temps de retraverser. »

Le cœur me débattait. J'ai serré fortement mon dix sous dans ma paume moite. L'excitation me coupait le souffle.

Grand-papa me tenait fermement la main. Ensemble, nous avons regardé en haut et en bas de la rue, et une autre fois en haut. Il a descendu du trottoir et m'a dit que je pouvais traverser. Il a lâché ma main et j'ai couru. J'ai couru plus vite que jamais auparavant. La rue semblait large. Je me demandais si je réussirais à me rendre de l'autre côté. En y arrivant, je me suis retournée pour regarder grand-papa. Il était là, exactement où je l'avais laissé, souriant fièrement. Je lui ai fait signe de la main.

« Vas-y vite », a-t-il crié.

Mon cœur battait à tout rompre pendant que je marchais à l'intérieur du garage sombre. J'étais déjà venue dans ce garage avec mon père. L'environnement m'était familier. Mes yeux se sont ajustés et j'ai entendu le moteur de la machine à Coke qui ronronnait, avant même de l'avoir vue. Je me suis dirigée immédiatement vers le gros distributeur rouge et blanc. Je savais où insérer ma pièce de monnaie. Je l'avais vu faire avant et j'avais rêvé de ce moment très souvent. J'ai regardé par-dessus mon épaule. Grand-papa me faisait un signe de la main.

Le vieux gros monstre a avidement gobé ma pièce de dix sous et j'ai entendu les bouteilles tourner. Sur la pointe des pieds, j'ai ouvert la lourde porte. Elles étaient là : une belle rangée de bouteilles vertes et épaisses, les cols pointant vers moi, et elles étaient froides. J'ai tenu la porte ouverte avec mon épaule et j'ai pris une bouteille. D'une secousse rapide, je l'ai libérée de sa prison. Une autre a immédiatement pris sa place. La bouteille était froide dans mes mains moites. Je n'oublierai jamais la sensation du verre froid sur ma peau. Avec les deux mains, j'ai placé le col de la bouteille sous le solide ouvre-bouteille en cuivre qui était rivé au mur.

Le bouchon est tombé dans une vieille boîte en bois et je me suis penchée pour le prendre. Il était froid et plié au milieu, mais je savais qu'il me fallait ce souvenir. Le Coke à la main, je suis retournée fièrement dans la demi-obscurité de la nuit tombante. Grand-papa attendait patiemment. Il souriait.

« Arrête juste là », a-t-il crié. Une ou deux voitures ont passé rapidement, et encore une fois grand-papa est descendu du trottoir.

« Viens, maintenant, dit-il, cours. » C'est ce que j'ai fait. Une mousse froide et brune aspergeait mes mains.

« Ne fais jamais cela seule », m'a-t-il prévenue fermement.

« Jamais », l'ai-je assuré.

Je tenais fermement la bouteille de Coke, craignant qu'il me demande de la verser dans une tasse, pour ruiner ce rêve devenu réalité. Il n'a rien dit. Une longue gorgée du breuvage froid a rafraîchi mon corps en sueur. Je ne crois pas m'être jamais sentie aussi fière.

Nous étions assis, côte à côte, regardant le soleil se coucher derrière la vieille station-service de l'autre côté de la rue achalandée. Une rue qu'on m'avait permis de traverser seule. Grand-papa a étiré ses longues jambes, deux marches plus bas. J'ai laissé pendre les miennes, un peu plus près de la première marche cette fois, j'en suis certaine.

Jacqueline M. Hickey

Un accouchement forcé

L'infirmière s'est approchée de lui en souriant. « L'accouchement va très bien. N'aimeriez-vous pas venir? »

« Oh, non », a dit l'homme en secouant la tête. L'infirmière est retournée auprès de la mère et le travail se poursuivait normalement. Peu avant le moment de la naissance, l'infirmière est retournée près de l'homme très agité, qui faisait les cent pas dans le corridor. « Elle va tellement bien, lui a-t-elle assuré. Ne voudriez-vous pas au moins venir la voir? »

L'homme a hésité légèrement et a secoué la tête de nouveau. « Non, non, je ne peux pas. » Il faisait cliqueter ses clés d'auto dans sa main moite et il a continué à marcher de long en large. L'infirmière est retournée dans la salle et a aidé la mère dans ses vaillants efforts pour pousser le bébé dans ce monde. Comme la tête du bébé commençait à sortir du canal, l'infirmière a couru dans le hall, a attrapé l'homme par le coude et l'a entraîné près du lit en disant : « Vous devez voir ceci! »

Au même moment, le petit bébé mâle naissait et on l'a placé sur le ventre de sa mère, dont le sourire radieux brillait à travers les larmes. L'homme a commencé à pleurer ouvertement. Se tournant vers l'infirmière, il a dit à travers ses sanglots : « Vous aviez raison! C'est le plus beau moment de ma vie! » Voilà que l'infirmière aussi pleurait. Elle a mis son bras autour de lui et il a appuyé la tête sur son épaule. Elle a dit d'un air rassurant : « Personne ne devrait rater la naissance de son fils. »

« Ce n'est pas mon fils, a répondu l'homme en pleurant. Ce n'est même pas ma femme. Je ne l'ai jamais vue de ma vie. J'apportais tout simplement les clés de l'auto à mon copain à l'autre bout du corridor! »

LeAnn Thieman

Le sourire derrière les larmes

Les mots du médecin résonnaient dans ma tête : « Il n'est pas nécessaire de la ramener ici; le traitement de chimiothérapie ne fait plus effet. Elle en a pour trois mois au plus. » Les larmes me brûlaient les yeux. Dans trois mois... ce serait Pâques.

J'ai aidé maman à s'installer dans l'avion et j'ai attaché sa ceinture. J'ai pris ma place près de la fenêtre, j'ai ajusté mes lunettes de soleil et j'ai regardé la pluie poussée par le vent — la température typique de Houston.

J'ai jeté un coup d'œil vers maman. Sa tête était appuyée. J'ai regardé ses traits familiers, si rassurants, faisant tellement partie de moi. Je ne pouvais pas imaginer la vie sans maman. J'ai pressé mon mouchoir humide et j'ai fixé le ciel noir.

Un léger bruissement m'a fait tourner la tête alors qu'un grand jeune homme amenait dans l'avion une petite fille, d'environ sept ans, et la fit prendre place de l'autre côté de l'allée.

« Demande à ta mère de me téléphoner dès que tu seras à la maison. Tu pourras revenir en juillet et passer l'été avec nous. » En lui caressant les cheveux, il a murmuré : « Je t'aime, mon trésor, et tu me manqueras. » Brusquement, il s'est levé et il a presque couru hors de l'avion.

Les yeux mi-clos, j'ai regardé l'enfant. C'était une jolie petite fille avec de longs cheveux blonds tirés en arrière et tressés, de grands yeux bleus, un petit nez camus et une dent manquante. *Eh bien, j'espère qu'elle ne dérangera pas maman.*

J'ai serré les poings et j'ai tenté de repousser le lourd sentiment bloqué en moi. *Trois mois,* ai-je pensé, *trois mois,* pendant que nous commencions notre ascension vers le ciel menaçant.

La petite fille, Lisa — ainsi qu'il était écrit sur son étiquette — était assise tranquille, la tête penchée. Une grosse larme roulait sur sa joue joufflue, et elle essayait en silence de la dissimuler.

Maman s'est penchée vers elle avec un mouchoir et a essuyé la larme. « Maintenant, où est le sourire? » a-t-elle demandé.

Surprise, Lisa a ouvert tout grand ses yeux bleus. Avant qu'elle puisse dire un mot, un sourire illuminait son visage.

« Voilà, je savais qu'il viendrait. » Maman s'est réinstallée dans son siège, les yeux toujours fixés sur l'enfant. « Savais-tu cela, Lisa? Il y a toujours un sourire derrière une larme. »

Lisa a secoué la tête. « Comment le sais-tu? »

« Oh, je l'ai appris avec les années. »

Oui, elle l'avait appris au cours des années. Mes pensées se reportaient à cette période lointaine, à partir des premiers jours où je me suis écorché les genoux jusqu'à mon adolescence quand un garçon a brisé mon cœur. Pendant que maman essuyait mes larmes, elle disait lentement : « Cozy, je vais te dire une chose. Il y a un sourire derrière toutes ces larmes. Regarde ce genou. Il guérira et je parie que tu ralentiras la prochaine fois que tu courras sur ce chemin de gravillons. »

Les larmes causées par un premier amour sont beaucoup plus profondes, du moins je le pensais à l'époque. « Tu souffriras pendant quelque temps », a-t-elle murmuré pendant que je sanglotais dans le noir. Elle m'a pris la main : « La vie continue, Cozy, et toi aussi. » Elle avait raison; j'ai survécu.

Maintenant, je voyais le visage radieux de maman pendant qu'elle parlait à Lisa. Toute sa vie, elle avait été entourée d'enfants. Elle avait toujours une histoire, un jeu ou quelque chose à manger.

Je me suis retournée vers la fenêtre et j'ai regardé passer les gros nuages noirs. Oui, maman connaissait les larmes. Combien de nuits pendant les trois dernières années a-t-elle passées à pleurer afin que nous retrouvions ce sourire pendant la journée?

J'ai entendu de nouveau la voix de Lisa. « J'aimerais bien que ma mère et mon père vivent de nouveau ensemble, mais ils ne le feront pas. Papa est marié et maman a un ami. »

J'ai senti maman bouger et je l'ai entendu dire : « Parfois, les gens ne peuvent pas s'entendre et décident qu'il vaut mieux se quitter. Tu veux qu'ils soient heureux, n'est-ce pas? »

« Oui », a dit Lisa, la voix tremblante.

« Quel âge as-tu, Lisa? »

« Presque sept ans. »

« Laisse-moi te dire une chose, Lisa. » La voix faible de maman semblait plus forte. « Les années qui vont suivre passeront très vite. Avant que tu t'en rendes compte, tu auras quitté l'école, l'université, tu seras mariée et tu auras tes propres enfants. »

Intriguée, Lisa l'a regardée. « Tu as raison, mademoiselle...? » Ses yeux bleus cherchaient à connaître le nom de maman.

« Appelle-moi Bessie. »

« Bien, mademoiselle Bessie », a répondu Lisa.

Maman a poursuivi : « Il n'est pas drôle d'être séparé de ses parents, alors profite des meilleurs moments possible avec chacun d'eux. Quand tu es avec ton père, aime-le, aide-le et essaie de bien connaître sa femme. » Maman a fouillé dans son sac. « Ma gorge s'assèche et ce bonbon à la menthe semble toujours me faire du bien. En veux-tu un? »

J'ai entendu le froissement du papier cellophane et le rire de l'enfant. Maman a continué : « Ta mère peut être ta meilleure amie. Une mère, c'est quelqu'un de spécial; elle t'aime, envers et contre tout. N'hésite pas à lui raconter tes problèmes. » Tout était silence, sauf le bruit du bonbon.

« Quand tu seras grande, tu auras l'amour de deux des personnes les plus importantes de ta vie. Tu auras toujours les bons souvenirs du temps que tu as passé avec eux. »

Ma gorge brûlait alors que je ravalais mes larmes. J'en aurai des souvenirs, une vie pleine de souvenirs heureux.

« Tu auras des problèmes et tu verseras bien des larmes, a poursuivi maman. Tout le monde en a, mais souviens-toi de ceci : le sourire suivra toujours. » Elle a tapoté le petit pied de Lisa appuyé sur son siège. « Parfois, cela prend plus de temps parce que le problème est plus difficile, mais crois-moi : le sourire viendra. »

J'ai regardé à travers la fenêtre. Des rayons de soleil emplissaient le ciel au moment où j'ai déposé mes lunettes de soleil dans mon sac. En souriant, je me suis tournée vers maman et je l'ai embrassée sur la joue. « Celui-ci a été plus long à venir. »

L'avion a atterri et Lisa s'est levée pour partir. Elle s'est retournée, en montrant un sourire avec une dent en moins. « Merci, mademoiselle Bessie, pour avoir partagé vos bonbons et pour m'avoir parlé. »

Une pointe de culpabilité m'a serré le cœur. Comme ai-je pu penser que cette petite fille aurait pu déranger maman? Pendant un trajet difficile pour les deux, elles ont partagé des larmes, des mots d'encouragement, des bonbons et des sourires.

Je ressentais comme un poids enlevé de mes épaules. J'ai murmuré : « Merci, mademoiselle Bessie, pour avoir parlé à Lisa, et merci, maman, pour m'avoir parlé. »

Helen Luecke

Le cadeau de Noël un peu défraîchi

À travers la fenêtre avant de la pharmacie où nous travaillons tous deux comme gérants adjoints, je pouvais voir Lamar qui attendait impatiemment mon arrivée, son haleine embuant la vitre pendant qu'il me cherchait. Nous avions fait une entente en novembre par laquelle il travaillait le jour de Noël et moi au Nouvel An.

Dehors, la température était typique de Memphis pendant cette période de l'année. Lamar et moi espérions toujours un Noël blanc, mais celui-là avait passé comme les vingt autres auparavant — froid et brumeux, et pas un flocon de neige en vue.

En pénétrant dans la chaleur du magasin, Lamar eut l'air soulagé.

« Journée difficile? » lui ai-je demandé.

En gesticulant vers la caisse enregistreuse à l'avant, Lamar a marmonné : « Nous avons eu des files de quinze personnes hier. Je n'ai jamais vu tant de personnes essayer d'acheter des piles et des films. Enfin, je crois que c'est une des joies de travailler le jour de Noël. »

« Qu'est-ce que tu veux que je fasse aujourd'hui? » lui ai-je demandé.

« Il y aura probablement moins de clients à dix-huit heures ce soir. C'est toujours tranquille le lendemain de Noël. Ainsi, tu pourrais remettre de l'ordre dans l'allée des jouets. » Il s'est arrêté pour ramasser un animal en peluche qui traînait et l'a poussé contre mon ventre.

« Et fais quelque chose avec cet animal. »

Ce petit chien en peluche était devenu notre mascotte de Noël. Nous passions notre temps à le ramasser. Cinq, peut-être dix fois par jour. Ce n'était pas un très beau jouet. Maintenant, son long pelage en broussaille avait perdu son lustre et il était taché, aussi gris que le temps, maculé de la poussière du plancher et des doigts sales des enfants qui l'avaient tenu pendant que les mères attendaient de faire remplir leur ordonnance. Le jouet avait été réduit à moitié prix, mais personne ne l'avait acheté. Dans ce monde tout en lumière de Schtroumpfs et de poupées Barbie et de G.I. Joes, je crois que le petit chien à la fourrure sale n'était pas le préféré. Pourtant, chaque enfant de Memphis doit bien avoir serré le toutou dans ses bras au moins une fois pendant la période de Noël.

Au cours de l'après-midi, il y a eu beaucoup de retours de marchandises, d'échanges et d'achats à moitié prix de décorations de Noël, mais à dix-huit heures, tout comme Lamar l'avait prédit, il n'y avait plus de clients. Pour tromper l'ennui, je suis allé travailler dans l'allée des jouets. Le premier que j'ai trouvé, bien sûr, était ce chien poilu avec ses oreilles tombantes, qui me regardait du plancher encore une fois. J'ai voulu le jeter et le déduire de l'inventaire, mais j'ai changé d'idée et je l'ai remis sur la tablette. Je crois que j'étais sentimental.

« Excusez-moi », a dit une voix qui a interrompu mes réflexions. « Êtes-vous le gérant? » Je me suis retourné et j'ai vu une jeune femme maigre avec un petit garçon de cinq ans qui se tenait sagement près d'elle.

« Je suis l'adjoint du gérant, ai-je répondu. Comment puis-je vous aider? »

La dame a baissé les yeux un moment, puis elle a relevé la tête et a dit d'une voix un peu rauque : « Mon fils n'a rien eu pour Noël. J'ose espérer que vous avez un cadeau à rabais. Quelque chose que je pourrais me permettre? »

J'étais devenu cynique envers les demandes d'argent des sans-abri qui passaient parfois, mais j'ai perçu dans sa voix une note de sincérité et une fierté qui la troublait de devoir poser une telle question.

J'ai regardé le petit garçon qui se tenait là, si sage devant tant de jouets.

« Je suis justement à diminuer le prix des jouets maintenant. Qu'est-ce que vous cherchez? »

Le regard de la jeune femme s'est illuminé, comme si elle avait finalement rencontré quelqu'un qui l'écouterait. « Je n'ai pas beaucoup d'argent, mais j'aimerais acheter à mon fils quelque chose de spécial. »

Le visage du garçon s'est éclairci en entendant les mots de sa mère. En m'adressant directement à lui, j'ai dit : « Tu choisis le meilleur jouet que tu voudrais pour Noël, d'accord? »

Il a regardé sa mère et, quand elle a dit oui de la tête, il a fait un large sourire. J'attendais, curieux de voir quel jouet parmi les plus populaires de la saison il choisirait. Peut-être un jeu de voitures de course, ou un ballon de basketball.

Plutôt, il a marché directement vers ce vieux chien miteux et l'a serré comme je n'avais jamais vu un enfant le faire. J'ai fait comme si j'enlevais une mèche de cheveux de mes yeux, tout en essuyant discrètement une larme.

« Combien pour ce chien? » a demandé sa mère en ouvrant le fermoir de son petit porte-monnaie noir.

« C'est gratuit, ai-je dit. Vous me ferez une faveur en le prenant. »

« Non, je ne peux pas, a-t-elle insisté. Je veux payer pour le cadeau de Noël de mon fils. »

À voir son regard intense, je savais qu'elle voulait donner un cadeau à son enfant, autant qu'il en voulait un.

« Ce sera un dollar », ai-je dit.

Elle a pris une pièce de son porte-monnaie et me l'a tendue. Ensuite, elle a regardé son fils et elle a dit : « Tu peux maintenant apporter le chien avec toi. Il t'appartient. »

Encore une fois, j'ai joué avec ma mèche de cheveux autour de mes yeux en voyant le petit garçon dont le visage rayonnait de bonheur. Sa mère souriait aussi, et en silence, elle a articulé un « merci » en quittant le magasin.

À travers la vitrine, je les regardais s'éloigner dans la nuit de Memphis. Il n'y avait toujours pas un seul flocon de neige en vue, mais en retournant dans l'allée des jouets, j'ai constaté en souriant que j'avais eu, après tout, ce vieux sentiment du Noël blanc.

Harrison Kelly

9

MIRACLES

Il y a seulement deux façons de vivre sa vie.
L'une, c'est d'agir comme si rien n'était un miracle.
L'autre, c'est d'agir comme si tout était un miracle.

Albert Einstein

Prends ma main

La voiture roulait lentement sur la route sombre de la montagne et les vents de février couvraient le pavé lisse de nouvelle neige. Sur la banquette avant, mes deux amis de collège dirigeaient la vieille voiture sur la route glacée. J'étais assise derrière avec une ceinture de sécurité défectueuse.

L'arrière de la voiture a fait une queue de poisson. « Pas de problème, Mary », a dit Brad pour me rassurer en s'agrippant au volant. « Sam habite de l'autre côté de la prochaine côte. Nous allons arriver sans encombre. »

J'ai soupiré. « Je suis heureuse que Sam fasse une fête. Ce sera bien de revoir tout le monde après le congé des Fêtes. » J'espérais que mes joyeux amis pourraient me tirer d'une des plus sombres périodes de ma vie. Même Noël en famille à Hawaii avait été un désappointement, laissant mon cœur vide et triste. Rien n'était plus pareil depuis le décès de papa, deux années auparavant.

Sentant mon désespoir, les sœurs de papa m'avaient prise à part après le dîner de Noël. « Prie le Ciel, chérie, avaient-elles dit. Ton papa y est. Il peut t'entendre et t'aider. »

Prier? Bof! ce sont des sornettes, ai-je pensé, en quittant la réunion de famille. *Je ne crois plus en Dieu.*

La lune se reflétait sur le pavé glacé. Notre voiture approchait du pont qui enjambe le canal d'amenée des eaux vers un lac à proximité. En traversant le pont, la voiture s'est mise à déraper. « Accrochez-vous! » a crié Brad. Nous avons fait un 360° avant de quitter la route. La voiture a fait un tonneau, s'est écrasée sur le toit et mon corps est passé à travers la lunette arrière pour se retrouver sur le sol gelé. En gémissant, à moitié consciente, j'ai remarqué qu'il n'y avait aucun son qui provenait de la banquette avant. J'ai commencé à ramper, espérant me rendre à la route. J'ai tiré mon corps meurtri sur le terrain rugueux. Ma poussée suivante m'a fait glisser sur une pente et j'ai déboulé jusque dans les eaux glacées du canal.

La douleur et le froid me rendaient toute molle. C'est là que j'ai entendu une voix crier : « Nage! »

J'ai commencé à battre des bras.

« Nage! » criait la voix. Elle ressemblait à celle de papa. « Nage plus fort, Mary Ann! »

Il était le seul à m'appeler Mary Ann.

« Papa! » ai-je crié pendant que le courant me tirait vers le fond. Je suis remontée à la surface et je l'ai de nouveau entendu crier, « Nage plus fort! »

« Papa, où es-tu? Je ne te vois pas! » ai-je crié alors que les eaux glacées m'entraînaient de nouveau.

Trop gelée et faible pour me débattre, je me suis sentie couler dans l'eau noire. J'ai relevé la tête et j'ai regardé vers la surface où j'ai vu briller une lumière vive dorée. Puis, j'ai de nouveau entendu papa crier, « Nage, Mary Ann! Prends ma main! »

De toutes mes forces, je me suis propulsée vers la surface, traversant l'eau vers la lumière. Là, il y avait la main tendue de papa. J'ai reconnu son toucher, sa poigne quand il m'a tirée.

Puis, la lumière, la main — tout a disparu. Je m'accrochais à une chaîne qui traversait le canal.

J'ai crié : « Papa! Reviens! Aide-moi. Aide-moi, papa! »

« Par ici! » cria une autre voix. « Elle est ici! » Un étranger se tenait sur la rive. « Accroche-toi à la chaîne et reviens vers la berge! »

Par la force de mes mains, j'ai ramené mon corps gelé vers l'étranger qui m'a tirée de l'eau. Mon corps et mon cerveau étaient paralysés.

« Je t'emmène à l'hôpital », a dit l'homme en mettant une couverture sur moi. Il a senti mon haleine. « As-tu bu? »

« Non », ai-je balbutié.

Au moment de perdre conscience, je l'ai entendu dire : « Tu appelais ton papa. »

J'ai repris mes esprits à l'urgence où on m'a traitée pour hypothermie. Mes amis n'avaient que quelques égratignures.

« Vous avez tous été chanceux », a dit le policier. « Vous, en particulier, jeune fille. Ces chaînes sont tendues en travers des canaux pour empêcher les animaux et les débris de se déverser dans le lac. J'ai peine à croire que vous ayez pu l'agripper comme vous l'avez fait, ou la force de le faire dans cette eau glacée. »

« J'ai eu de l'aide », ai-je murmuré.

« Vous avez dû avoir de l'aide, Mary », a dit le patrouilleur. « Vous êtes passée à un cheveu de vous faire aspirer par le siphon qui pompe l'eau vers le lac. Trois mètres de plus et nous n'aurions jamais retrouvé votre corps. » Il m'a tapé sur l'épaule. « Quelqu'un au ciel veille sur vous. »

Ce n'est pas juste quelqu'un, c'est mon papa, ai-je pensé.

Je n'ai jamais eu peur depuis cet après-midi au canal. Même des années plus tard, quand notre petite fille, encore bébé, a été opérée à cœur ouvert, je ressentais une paix pleine de foi que personne ne comprenait. Je peux sentir que, avec l'aide de papa, la main de Dieu veille sur moi. Je n'ai qu'à tendre le bras pour la saisir.

Mary Ann Hagen
Tel que raconté à LeAnn Thieman

L'amour peut être éternel

Je peux honnêtement dire que c'était à la fois la meilleure et la pire période de ma vie. J'attendais joyeusement mon premier enfant au moment où ma mère, autrefois énergique et pleine de vie, perdait sa bataille contre une tumeur au cerveau.

Pendant dix ans, ma mère, farouchement indépendante et courageuse, avait combattu, mais aucune opération, aucun traitement n'avait réussi. Pourtant, elle n'avait jamais perdu son sourire. Cependant, à ce moment, à l'âge de seulement cinquante-cinq ans, elle est devenue totalement handicapée — incapable de parler, de marcher, de manger ou de s'habiller par elle-même.

À mesure qu'elle s'approchait de plus en plus de la mort, mon bébé en moi s'approchait de plus en plus de la vie. Ma plus grande crainte était que leurs vies ne se croisent jamais. J'avais de la peine, non seulement à cause de la mort imminente de ma mère, mais aussi parce qu'elle et mon bébé ne feraient jamais connaissance.

Ma crainte semblait fondée. Quelques semaines avant la date prévue pour mon accouchement, maman est entrée dans un coma profond. Ses médecins n'entretenaient plus aucun espoir; ils nous ont dit que c'était la fin. Inutile de l'intuber, disaient-ils, elle ne se réveillera jamais.

Nous avons ramené maman à la maison pour qu'elle soit dans son propre lit, dans sa maison, et nous avons insisté sur des soins pour qu'elle ne souffre pas. Aussi souvent que possible, je m'assoyais près d'elle et je lui parlais du bébé qui bougeait en moi. J'espérais que, d'une certaine manière, elle le ressente.

Le 3 février 1989, à peu près au même moment où mes contractions débutaient, maman a ouvert les yeux. Lorsqu'ils m'ont dit cela à l'hôpital, j'ai appelé à la maison et j'ai demandé qu'on mette le téléphone à l'oreille de maman.

« Maman, maman, écoute. Le bébé s'en vient! Tu vas avoir un nouveau petit-fils. Me comprends-tu? »

« Oui! »

Quelle merveilleuse parole! Le premier mot qu'elle prononcait clairement depuis des mois!

Lorsque j'ai rappelé une heure plus tard, l'infirmière chez maman m'a annoncé l'impossible : maman était assise, on avait retiré ses tubes pour respirer. Elle souriait.

« Maman, c'est un garçon! Tu as un nouveau petit-fils! »

« Oui! Oui! Je sais! »

Quatre mots. Quatre magnifiques mots.

Quand j'ai ramené Jacob à la maison, maman était assise dans sa chaise, habillée et prête à l'accueillir. Des larmes de joie voilaient ma vue quand j'ai déposé mon fils dans ses bras et qu'elle lui a fait des gloussements. Ils se sont regardés fixement. Ils savaient.

Pendant deux semaines encore, maman a gloussé, souri et tenu Jacob dans ses bras. Pendant deux semaines, elle a parlé à mon père, à ses enfants et à ses petits-enfants, en faisant des phrases complètes. Pendant deux semaines miraculeuses, elle nous a donné de la joie.

Puis, elle a lentement sombré de nouveau dans le coma et, après avoir reçu la visite de tous ses enfants, elle a enfin été libérée de ses souffrances et de ce corps qui refusait de lui obéir.

Le souvenir de la naissance de mon fils sera toujours doux-amer pour moi, mais c'est à ce moment que j'ai appris une importante vérité de la vie. Alors que la joie et le chagrin sont souvent éphémères, et souvent liés, l'amour a le pouvoir de triompher des deux. Et l'amour peut être éternel.

Deb Plouse Fulton

Héros de la route

Un miracle ne prouve pas l'impossible; il n'est utile que pour confirmer ce qui est possible.

Maimonide

Au cours de ma troisième année comme conférencière dans des séminaires partout au pays, je me rendais à Wheeling, en Virginie occidentale, pour donner une conférence sur l'estime de soi devant 150 femmes.

Je viens d'un milieu où ma mère et ma grand-mère ont pris grand soin de m'enseigner que la famille est là pour prendre soin de tous ses membres, quelles que soient les circonstances. Je savais que je pouvais toujours compter sur les membres de ma famille quand j'étais en difficulté, et ils savaient qu'ils pouvaient faire de même.

Je conduisais plus vite que j'aurais dû, car que voulais désespérément arriver à Wheeling avant les pluies abondantes qu'on annonçait.

Au moment où je voyais un panneau indiquant Wheeling à 13 kilomètres, j'ai accéléré encore un peu, même si la pluie commençait à tomber.

Sans avertissement, j'ai entendu comme une détonation — pas trop fort, mais assez pour savoir que c'était un bruit étrange. J'ai fermé la radio pour évaluer davantage le bruit et j'ai clairement compris que j'avais un problème de pneu : probablement une crevaison. J'ai ralenti, me souvenant de mes cours de conduite de l'école secondaire qu'il ne fallait pas freiner brusquement, mais sachant aussi que je devais sortir de la route pour ma sécurité.

Sur l'accotement, j'ai regardé autour de moi et je n'ai vu que des coteaux accidentés, une autoroute à six voies et des voitures qui roulaient très vite. J'ai verrouillé la portière par mesure de prudence et j'ai réfléchi à ce que je devais faire. Je n'avais pas de téléphone cellulaire, puisque, il y a plusieurs années, ils n'étaient pas encore très répandus.

Je revoyais dans ma tête toutes les histoires de femmes qui avaient vécu de mauvaises expériences sur le bord des routes dans des villes étrangères. C'était comme un film. J'ai tenté de décider si je serais plus en sécurité en restant dans la voiture ou en me rendant à pied à la sortie suivante. Il commençait à faire noir et je commençais vraiment à avoir peur.

Quand j'étais petite fille, ma grand-mère m'avait enseigné que les choses s'arrangent si on garde la tête froide, et je cherchais désespérément à le faire.

À cet instant précis, un camion-remorque est passé si rapidement à ma gauche que ma voiture en a vibré. J'ai vu que son clignotant indiquait qu'il allait s'arrêter devant moi. J'ai entendu ses freins grincer, car il freinait à fond.

De nouveau, j'ai pensé, *Suis-je plus en sécurité ou plus en grand danger?* Je pouvais voir le camion reculer lentement sur l'accotement et j'ai décidé, pour ma sécurité, de faire quelque chose que j'avais vu dans un film. J'ai pris un bloc-notes dans mon porte-documents et j'y ai noté le nom de la société de transport et le numéro d'immatriculation de l'Ohio que je pouvais bien lire de ma voiture. J'ai glissé le bloc-notes avec l'information sous le siège du conducteur, au cas où…

Malgré la pluie abondante, le chauffeur a couru vers ma voiture et m'a dit, par la fenêtre que j'avais à peine entrouverte, qu'il avait vu mon pneu éclater et qu'il serait heureux de le changer. Il m'a demandé mes clés pour ouvrir le coffre et, même si je savais que j'allais compromettre toutes mes mesures de sécurité, j'ai fait ce qui me semblait le meilleur choix. Je lui ai donné les clés. Il a changé le pneu et m'a remis les clés. Par la mince ouverture de ma fenêtre, je lui ai demandé si je pouvais le dédommager pour sa gentillesse. Il a répondu : « Nous, les chauffeurs de l'Ohio, croyons qu'il faut s'occuper des femmes en difficulté sur les autoroutes. »

Je lui ai alors demandé le nom de son patron pour lui envoyer une lettre racontant sa bonne action. Il a eu un rire étrange et m'a donné le nom de son patron, une femme, et sa carte qui portait le nom de la société de transport, l'adresse et le numéro de téléphone. Je l'ai remercié une nouvelle fois, et complètement trempé, l'homme est retourné à son camion en courant. Reconnaissante, j'ai pu me rendre à Wheeling et diriger mon séminaire.

De retour en Floride, j'ai fait imprimer un t-shirt pour cet homme. On y voyait un ange dans un camion et les mots « Héros de l'autoroute » imprimés en travers. Et j'ai envoyé le t-shirt à l'adresse apparaissant sur la carte.

Le paquet m'est revenu avec la mention « destinataire inconnu ».

J'ai appelé au numéro sur la carte et j'ai obtenu un message enregistré me disant que ce numéro n'existait pas. J'ai donc appelé le journal local et j'ai demandé à parler au rédacteur en chef à qui j'ai expliqué mon dilemme et je lui ai demandé de mettre une lettre des lecteurs dans le journal pour remercier le chauffeur. Le rédacteur en chef, qui habitait cette ville depuis toujours, m'a dit qu'il n'y avait aucune compagnie de ce nom dans la ville. Il a enquêté un peu plus et m'a rappelé pour me dire qu'aucune société de ce nom était inscrite en Ohio.

Le rédacteur en chef est allé un peu plus loin. Il a appelé le bureau des véhicules de l'État et s'est informé du numéro d'immatriculation. On lui a répondu qu'aucune plaque portant ce numéro n'avait été émise dans l'État.

En fin de compte, l'homme, son camion et la compagnie n'ont jamais existé. Le « sauvetage » n'a jamais eu lieu et j'ai dû rêver. Pourtant, je sais que ce n'était pas le cas.

Carol A. Price-Lopata

Plusieurs couchers de soleil

J'ai eu un serrement de cœur quand j'ai vu la coccinelle Volkswagen (VW) jaune devant nous sur le côté de la route. Le capot était levé et un jeune homme regardait le moteur d'un air désespéré. Comme prévu, mon ami Michael a freiné et a dit : « Il semble que quelqu'un a des problèmes. »

J'ai soupiré avec résignation. Nous avions passé les trois derniers mois ensemble à faire le tour des États-Unis et je savais qu'il ne pouvait rater une chance d'aider quelqu'un. Peu importe notre situation personnelle (qui, je l'admets, était sans soucis), il saisissait toutes les chances d'aider les automobilistes en panne, de faire monter les auto-stoppeurs et d'aider partout où il le pouvait.

Les occasions n'avaient pas manqué. Nous étions en 1974 et nous faisions partie de ces légions de jeunes Américains qui avaient pris la route, soit en auto-stop, soit dans des voitures si vieilles qu'elles fonctionnaient par l'espoir et les prières. Un jour, dans l'Utah, nous avons embarqué tellement d'auto-stoppeurs qu'il ne restait plus de place dans notre camionnette. Une fois, nous avons passé deux jours à Missoula, au Montana, parce qu'une jeune famille que nous avions embarquée n'avait pas d'endroit où s'installer. Michael connaissait quelqu'un qui connaissait quelqu'un à Missoula et avant que nous partions, « notre » famille avait trouvé une résidence et un nouveau départ dans la vie.

J'aimais la générosité et la bonté de Michael, mais je pensais qu'il exagérait un peu. « Il y a d'autres personnes qui circulent sur ces routes, avais-je l'habitude de dire. Ne pouvons-nous *jamais* laisser la chance à quelqu'un d'autre de faire le bon samaritain? » Il m'écoutait. Il me souriait et arrêtait prendre les auto-stoppeurs suivants.

Parfois, je me mettais en colère quand il faisait passer les besoins des étrangers avant les miens. « Mais je voulais voir le coucher de soleil sur le Pacifique », ai-je dit une fois alors que nous nous arrêtions derrière une voiture qui fumait. Il riait : « Il y a beaucoup de couchers de soleil qui t'attendent encore. »

Pourtant, c'était différent aujourd'hui. Nous arrivions à la fin de notre voyage et nous étions même un peu pressés. Nous avions quitté la Floride le matin même avec l'intention de rentrer chez nous, au Massachusetts, avant Noël qui était le surlendemain. De plus, notre fourgonnette bien-aimée agonisait. Nous avions déjà dû faire des réparations d'urgence le matin même.

Il me semblait que nous avions connu assez d'aventures pour une journée. Je me suis remémoré la scène. Michael avait vu la fumée et s'était garé sur le côté de la route. Immédiatement, il a identifié le problème, il a pris une boîte de métal et s'est dirigé vers le fossé qui longeait la route. J'ai pris une tasse et je l'ai suivi dans le fossé. Nous avons rempli le radiateur avec l'eau du marécage et nous sommes repartis, croyant que nous étions très rusés. Cependant, quelques mètres plus loin, nous avons commencé à crier et à nous frapper les chevilles. Michael s'est rangé rapidement et nous sommes sortis de la voiture en hâte. Des fourmis! De minuscules fourmis couraient sur nos mollets et nos chevilles, et elles nous mordaient. Nous avons arraché nos chaussures et nos chaussettes et nous nous sommes furieusement battu les chevilles jusqu'à ce que la dernière fourmi fût écrasée. En remontant dans la voiture, j'ai prié sincèrement de ne plus avoir à redescendre dans un fossé de la Floride.

Au moment de nous arrêter derrière la VW, j'ai supplié de nouveau. « Michael, *s'il te plaît,* ne pourrions-nous pas ramener cette pauvre vieille fourgonnette à la maison avant Noël? » En sortant pour aller identifier le problème, il m'a lancé : « Ne t'inquiète pas, chérie, nous y serons. »

L'instant d'après, il était de retour avec le jeune homme pour remorquer son véhicule. « Nous devons aller chercher de l'aide. Nous allons prendre la prochaine sortie. »

Quand nous nous sommes arrêtés à la station-service près de la sortie, je suis restée dans la voiture, boudant encore un peu ma défaite. Soudain, je me suis sentie mal. J'ai regardé mes mains et j'ai vu de grosses marques sur mes poignets. J'ai regardé dans le miroir et j'ai été surprise de voir les taches rouges et grises qui envahissaient mon visage. De l'urticaire! Je me suis sentie suffoquer et je cherchais mon souffle. Paniquée, j'ai tâtonné la porte que j'ai finalement ouverte et j'ai titubé jusqu'à Michael qui était avec les mécaniciens. D'une voix faible et paniquée, j'ai crié : « Michael! Michael! »

Michael s'est tourné vers moi et j'ai vu l'horreur sur son visage. Il a couru vers moi en demandant aux mécaniciens : « Où est l'hôpital le plus près? »

« Dans cette direction. Deux rues sur la gauche. »

Michael avait démarré avant même que les portes ne soient refermées. J'étouffais et je cherchais mon souffle pendant qu'il criait : « Ne lâche pas, chérie. Ne lâche pas! Ne lâche pas! »

Il a dévalé la route et s'est arrêté brusquement devant l'entrée de l'hôpital. J'ai couru dans le couloir et je me suis écroulée par terre. Je ne pouvais plus respirer pour demander de l'aide, mais des infirmières sont accourues et m'ont installée sur une civière.

Quelques secondes plus tard, un gentil médecin à la barbe grise me posait des questions. J'ai réussi à dire : « Il y avait des fourmis... bas côté de la route », et j'ai montré mes chevilles. Il a rempli une énorme seringue et m'a dit : « Relaxez. Tout ira bien. Vous avez fait une grosse réaction allergique et vous avez de l'urticaire dans vos poumons. »

Le médicament qu'il m'a administré a commencé à faire effet. Mon souffle retrouvé, je lui ai demandé : « Aurais-je pu mourir? »

Il a répondu : « Cinq minutes plus tard et ça y était. »

Trente minutes plus tard, Michael et moi sommes sortis de l'hôpital et avons repris la fourgonnette. Nous avons retrouvé l'autoroute, et la première chose que j'ai vue était un panneau indiquant : « Prochaine sortie 65 kilomètres ». Je me suis tournée vers Michael et j'ai éclaté en sanglots. Sans notre arrêt pour aider le chauffeur de la VW et sans avoir pris la sortie suivante, je serais morte. J'aurais été à 65 kilomètres des secours en train de suffoquer.

Deux soirs plus tard, la veille de Noël, nous étions dans l'allée chez mes parents. Par la fenêtre enneigée, je pouvais voir ma famille dans le salon chaudement éclairé. Tous riaient et blaguaient en faisant l'arbre de Noël. Avant d'entrer, j'ai enlacé Michael et je l'ai de nouveau remercié pour tout. Il m'a prise dans ses bras et a dit en riant : « Ne t'avais-je pas dit que tu verrais encore plusieurs couchers de soleil? »

Cindy Jevne Buck

Là où il y a l'amour, il y a toujours des miracles.

Willa Cather

Maman, pourrais-tu user de ton influence?

« Maman, tu ne peux pas mourir. Je n'ai pas fini de m'épanouir », suppliai-je au chevet de ma mère, mourante d'un cancer du pancréas et du foie. Ce n'était pas vrai! Ma superbe maman de cinquante-neuf ans, si pleine de vie et exubérante, ne pouvait pas être malade! J'avais l'impression de rêver. Il y a à peine deux mois, elle était bien; et aujourd'hui, elle était aux portes de la mort.

« Maman, il faut que tu rencontres mon futur mari et mes enfants. Tu as encore des choses à faire. »

« Oh! Carol, j'aurais bien aimé le faire », a-t-elle dit faiblement.

« D'accord, maman. Si tu ne peux pas le rencontrer, tu dois me l'envoyer! Pourrais-tu user de ton influence là-haut? » ai-je demandé, pour tenter de la rassurer.

« Maman, je crains que tu ne doives t'occuper d'un cas désespéré. Carol a besoin d'aide », a ajouté ma sœur aînée, Linda. Nous avions toutes les deux déménagé à la maison pour nous occuper de maman et nous ne la quittions jamais. Linda avait raison. J'avais besoin d'un coup de pouce. J'étais sortie avec une série d'hommes qui n'étaient pas libres. J'avais connu plusieurs peines d'amour.

« Doux Jésus, non! Je ne veux pas de cette responsabilité! Je croyais que j'allais me reposer là-haut », s'est exclamée Maman, sachant bien à quel point la question de *M. Parfait* était délicate pour moi.

« Alors, dans ce cas, maman, pendant que tu y es, pourrais-tu me trouver un éditeur? » a demandé Linda, mi-sérieuse. Elle travaillait à un livre depuis trois ans et elle avait essuyé une série de refus de plusieurs éditeurs.

« Ah, vous deux! Je verrai ce que je peux faire », dit-elle avec un faible sourire.

Quelques jours plus tard, maman est morte en paix, ses deux filles priant à son chevet et notre père pleurant au pied du lit.

Pendant les funérailles, Linda et moi avons dit aux 300 personnes présentes à quel point notre mère était généreuse, altruiste et aimante.

J'ai raconté la première fois qu'elle avait rencontré mon petit ami le plus important de mon passé tumultueux, Bill. Bill était joueur d'harmonica professionnel. Pour cette première rencontre, nous étions allés à un brunch de Pâques avec mes parents. Bill était mon premier véritable amoureux depuis l'école secondaire — ma première relation en six ans. Mes parents étaient bien évidemment excités de faire sa connaissance. J'étais très nerveuse et j'espérais que tout se déroule bien. Horrifiée, j'ai entendu mon père bombarder Bill de questions embarrassantes avant même que nous ayons donné notre commande. « À quand remonte l'invention de l'harmonica? ... Dans quels tons les produit-on? ... Vous jouez de plusieurs harmonicas? » Et ainsi de suite... Je fondais sur ma chaise! Désespérée, j'ai regardé ma mère pour de l'aide. Elle a vu mon regard affolé et elle a dit : « Alors Bill, depuis combien de temps vous fréquentez-vous? »

C'était de l'aide, ça!

« Euh... environ six mois », répondit Bill.

« Eh bien », dit maman en s'approchant avec un large sourire, « est-ce que ça deviendrait sérieux? » Je voulais mourir.

« Ça ne l'était pas jusqu'à maintenant », répondit Bill sèchement.

Malgré cela, Bill et moi avons continué à nous fréquenter pendant trois ans. Il me traitait comme une reine et j'en suis venue à l'aimer un peu plus chaque jour. Il était prêt à se marier. Moi, non. Nous nous sommes donc laissés. J'étais certaine qu'une foule d'hommes merveilleux m'accueilleraient à bras ouverts. Je me trompais. Chaque fois qu'une relation échouait, je me lamentais à Linda : « Bill était tellement mieux pour moi. » De son côté, il s'est engagé sérieusement dans une relation immédiatement après notre rupture. J'étais démolie!

Bill et son nouvel amour ont déménagé 1 500 kilomètres plus loin, au Nouveau-Mexique, cette année-là. J'espérais que cela faciliterait les choses. Comme par hasard, Linda m'a appelée un jour pour me dire que sa famille et elle avaient trouvé une incroyable affaire en immobilier grâce à Bill et qu'ils déménageaient eux aussi au Nouveau-Mexique. Ils seraient voisins de Bill et de son amie. Ils ne sortiraient donc jamais de ma vie.

Trois mois après la mort de maman, à l'occasion de Noël, papa et moi sommes allés rendre visite à Linda et sa famille. J'étais bien triste depuis la mort de maman.

Nous avons assisté à un grand dîner de Noël. Bill y était. Son amie travaillait dans une autre partie du pays pour quelques mois. Pour la première fois depuis notre rupture quatre ans auparavant, je me sentais confortable — comme s'il était un vieil ami. Je m'en étais vraiment remise.

Deux jours plus tard, je m'ennuyais toujours de maman. J'ai décidé de lui parler directement — ce que je n'avais pas fait depuis son décès. Je logeais seule dans une caravane près de chez Linda. J'ai allumé un cierge et j'ai dit : « Maman, tu me manques. Viens me voir. » Une lumière brillante a immédiatement envahi la caravane. Une lumière que je n'avais jamais vue. Même les yeux fermés, je la voyais aussi éclatante. « Maman, c'est toi? » ai-je demandé. En réponse, la lumière a scintillé. Elle était là! Rassurée, je me suis endormie, baignée par la lumière de l'âme de ma mère.

Plus tard dans la semaine, j'ai soupé avec Bill. Il m'a avoué qu'il m'aimait toujours et qu'il ne cessait de penser à moi.

« Depuis quand éprouves-tu ce sentiment? » ai-je demandé, incrédule.

« Il est devenu plus intense depuis notre rencontre, quelque temps après la mort de ta mère. Au premier regard, j'ai su que nous serions ensemble », a-t-il expliqué. J'étais renversée. « J'ai parlé à ta mère à ce sujet, dit-il tendrement. Tu te souviens de cette première rencontre avec ta mère quand elle a demandé si nous étions sérieux? dit-il d'un air coquin. Je crois que cela voulait dire qu'elle était d'accord. »

Neuf mois plus tard, nous nous sommes mariés.

Linda a vendu son livre à une grosse maison d'édition réputée le mois avant notre mariage.

J'espère bien que maman peut enfin se reposer.

Carol Allen

Ne jamais, jamais abandonner

Journée très excitante pour nous, c'était la partie de championnat de la saison des Petites Ligues. Deux équipes s'affronteraient une nouvelle fois pour le championnat. Nous étions les seuls cette saison à avoir battu cette équipe « de garage » qui était bien déterminée à gagner la partie de ce soir.

Notre famille vivait pour le baseball. Ben, mon mari, avait été instructeur de l'équipe des Petites Ligues au cours des deux dernières années mais, il y a deux mois, il avait succombé au cancer. Décédé à quarante-trois ans après un courageux combat, il me laissait avec nos enfants, Jared, dix ans, et Lara, six ans.

Il avait continué à être entraîneur malgré les fortes doses de chimiothérapie et plusieurs séjours à l'hôpital, en plus de ses visites quotidiennes pour des tests. Malgré la fatigue, l'inquiétude et l'épuisement, il avait continué à entraîner l'équipe.

Il s'était bien réjoui des performances de Jared au baseball et serait très fier aujourd'hui de voir cette équipe et Jared, leader et lanceur partant.

Ben était professeur et, pendant des années, il avait pris du plaisir à être entraîneur au football et au baseball. Il enseignait aux équipes la stratégie de jeu et l'esprit sportif, le jeu loyal et la forme physique. Il a été un exemple pour sa famille et toute une communauté, en utilisant sa foi, son espoir, son courage et sa dignité pour combattre une terrible maladie. Il nous a tous donné le courage d'espérer quand il n'y avait plus d'espoir.

Lecteur avide, Ben aimait noter des citations sur des fiches qu'il laissait partout dans la maison. Une de ses préférées était de Winston Churchill pendant la Deuxième Guerre mondiale : « N'abandonnez jamais, jamais, jamais, jamais. » Elle semblait si appropriée à Ben qui semblait vivre ces paroles chaque jour, en se battant contre cette maladie pendant un an et demi jusqu'à son dernier souffle. À sa mort, nous avons fait graver ces mots sur sa pierre tombale. Ces mots spéciaux sont devenus un message pour les enfants et moi chaque fois que nous allions au cimetière. Nous n'en parlions jamais aux autres — ils nous étaient réservés. Un message secret pour nous de la part de papa.

La partie était chaudement disputée et Jared sentait la pression.

Comme les parents, la famille et les amis des deux équipes s'étaient occupé de nos enfants souvent à la dernière minute pendant notre cauchemar et avaient été touchés par le décès de Ben, chaque personne présente ce soir-là pensait à lui.

Le père enthousiaste d'un nouveau joueur qui ne connaissait pas notre histoire de famille avait apporté vingt-cinq gobelets de papier pour les joueurs où il avait inscrit des expressions typiques du baseball : « Coup sûr », « Attrape cette balle! », « Petit ballon », « Amorti ». Il serait amusant pour chaque joueur de lire un message sur son gobelet en étanchant sa soif.

Le match était serré, très énervant. À la quatrième manche, Jared a pris un gobelet au hasard pour se verser de l'eau. Soudain, il a couru vers moi avec son gobelet. Sur son gobelet, il y avait « Ne lâche jamais, jamais. » La nouvelle s'est vite répandue. Ben était ici, même si ce n'était qu'en esprit. Inutile de dire que nous avons remporté le match et le gobelet est aujourd'hui à côté de la photo de Ben sur une tablette, à la vue de quiconque entre par la porte arrière.

Diane Novinski

La couverture de bébé

Une coïncidence est un petit miracle où Dieu choisit de rester anonyme…

Heidi Quade

C'était un samedi de printemps et, malgré une foule de choses qui m'attendaient, j'avais choisi de faire du crochet, une activité que j'aimais bien et qui m'était autrefois apparue impossible.

La plupart du temps, j'apprécie le fait d'être « gauchère » — en fait, j'en suis assez fière. Pourtant, je dois admettre qu'il y a trois ans, cela m'a causé quelques problèmes lorsque je me suis portée volontaire pour un projet de notre paroisse.

On nous avait demandé de faire des couvertures de bébé au crochet que nous offririons à un centre local d'urgence maternité à Noël. Je voulais faire ma part, mais je ne savais pas faire du crochet. Le fait d'être gauchère n'aidait pas non plus. J'avais de la difficulté à « penser à l'envers ».

J'imagine que lorsqu'on veut, on peut. Quelques femmes m'ont enseigné un point. C'était tout ce qu'il me fallait. J'ai appris le point dit « grand-mère » et, en peu de temps, j'avais terminé une couverture. J'étais tellement fière de mon petit succès et, d'une manière inexplicable, cela me semblait si important qu'au cours de cette année, j'en ai fait plusieurs autres. Dans chaque couverture, j'ajoutais même une petite note d'encouragement, un poème de mon cru :

Les petites filles sont mignonnes dans leurs frisons roses.
Les petits garçons sont adorables dans leurs salopettes.
Mais, peu importe ce que le Seigneur vous envoie,
Jamais il n'aurait pu trouver une meilleure maman.

Soudain, mes pensées ont été interrompues par la sonnerie du téléphone. Je me suis précipitée pour répondre et, à ma grande surprise et à mon grand plaisir, c'était Karen Sharp, une de mes meilleures amies depuis l'école primaire. Karen, son mari, Jim, et leur fille, Kim, avaient déménagé dans une autre ville quelques années auparavant. Elle était en ville pour quelques jours et elle voulait venir me rendre visite. J'étais très heureuse d'entendre sa voix.

Enfin, on sonna à la porte. Je l'ai ouverte toute grande et nous nous sommes mises à crier comme des adolescentes. Nous sommes tombées dans les bras l'une de l'autre en nous posant des tas de questions. J'ai finalement amené Karen dans la cuisine où je nous ai servi un verre de thé glacé et le rythme de la conversation a ralenti.

À mon grand plaisir, Karen semblait calme, reposée et surtout confiante, qualités qu'elle avait semblé perdre au cours des mois qui ont précédé son déménagement. Je me demandais ce qui avait amené ce changement positif.

Nous avons parlé et ressassé des souvenirs, et Karen a commencé à m'expliquer la vraie raison de leur déménagement quelques années plus tôt. La raison qu'elle m'avait donnée était que Jim s'était vu offrir un travail dans une autre ville et qu'il ne pouvait se permettre de laisser passer cette chance. Même si Kim en était à sa dernière année de secondaire, ils avaient quand même senti ce déménagement nécessaire. Apparemment, ce n'était pas la principale raison de leur décision.

Karen a sorti une photo de son sac à main. C'était la photo d'une superbe petite fille, d'environ deux ou trois ans.

« C'est ma petite-fille, Kayla », a dit Karen.

Je n'en croyais pas mes oreilles. J'ai demandé : « Tu es *grand-mère*? Raconte-moi. »

Karen a continué : « Vois-tu, Kim était enceinte de quelques mois quand nous avons déménagé. Nous venions de l'apprendre et Kim avait vraiment beaucoup de difficulté à vivre cela, elle a même parlé de suicide. Nous étions désespérés. Nous avons donc décidé de partir, espérant que ce serait plus facile pour elle. Installés dans notre nouvelle maison, nous espérions que l'état d'esprit de Kim changerait graduellement, mais elle était de plus en plus dépressive. Peu importe ce que nous lui disions, elle se sentait une moins que rien et une ratée. Nous avons alors rencontré une femme, Mme Barber, une superbe conseillère en grossesse. Elle a aidé Kim à traverser des moments très difficiles.

« L'accouchement approchait et Kim n'avait pas encore décidé si elle allait garder le bébé. Son père et moi avons prié qu'elle décide de le garder. Nous nous sentions prêts à donner un foyer aimant à ce bébé. C'était, tout de même, notre premier petit-enfant !

« Enfin, le jour venu, Kim a accouché d'une petite fille de trois kilos. Mme Barber lui a rendu visite à l'hôpital. Elle a pris Kim dans ses bras et lui a dit qu'elle était très fière d'elle. Puis, elle lui a donné un paquet de couleur pastel qui contenait une couverture de bébé crochetée à la main. »

À cet instant, j'ai eu la gorge serrée et je me suis sentie devenir toute molle. J'ai essayé de ne pas montrer mes sentiments et j'ai continué d'écouter l'histoire de Karen.

Karen a dû remarquer que mon visage avait changé. Elle m'a demandé si j'étais bien. Je l'ai assurée que oui et je l'ai invitée à poursuivre.

« Comme je le disais, a-t-elle ajouté, le paquet contenait une couverture de bébé et une petite note personnelle qui parlait des petites filles et de leurs frisons, des petits garçons et de leurs salopettes, avec un mot d'encouragement pour la nouvelle maman.

« Nous avons demandé qui avait fait la couverture et Mme Barber nous a dit que certains centres de grossesse donnaient ces couvertures aux nouvelles mamans et à leur bébé. Son centre avait reçu un surplus d'un autre centre de l'État et elle était heureuse d'en offrir une à Kim.

« Kim était très émue qu'une pure étrangère ait pris autant de temps et mis autant d'efforts pour faire une couverture pour son bébé. Elle a dit que cela l'avait réconfortée. Plus tard, elle a annoncé à son père et à moi que le petit poème lui avait donné un regain de confiance et l'avait aidée à décider de garder la petite Kayla. »

L'histoire de Karen finissait encore mieux : une année plus tard, Kim a épousé un jeune homme qui les aimait toutes les deux, elle et Kayla. Karen souriait en racontant cela, mais elle est devenue plus sérieuse. « Je regrette seulement de ne pas m'être sentie assez proche de mes amies d'ici pour leur demander du soutien et du réconfort, au lieu de partir.

« Nous avons tant de raisons d'être reconnaissants — particulièrement la façon dont les choses ont si bien tourné. Je crois cependant que la chose pour laquelle nous sommes les plus reconnaissants est cette personne qui a crocheté la petite couverture pour notre fille et son bébé. J'aimerais la serrer dans mes bras et lui dire à quel point nous l'aimons et apprécions son geste. »

J'ai de nouveau regardé la photo de la charmante enfant que je tenais dans mes mains. Puis, je me suis tournée vers Karen et je l'ai serrée très fort dans mes bras.

Winona Smith

10

D'UNE GÉNÉRATION À L'AUTRE

Pour moi, la vie n'est pas une brève chandelle.
Elle est une sorte de torche splendide
qui m'est confiée pendant un temps,
et je désire la faire étinceller le plus possible
avant de la transmettre aux générations qui suivent.

George Bernard Shaw

Histoires sur une tête de lit

Le lit datait d'environ quarante-cinq ans quand maman me l'a donné, quelques mois après le décès de mon père. J'ai décidé de gratter le bois et de le finir à neuf pour ma fille, Melanie. La tête de lit était pleine d'égratignures.

Avant de me mettre au travail, j'ai remarqué qu'une des égratignures était une date : 18 septembre 1946, le jour du mariage de mes parents. J'ai soudain compris que c'était le premier lit de mes parents en tant que mari et femme!

Tout juste au-dessus de la date de leur mariage, il y avait un nom et une autre date : « Elizabeth, 22 octobre 1947 ».

J'ai appelé ma mère. « Qui est Elizabeth et que signifie le 22 octobre 1947? » ai-je demandé.

« C'est ta sœur. »

Je savais que maman avait perdu un bébé, mais j'avais jamais considéré cela autrement qu'une simple malchance pour mes parents. Après tout, ils ont eu cinq autres enfants.

« Tu lui avais donné un nom? »

« Oui. Elizabeth veille sur nous de là-haut depuis quarante-cinq ans. Elle fait tout autant partie de moi que chacun de vous. »

« Maman, il y a beaucoup de dates et de noms que je ne reconnais pas sur la tête de lit. »

« 8 juin 1959? » a demandé maman.

« Oui. Et il y a "Sam" tout à côté. »

« Sam était un noir qui travaillait pour ton père à l'usine. Ton père était juste avec tout le monde, il traitait ses employés avec le même respect, peu importe leur race ou leur religion. Mais à cette époque, il y avait beaucoup de tensions raciales. Il y a aussi eu une grève et beaucoup d'agitation.

« Un soir, des grévistes ont cerné ton père avant qu'il n'atteigne sa voiture. Sam est arrivé avec plusieurs de ses amis et la foule s'est dispersée. Personne n'a été blessé. La grève s'est terminée mais ton père n'a jamais oublié Sam. Il disait que Sam était la réponse à sa prière. »

« Maman, il y a d'autres dates sur la tête de lit. Pourrais-je aller te voir pour en parler? » Je sentais que cette tête de lit résumait beaucoup d'histoires et je ne pouvais pas les décaper et les sabler.

Au cours du déjeuner, maman m'a parlé du 14 janvier 1951, le jour où elle a perdu son sac à main dans un magasin à rayons. Trois jours plus tard, elle l'a reçu par la poste. Une lettre signée Amy disait : « J'ai pris cinq dollars dans votre portefeuille pour vous envoyer par la poste votre sac à main. J'espère que vous comprendrez. » Il n'y avait aucune adresse de retour. Maman n'a donc pas pu la remercier. Il ne manquait rien, sauf le billet de cinq dollars.

Puis, il y a eu George. Le 15 décembre 1967, George a tué un serpent à sonnette qui s'apprêtait à attaquer mon frère Dominick. Le 18 septembre 1971, mes parents ont célébré leurs noces d'argent et renouvelé leurs vœux.

J'ai appris qu'une infirmière nommée Janet était venue à la maison et avait prié avec ma mère lorsque ma sœur Patricia a fait une chute d'une balançoire qui a failli lui coûter la vie. Il y a eu aussi l'étranger qui a sauvé mon père d'une tentative d'agression et qui est parti sans s'identifier.

« Qui est Ralph? » ai-je demandé.

« Le 18 février 1966, Ralph a sauvé la vie de ton frère à Da Nang. Ralph a perdu la vie deux années plus tard pendant son deuxième tour de service. »

Mon frère n'a jamais parlé de la guerre du Vietnam. Il a enfoui ses souvenirs très profondément. Mon neveu se nomme Ralph. Je savais maintenant pourquoi.

« J'ai failli faire disparaître ces histoires remarquables, dis-je. Pourquoi m'as-tu donné cette tête de lit? »

« Ton père et moi avons gravé la première date sur cette tête de lit le soir de notre mariage. À partir de ce jour, elle est devenue le journal de notre vie commune. Quand ton père est mort, notre vie ensemble s'est terminée. Mais les souvenirs ne meurent jamais. »

Quand j'ai raconté l'histoire de la tête de lit à mon mari, il a dit : « Il y a encore de la place pour beaucoup d'autres histoires. »

Nous avons placé le lit ainsi que la tête « journal de bord » dans notre chambre. Mon mari et moi y avons déjà gravé trois dates et trois noms. Un jour, nous raconterons à Melanie ces histoires de la vie de ses grands-parents et de ses parents. Et un jour, le lit lui reviendra.

Elaine Pondant

Les mains de maman

L'amour prend patience, l'amour rend service, il ne jalouse pas, il ne plastronne pas, il ne s'enfle pas d'orgueil, il ne fait rien de laid, il ne cherche pas son intérêt, il ne s'irrite pas, il n'entretient pas de rancune, ...

1 Co 13, 4-5

Soir après soir, elle venait me border, même longtemps après mes années d'enfance. Selon son habitude, elle se penchait vers moi et repoussait mes longs cheveux avant de m'embrasser sur le front.

Je ne me rappelle pas quand cela a commencé à m'agacer — ses mains qui déplaçaient ainsi mes cheveux. Pourtant, cela m'agaçait, parce que ses mains étaient usées par le travail et rudes sur ma jeune peau. Finalement, un soir, je lui ai lancé : « Ne *fais* plus cela — tes mains sont trop rudes! » Elle n'a pas répondu. Pourtant, plus jamais ma mère n'a terminé ma journée en me témoignant son amour de cette façon. Je suis restée longtemps éveillée, mes paroles me hantant. Mais l'orgueil a étouffé ma conscience et je ne me suis pas excusée.

Au cours des années, j'ai souvent pensé à ce soir-là. Ses mains et son baiser sur mon front me manquaient. Parfois, il me semblait que cet incident était très récent, parfois, très lointain. Mais il ne me quittait jamais, il me hantait.

Les années ont passé et je ne suis plus une petite fille. Maman a près de soixante-quinze ans et ces mains qui m'ont déjà semblé si rudes font encore des choses pour moi et ma famille. Elle a été notre médecin, trouvant dans l'armoire aux médicaments ce qu'il fallait pour calmer l'estomac d'une jeune fille ou soigner le genou écorché d'un garçon. Elle prépare le meilleur poulet frit au monde... elle enlève les taches sur un jeans comme je n'ai jamais pu le faire... et elle insiste toujours pour servir de la crème glacée à toute heure du jour ou de la nuit.

Au cours des années, les mains de ma mère ont besogné pendant de longues heures, bien avant l'invention des tissus sans-repassage et des laveuses automatiques!

Aujourd'hui, mes enfants sont grands et ils ont quitté la maison. Maman a perdu papa. Et lors d'occasions spéciales, je vais coucher chez elle, tout à côté. C'est ainsi que, tard, une veille de l'Action de grâce, alors que j'étais en train de m'endormir dans la chambre de mon enfance, une main familière a repoussé les cheveux sur mon front avec hésitation. Puis, j'ai senti un doux, très doux, baiser sur mon front.

Pour la millième fois, je me suis souvenue de ma réplique peu aimable : « Ne *fais* plus cela — tes mains sont trop rudes! » J'ai eu un réflexe. J'ai pris la main de maman dans la mienne et je me suis excusée pour cette nuit-là. Je croyais qu'elle s'en rappelait, comme moi. Pourtant, maman ne savait pas de quoi je parlais. Elle avait oublié, et pardonné, depuis longtemps.

Cette nuit-là, je me suis endormie avec une nouvelle reconnaissance envers ma douce mère et ses mains affectueuses. De plus, la culpabilité qui me poursuivait depuis si longtemps avait disparu.

Louisa Goddisart McQuillen

Toute femme a besoin d'un champion

Chaque enfant a besoin d'un champion, une personne qui le chérit et qui est là pour lui à chaque étape de la vie. Ma championne s'appelait Lilian, une femme de l'âge de ma mère, mais une bonne amie de ma grand-mère.

Mon premier souvenir de Lilian remonte à mes trois ans. Sa fille unique et ma sœur aînée, deux tyrans de six ans, ne voulaient pas que je grimpe dans son pommier. Elles me traitaient de gros bébé — grave insulte pour quelqu'un qui ne portait plus de couches depuis peu. Lilian s'est approchée, m'a prise sur le sol et déposée sur la branche la plus basse de l'arbre et m'a consolée en chantant « Ca-Coo », un surnom qu'elle m'avait donné avant même mon premier anniversaire. Puis, elle m'a donné un biscuit — un croissant viennois qu'elle s'était procuré dans la meilleure boulangerie de New York — et elle a commencé la première d'une série de conversations sérieuses qui ont duré toute la vie.

« Viens t'asseoir, Ca-Coo, disait-elle. Parle-moi de toi. » Malgré ses occupations avec ses amies et son travail, Lilian prenait le temps d'écouter les épreuves d'une élève de maternelle pas trop enthousiaste, d'un garçon manqué provocant, d'une adolescente malhabile et d'une collégienne rebelle. Alors que mes propres parents s'arrachaient presque les cheveux, Lilian ne me critiquait jamais. Elle n'a jamais cessé de m'appeler Ca-Coo ni de m'offrir des croissants viennois de la meilleure boulangerie de New York.

Lilian s'est intéressée à ma vie amoureuse. Chaque fois que je lui présentais un flot de petits amis, elle servait toujours mes biscuits favoris et mettait mes prétendants à l'aise. Lorsque les inévitables ruptures survenaient, Liliane m'aidait à recoller les morceaux, mais elle ne me disait jamais : « J'ai toujours cru que c'était un bon à rien. »

Quand j'ai fini par m'installer avec l'homme qui allait devenir mon mari, Lilian a préparé un repas cinq services pour nous trois. Elle m'a appelée Ca-coo et, pour dessert, elle a servi des croissants viennois de la meilleure boulangerie de New York.

Nous nous sommes mariés alors que mon mari n'avait pas encore terminé ses études. Le seul travail que j'ai pu trouver était celui d'enseignante à temps partiel dans une école privée. Mon maigre salaire n'allait pas loin et me donnait l'impression d'être très pauvre. Un jour, Lilian m'a téléphoné et elle a dit : « Ca-Coo, écoute et ne dis rien. J'ai cinq cents dollars pour toi dans un compte de banque. Si, pour une raison ou pour une autre, tu as besoin d'argent, téléphone-moi et je te l'enverrai. Sans poser de questions. » Elle a ensuite raccroché.

Soudain, je me suis sentie riche. J'avais un coussin. Je ne l'ai jamais utilisé. Mon mari a terminé ses études et s'est trouvé un bon emploi bien rémunéré et nous avons commencé notre famille. Lilian s'est émerveillée de nos enfants. Après chaque naissance, elle me rappelait l'existence du fonds d'urgence qu'elle gardait toujours pour moi. J'étais touchée. Le malheur a touché Lilian — son mari est décédé. Elle avait peu d'argent mais beaucoup d'amour. Mais je savais que, si j'appelais, les cinq cents dollars seraient toujours là.

J'ai appelé Lilian souvent au cours des années. La conversation débutait toujours de la même façon.

« Hello, Lilian, c'est Carole. »

« Qui? »

Je savais qu'elle m'avait reconnue, mais je jouais le jeu. « Lilian, c'est moi, Ca-Coo. »

« Ca-Coo, chérie! répondait-elle avec joie. Comment vas-tu? »

Je souriais. Elle ne me laisserait jamais grandir.

Vers la fin de la vingtaine, j'ai annoncé à Lilian que je voulais devenir écrivaine. Elle a réagi avec enthousiasme et elle est devenue ma plus grande admiratrice. Quand mes livres étaient publiés, elle en achetait un lot et me les envoyait pour que je les autographie. Elle les donnait ensuite à ses amis et à sa parenté. Peu lui importait que j'écrive des livres pour enfants et que les destinataires soient des adultes.

À l'âge de trente-trois ans, je me suis blessée au dos et j'ai été confinée au lit pendant sept mois. Pendant cette épreuve, Lilian me téléphonait chaque semaine pour m'encourager. J'avais peu de choses à lui annoncer. Lentement, nos rapports ont changé. Lilian s'est ouverte à moi et je suis devenue sa confidente. J'ai pu, enfin, lui redonner un peu du soutien qu'elle m'avait apporté.

Quand j'ai été rétablie, j'ai emmené les enfants lui rendre visite. Le temps ne lui avait pas volé sa beauté ni sa façon raffinée de se vêtir. Elle m'appelait toujours Ca-Coo et a servi à mes enfants des croissants viennois de la meilleure boulangerie de New York.

Quelques années ont passé et j'ai décidé de faire une surprise à Lilian en lui dédicaçant un nouveau livre. La dédicace se lisait : « À Lilian, pour avoir toujours été là. »

En janvier, j'ai passé un week-end chez Lilian. Elle n'avait pas l'air bien. Elle mangeait mal. Elle m'a reproché d'avoir grandi. Tout ce que je faisais ou disais lui déplaisait et je suis rentrée déprimée. Quelques semaines plus tard, je lui ai téléphoné. Elle m'a dit qu'elle avait de la visite et qu'elle ne pouvait me parler. Elle a dit qu'elle rappellerait, mais ne l'a jamais fait.

J'ai fait une mononucléose doublée d'une pneumonie. Rien à voir avec Lilian. J'étais tellement occupée avec ma famille, mon travail et mes amis que je n'avais pas pris soin de moi. Voilà qu'il me faudrait deux mois pour récupérer. Je pensais à Lilian, mais je n'avais pas l'énergie de lui téléphoner.

Quand je me suis enfin rétablie, j'ai commencé à essayer de faire tout ce que je n'avais pas pu faire pendant ma maladie. J'ai fait le numéro de Lilian; pas de réponse. J'ai essayé en vain de la rejoindre pendant des semaines. J'en ai conclu qu'elle était probablement chez sa fille. Puis, en juin, ma grand-mère m'a dit :

« Lilian a un cancer du sein métastasé. Elle va mourir. Nous ne te l'avons pas dit avant parce que nous craignions que tu fasses une rechute de ta mono. »

J'ai couru voir Lilian. En entrant dans la chambre, j'ai cru pendant un instant que je m'étais trompée d'endroit. Blottie dans un fauteuil roulant, il y avait une vieille femme chauve et émaciée. J'allais m'excuser de l'avoir dérangée quand la femme a dit d'une voix faible et brisée :

« Ca-Coo! Je suis si heureuse que tu sois là. Assieds-toi et parle-moi de toi. »

Pendant une heure, nous avons conversé. Elle m'a dit qu'elle allait bientôt mourir. Je lui ai dit que je le savais — qu'elle me manquerait. J'ai promis de ne jamais l'oublier.

Trois semaines plus tard, ma championne est morte. Après les funérailles, je suis retournée à son appartement avec la famille et les amis. Il y avait sur la table mes croissants viennois favoris, mais je n'ai pu en manger. Je me sentais abandonnée. J'avais perdu mon coussin. Plus personne ne m'appellerait Ca-Coo.

Un an plus tard, mon chagrin s'était un peu atténué. Un matin d'été, on a sonné à la porte. C'était Laura, la fillette de trois ans d'une de mes amies.

« Viens t'asseoir, Princesse. Parle-moi de toi. »

Laura a couru vers le divan et s'est installée. Elle a attendu patiemment pendant que j'ouvrais un paquet de croissants viennois de la meilleure boulangerie en ville.

Carole Garbuny Vogel

Le treillis

Pourquoi est-ce si difficile, me dis-je en moi-même. *Je n'ai qu'à attacher ensemble quelques lattes de bois et les peindre en blanc, mais j'ai l'impression de préparer la croix de ma propre exécution. J'ai rempli un bloc-notes de dessins et j'ai une forêt de lattes de pin. Je veux que ce soit réussi.*

Ta demande était pourtant modeste : « J'aimerais un treillis blanc. Un fond de scène pour mon mariage. Sarah Parkes le recouvrira de lierre. Ce sera superbe, papa. Un symbole de la vie. »

J'étais content que tu me demandes de faire ce treillis parce que je voulais participer à ce mariage. Il semble que les hommes soient toujours de trop dans ces occasions — des pions qui attendent qu'on leur dise où se placer. Même si le marié ne se présentait pas, il ne manquerait à personne. On mettrait une silhouette de carton à sa place et les gens n'y verraient que du feu.

Les mariages sont le domaine des femmes, par les femmes, pour les femmes. Par contre, ce treillis me donne l'occasion de jouer un rôle.

Si jamais j'arrive à le terminer.

J'ai fait des choses beaucoup plus difficiles pour toi, comme ce berceau colonial pour ta poupée, et cette maison de poupée de deux étages dont les meubles étaient fabriqués à la main. Sans parler de ton pupitre avec tous ses tiroirs.

Pourtant, ce treillis !

Agenouillé sur le patio, je tresse soigneusement les lattes de pin en croisillons et une forme commence lentement à se profiler. En travaillant, je pense à la façon dont ta vie s'est tissée elle-même dans la mienne et je me demande ce que je serai sans Natalie à la maison.

Est-il possible de défaire vingt et une années de partage? Un père peut-il donner sa fille sans se détruire un peu lui-même?

Ce n'est pas parce que je ne veux pas que tu te maries. Au contraire. Quand tes rêves se réalisent, de même les miens se réalisent. Matt est un très bon parti. Un homme doux et beau, aussi dévoué à toi que le sont tes parents. « Nat et Matt » ça rime, comme dans un petit poème.

J'ai de la difficulté à voir où fixer ces petits clous. Probablement une allergie. Ou encore, c'est cette fraîche brise d'avril qui irrite mes yeux. Ou encore, l'odeur forte du pin.

Ils érigeront ce treillis sur la scène à l'église. Mon rôle sera de te prendre par le bras et de doucement descendre l'allée avec toi jusqu'au treillis. Un autre homme t'aidera à franchir la prochaine étape de ta vie. Je serai là, assis avec ta mère d'un air stoïque, et je te regarderai étreindre un autre homme. Ta sœur interprétera tes chansons favorites. Tes grands-pères présideront la cérémonie. Puis, Dieu viendra bénir cette union. Ta mère a tout organisé.

Tout ce que j'ai à faire, c'est de terminer ce simple treillis.

Après le mariage, on repliera cette charmille de lierre et on l'entreposera dans un sombre réduit où elle sera vite oubliée. Mais les souvenirs de ma petite fille s'enrouleront autour de la charmille de mon cœur pour le reste de ma vie.

Je dresse le treillis contre le mur du garage et je le couvre d'une peinture d'un blanc éclatant — un vernis odorant qui couvre le vieil arbre rugueux de beauté et de promesse.

Une fois peint, le treillis ressemble à un portillon d'albâtre. Un portillon qui s'ouvre sur un avenir que je pourrais ne jamais voir si tu vas vivre au loin. Qui sait ce qui se passera sur la longue route de la vie? Il y aura de longues journées pleines d'une douce monotonie. Il y aura de beaux moments de joie. Et de sombres heures de peine. Je te souhaite tout le spectre de la vie.

J'essuie la peinture sur mes doigts avec un torchon qui était ton t-shirt favori. Puis, je me recule pour évaluer mon œuvre.

Sans le lierre, le portillon a l'air si vide et si seul.

Après tout, ce n'est qu'un simple treillis.

Il est enfin terminé.

Par contre, c'est la chose la plus difficile que j'ai jamais faite.

Daniel Schantz

Une dernière lettre à un père

Viens, la mort, si tu le dois : tu ne peux pas nous diviser; tu ne peux que nous unir...

Franz Grillparger

Cher papa,

Il y a déjà un an que tes enfants ont placé leurs cartes de vœux sur la table de la cuisine, espérant contre le sort que tu t'éveillerais le matin pour les lire. Mais, tu nous as quittés dans la noirceur de la nuit, décidé, j'en suis certaine, à nous éviter la peine additionnelle de te perdre le jour de la fête des Pères.

Cette année, il n'y aura pas de cartes. Juste ceci, ma dernière lettre pour toi.

Pendant longtemps après ta mort, j'ai regardé dans ma boîte aux lettres, espérant avoir des nouvelles de toi. Depuis que j'ai quitté la maison, il y a des années, tes lettres ont été une source constante de réconfort dans ma vie imprévisible. Tes lettres étaient des missives drôles, pleines de nouvelles que tu tapais régulièrement sur ta vieille machine à écrire. Quels films voir, lesquels éviter. Les derniers scandales à l'université. Tes voyages autour du monde avec maman. La graduation de Jay de la faculté de droit et ses fiançailles avec Debra — le jour de mon anniversaire! Les aventures de Mich à Hollywood. Les naissances, les décès et les divorces.

Parfois, il y avait de l'argent que je ne t'avais pas demandé; tu devinais mes besoins.

J'ai conservé toutes les lettres que tu m'as écrites en me disant que, lorsque je serais une vieille femme, je dépoussiérerais la boîte et j'ouvrirais chacune d'elles comme un cadeau précieux... chaque feuille dactylographiée étant une chronique de la vie de notre famille et de l'évolution du monde, année après année. Comment pouvais-je deviner que j'allais ouvrir ces boîtes si tôt?

Le 10 décembre 1987. *Tu parles de l'année qui s'achève avec l'exubérance qui marque chacune de tes lettres. Tes étudiants, aux prises avec des crises prévisibles « d'hystérie et d'anxiété », préparent leurs examens. Les invitations pour les Fêtes qui arrivent, les cousins qui viendront fêter le Nouvel An avec vous. Tu nous souhaites, à Barry et à moi, bonne chance dans notre voyage au Minnesota en nous suggérant de commencer à pratiquer comment nous réchauffer. « La chaleur humaine », suggères-tu d'un air narquois, « est un bon début. »*

Le 12 janvier 1988. *Tu ne parles du cancer, qui a été diagnostiqué trois jours avant Noël, qu'au quatrième paragraphe. Tu commences par nous demander comment se déroule notre vie en Sibérie... euh.. au Minnesota, et tu m'assures que je suis la meilleure écrivaine de ma génération. Bien sûr. Enfin, tu me dis que ton oncologue a suggéré un traitement expérimental en Arizona. « Pourquoi pas? dis-tu. Je vais l'essayer. » D'autre part, tu insistes pour dire que la vie continuera normalement. Tu me promets que tu vas vivre jusqu'à 100 ans.*

Le 22 janvier 1988. *J'apprends que tu es allé chez le coiffeur, que tu as rencontré Connie, que tu as pris le brunch avec des amis, que tu patauges dans tes impôts et que tu as décidé d'annuler ton voyage à New York, « parce que la température est imprévisible en ce temps-ci de l'année ». Avant de terminer, tu me dis que tes médicaments te donnent des symptômes qui ressemblent à ceux de la grippe et tu t'excuses de faire autant de fautes de frappe. Je n'avais pas remarqué. C'est difficile, finis-tu par admettre, mais tu tiens bon. « Tiens-toi au chaud, dis-tu amoureusement en concluant, et prie pour moi. »*

Le 14 mars 1988. *Les cancans de la vie quotidienne ont été relégués au dernier paragraphe. Tu commences par me dire ta gratitude chaque jour et comment tu apprécies les choses naturelles de la vie. Tu te fixes toujours des buts et tu es toujours optimiste. Tu attends avec impatience une retraite anticipée. Tu te moques de ta perte de poids, tu te décris comme « une face de prune » et tu me dis que, lorsque Barry et moi arriverons à la fin du mois, tu auras repris du poids. Je t'envoie un pack de protéines liquides à saveur de café, ta saveur favorite. Je commence à me sentir impuissante.*

Le 7 avril 1988. *Maman et toi anticipez le plaisir de nous visiter au Minnesota. Tu me remercies d'avoir compris que tu seras plus à l'aise à l'hôtel. Tu as commencé à mettre de l'ordre dans ton immense collection de dossiers de travail en prévision de ta retraite, même s'il s'agit d'une tâche herculéenne qui te prendra tout l'été. Tu dis « tout l'été » et cela me réjouit. Ma vision des choses a changé étonnamment. Il y a à peine trois mois, je craignais que tu ne puisses tenir ta promesse de vivre jusqu'à 100 ans. Aujourd'hui, je prie que tu sois toujours là pour voir les feuilles rougir en septembre.*

Je dépose ta lettre et mon esprit est envahi par les souvenirs. Mon père, dont la douce voix me chantait des berceuses pour m'endormir quand j'étais enfant, qui m'accompagnait sans jamais se plaindre quand je livrais les journaux à 5 heures du matin, qui m'a enseigné la grammaire, qui m'a conseillé pendant mon adolescence et qui a adressé les 200 invitations pour mon mariage... que serait mon univers sans toi?

Le 23 mai 1988. *Ta main faible a écrit mon nom et mon adresse sur l'enveloppe, tu as utilisé du correcteur pour réparer tes erreurs. J'ouvre lentement l'enveloppe et je regarde d'un air absent des mots sur la page, avec des fautes que tu as diligemment essayé de corriger — toi le perfectionniste de la grammaire. « Cette machine à écrire est en train* *de mourir », expliques-tu. « Nous devons commencer à penser à nous acheter un traitement de texte. » Pendant un instant précieux, je me sens euphorique : tu vas guérir! Tu vas t'acheter un traitement de texte! Mais ton mot de la fin me ramène brutalement à la réalité. « Sois en santé, heureuse et ne pleures pas pour moi, écris-tu. Et quand tu penses à moi, souris. »*

Une semaine plus tard, je comprends qu'il n'y aura pas d'autre lettre. Je réponds au téléphone et j'entends ta voix qui me demande de venir à la maison.

Il y a un an que tu es mort, la veille de la fête des Pères, le 18 juin 1988. À cette époque, j'étais certaine que je ne pourrais plus jamais passer par le rayon des cartes de vœux de la fête des Pères au supermarché sans craquer. Pourtant, il y a une semaine, je me suis retrouvée en train de les regarder, il y en avait des centaines, des drôles, des sérieuses, des sentimentales, et je n'ai eu aucune difficulté à en choisir une. C'était pour Barry, ton gendre dévoué, qui est papa depuis à peine deux mois.

C'est ainsi que le cycle continue. Naissance, mort, suivis du merveilleux et de la magie d'une nouvelle naissance. Mais, au moment où je change de rôle, quittant celui d'enfant pour celui de parent, je comprends que personne ne pourra jamais te remplacer — mon père et son grand sens de l'humour, son courage et sa grâce — ou remplacer tes superbes lettres, parfois pénibles, des lettres qui m'ont apporté de la chaleur et ont documenté mon univers pendant les vingt-neuf premières années de ma vie.

Repose en paix, papa, et sache que, lorsque je pense à toi en ce jour de la fête des Pères, et chaque autre jour, je ne pleurerai pas. Je sourirai.

Ta fille qui t'aime,
Gail

Gail Rosenblum

Un sou économisé

Ceux qui aiment profondément ne vieillissent jamais; ils peuvent mourir de vieillesse, mais ils meurent jeunes.

Benjamin Franklin

Ma mère disait souvent : « Tu me coûtes un joli sou! » C'était vrai. Quand mon frère et ma sœur sont devenus grands et ont quitté la maison, mes parents ont découvert qu'un autre bébé était en route. À quarante-trois ans, dans un petit hôpital, en 1937, ma mère m'a donné naissance. Le montant total de la facture s'est élevé à la faramineuse somme de quarante-sept dollars. Peut-on imaginer? Quarante-sept dollars! Un joli sou en effet pour l'époque!

Nous n'étions pas riches, mais maman était travaillante et créative. « L'économie protège du besoin », telle était sa devise. Souvent, je m'endormais au rythme martelant et sourd de sa machine à coudre à pédale. Du coton frais et brillant et des lainages robustes et rugueux glissaient sous l'aiguille alors qu'elle cousait jusque tard dans la nuit, en imitant la mode alors en vogue afin que je sois bien habillée.

Maman a gratté les fonds de tiroirs pour que je prenne des leçons de musique. La maison était remplie de bruit — mes doigts gambadaient sur les notes du piano, l'archet frottait sur les cordes du violon, grinçant comme un chat, la queue prise sous une berçante.

Nos voix chantaient en harmonie nos chansons préférées. Nous étions un « quatuor d'hommes » — moins deux — quand nous chantions « By the Light of the Silvery Moon » ou « In the Good Old Summertime ». Parfois, nous étions les Andrew Sisters qui chantaient « The White Cliffs of Dover » et « Till We Meet Again ». Combien nous aimions les succès de comédies musicales comme « Happy Days Are Here Again » et « Tea for Two ».

Maman m'a appris à dire la vérité. Elle m'a enseigné comment changer les vitesses en douceur sur notre Packard grise 1937 que nous avions baptisée « Eunice ». Elle m'a enseigné la valeur du travail pour obtenir les choses qu'on désire.

Ma mère était aussi populaire auprès de mes amis qu'auprès de moi. Chaque fois que nous entrions dans la cuisine, nous étions accueillis par l'odeur alléchante du fudge, des beignets aux pommes de terre chauds, d'une tarte juteuse aux groseilles ou d'un pain chaud à la levure. C'étaient là les odeurs de bienvenue. Elles représentaient le confort. Elles représentaient la maison.

Pendant mes études universitaires dans les années cinquante, maman et moi avons entretenu notre étroite relation par correspondance, en échangeant nos pensées, nos opinions et nos expériences. Pour économiser des timbres, nous avions développé l'art unique de condenser beaucoup de mots dans le plus petit espace sur une carte postale. Il n'y avait pas un espace perdu. Après tout, « un sou économisé est un sou gagné ».

Mes cinq enfants sont nés alors qu'elle avait soixante-dix ans bien sonnés, et elle nous rendait visite aussi souvent que possible. À quatre-vingt-huit ans, maman est venue vivre en permanance avec notre famille.

Avec joie, nous avons réorganisé notre maison pour la loger. Elle me suivait partout, elle poussait le panier d'épicerie, nous allions luncher à *son* restaurant favori, le McDonald's. En nous rendant en auto, elle chantait : « One for the money, two for the show, three to get ready, and four to go! »

Ce furent des années heureuses. Quand le petit Matthew voulait de l'attention, il savait exactement où aller. Il se lovait dans les rondeurs au parfum de lilas de grand-maman. Elle était toujours prête à câliner. Elle lissait ses cheveux tout en lui lisant son histoire favorite encore, encore et encore — sans jamais dire « Assez! » ou sans sauter un mot. Grand-maman ne se pressait jamais.

Pour mes jumelles, grand-maman était une âme sœur. Elles faisaient montre de leur garde-robe, de leurs amis et de leurs amoureux devant ses yeux approbateurs. Grand-maman leur accordait toujours toute son attention.

Mes adolescents lui faisaient part de leurs doléances. Elle savait quand taquiner, quand sympathiser, quand écouter. Grand-maman avait toujours le temps d'écouter.

Les années passaient et maman vieillissait. D'abord, ce fut une canne. Puis un déambulateur. Plus tard, elle ne descendait plus ni ne montait l'escalier. C'était pénible de la voir prendre de l'âge. Avec sagesse, elle disait : « La mauvaise santé est comme un vieux sou; elle se manifeste tôt ou tard. » Maintenant, c'était à *mon* tour de prendre soin d'*elle*.

Je lui apportais ses repas à l'étage, m'assoyais avec elle dans ma grande chambre, nous regardions la télévision, je repassais, je reprisais, je faisais mes comptes — lui tenant compagnie pendant qu'elle faisait de la broderie. Nous parlions. Nous partagions des souvenirs. Nous chantions nos airs favoris, indifférentes au fait que — l'une comme l'autre — nous chantions *toujours* faux. J'ai acheté de la laine et elle a crocheté des couvertures. Mais un jour, elle a déposé son chochet et ne l'a plus jamais repris.

Maman dépérissait, et sa vue aussi. C'était maintenant un Matthew plus âgé qui montait l'escalier. Il se frayait une place dans le lit de grand-maman, s'installait près d'elle et, à son tour, il *lui* faisait la lecture. Il n'a jamais sauté un mot.

Quand je massais son corps fragile avec de la lotion ou que je mettais de la poudre sur sa peau douce, j'embrassais son dos de velours. « Tu sais, *cette* partie ne paraît pas quatre-vingt-quinze ans », lui disais-je en la taquinant.

Alors qu'elle s'éteignait davantage, de nouvelles tâches étaient maintenant nécessaires. Au début, lui donner son bain et l'amener aux toilettes; ensuite l'habiller; et à la fin, hacher la nourriture, la nourrir à la cuiller… mettre les couches. Nos rôles ont changé. J'avais maintenant l'impression d'être *sa* mère, qu'elle était *mon* enfant, et que nous attendions toutes deux la fin.

Six mois avant son quatre-vingt-dix-huitième anniversaire, maman est morte paisiblement dans le confort de son petit lit, dans sa propre petite chambre… dans ma maison. En bas dans la cuisine, le pain au levain gonflait, remplissant l'air d'une odeur de confort, l'odeur de la maison.

Comme dernier geste, j'ai choisi d'habiller le tendre et vieux corps de maman — cette fois pour les funérailles. J'ai eu l'impression une nouvelle fois que nos rôles étaient renversés. Je suis redevenue l'enfant pleurant la perte de sa mère.

De nos jours, la plupart des gens n'ont pas avec eux leur mère de quatre-vingt-dix-sept ans. J'ai été privilégiée de l'avoir, de m'en occuper, et peut-être de compenser un peu les grands sacrifices qu'elle a faits pendant mon enfance. En regardant ses cartes postales d'un sou que j'ai conservées précieusement toute ma vie, je ne peux que penser : un joli sou, en effet!

Carita Barlow
Tel que raconté à Carol McAdoo Rehme

Les bouquets d'Emma

Par une journée chaude de juin, ma mère et moi avons traversé la frontière du Texas et nous sommes dirigées vers Minden, à l'ouest de Shreveport, en Louisiane. Même si nous n'habitions pas loin de la vieille ferme familiale de la famille George, où mes arrière-grands-parents avaient vécu il y a cent ans, je n'y étais jamais allée.

En approchant de la ferme familiale, au-delà des douces collines bordées de pins aux longues aiguilles, de gommiers et d'ormes rouges, j'ai pensé à ce qui nous reliait aux générations précédentes de notre famille. Est-ce seulement une question de couleur des yeux, de taille ou de groupe sanguin? Ou y a-t-il d'autres liens qui nous unissent? Si mon arrière-grand-mère Emma pouvait revenir sur terre, trouverait-elle des signes familiers dans ma génération?

Quand maman et moi sommes entrées sur la propriété George, nous avons vu devant nous une vraie maison de ferme du Sud — surtout le porche, rattaché à une maison. Bien que ce ne fût qu'une simple maison de ferme, les fenêtres avant étaient décorées de moulures ornementales sculptées, et les marches menant au porche — avec de chaque côté de larges colonnes en brique assises sur des socles de granit — étaient immenses, trois mètres de largeur. La maison ressemblait étrangement aux maisons que mon frère, ma sœur et moi possédions, même si aucun d'entre nous n'avait vu cet endroit. Quand, par exemple, j'ai acheté ma vieille maison de ferme en Caroline du Nord, la première chose que j'ai faite a été d'ajouter une réplique de ce porche. Similairement, les maisons en Louisiane de mon frère et de ma sœur, bien qu'elles aient été dessinées récemment par des architectes, ressemblaient drôlement à la vieille propriété George.

Tout en marchant dans le jardin avec ma mère, où il y avait des roses, des lys d'un jour, des iris, du *vitex* et des phlox encore en fleurs, ma mère a dit : « Ton arrière-grand-mère Emma aimait les fleurs. » Voulant garder une partie de ceci, mon héritage, je me suis agenouillée et j'ai pris des graines d'iris.

Comme je voulais aussi avoir un souvenir de l'intérieur de la maison avant qu'elle ne tombe en ruine et soit détruite par le temps, nous avons exploré l'intérieur avec précaution, et nous avons remarqué les planches de pin de 50 centimètres de largeur, les poutres taillées à la main et les briques de terre glaise faites à la main, chacune marquée d'un G. Dans la chambre à coucher, j'ai découvert le papier peint d'Emma qui datait de 1890 — un motif floral, naturellement, composé de larges bouquets de roses ivoire et roses. Le papier peint se détachait des planches de pin mais il était toujours très joli après tout ce temps, tout comme le jardin de mon arrière-grand-mère. Je savais que c'était là le souvenir que je voulais apporter. Avec le tout petit canif attaché à mon porte-clés, j'ai découpé deux morceaux de 30 cm x 30 cm, un pour moi et l'autre pour ma jeune sœur, Cindy.

Avant de retourner à la maison, maman et moi sommes restées sur ce porche familier et avons gardé un moment de silence avant l'adieu. À cet instant, je me suis sentie en grande communion avec mes ancêtres, comme s'il y avait des fils invisibles qui nous unissaient, ancrant chaque génération successive aux précédentes. Toutefois, sur le chemin du retour, je me suis demandé si je ne m'imaginais pas trop de choses à propos de ces liens familiaux. Le penchant pour les grands porches n'était peut-être qu'une coïncidence.

Le lendemain, voulant partager l'expérience de ce voyage avec Cindy, je suis allée chez elle. Elle était dans la cuisine, regardant attentivement et avec bonheur les objets qu'elle avait achetés lors d'un récent voyage en Angleterre pour décorer sa maison. Nous nous sommes assises ensemble à la table et je lui ai décrit la ferme de nos arrière-grands-parents avec sa véranda, ses fenêtres du plancher au plafond et ses plafonds hauts qui avaient, d'une certaine façon, été recopiés dans les maisons des arrière-petits-enfants des George. Nous avons ri de ma robe que j'avais tachée de boue en cueillant des graines de fleurs, et je lui ai ensuite montré le petit carré de papier peint que je lui avais rapporté en souvenir.

Elle a paru étonnée, figée comme le marbre, et tout à fait silencieuse. J'ai pensé que, en tant que grande sœur, je l'avais offensée avec mon histoire. Puis, elle est allée chercher la boîte qui contenait son matériel de rénovation et en a tiré les rouleaux de papier peint neufs venus d'Angleterre. Le motif était exactement le même — les nuages de gouttelettes ivoire-rose et les bouquets de roses étaient ceux d'Emma.

Les bouquets d'Emma avaient trouvé leur chemin dans le présent.

Pamela George

Entre les lignes

L'amour est quelque chose que vous pouvez laisser derrière vous en mourant. Il est à ce point puissant.

Jolik (Fire) Lame Deer Rosebud Lakota

Après un service funèbre émouvant pour mon père bien-aimé, Walter Rist, notre famille s'est réunie dans la maison de notre enfance avec maman. Le souvenir de papa dansait dans ma tête. Je pouvais voir ses chauds yeux bruns et son sourire contagieux. Je le voyais, 1,97 m, avec son chapeau et son manteau, se diriger à l'université pour y enseigner. Rapidement, une nouvelle scène a pris place dans mon esprit : papa en t-shirt qui frappait vers nous, enfants, de longues balles avec un bâton de baseball, sur la pelouse avant, il y a bien des années.

Mais les souvenirs spéciaux ne pouvaient pas effacer les ombres de la séparation avec l'homme que nous aimions.

Plus tard dans la soirée, alors que nous cherchions quelque chose dans la penderie, nous avons trouvé un sac en papier sur lequel il était écrit « L'album de Charlotte ». Par curiosité, je l'ai ouvert. Tout était là — mon album de découpures « Inspirations glanées ici et là » que j'avais gardé de mon adolescence. Je l'avais complètement oublié jusqu'à ce moment où j'ai feuilleté les pages de vieilles photos collées, de magazines et de bulletins paroissiaux. Elles étaient agrémentées de découpures de citations célèbres, de versets de la Bible et de poésie. *C'était moi, adolescente,* ai-je pensé. Les désirs de mon cœur.

Ensuite, j'ai vu quelque chose que je n'avais jamais remarqué avant — l'écriture de mon père au crayon de plomb, page après page! Ma gorge s'est serrée en lisant les petites notes que papa y avait glissées pour communiquer avec moi. Il y avait des messages d'amour et des perles de sagesse. Je n'avais aucune idée quand il les avait écrites, mais c'était le bon jour pour les trouver!

À la première page, papa avait écrit: « La vie n'est jamais un fardeau si l'amour est présent. » Mon menton tremblait, tout mon corps tremblait. Je pouvais à peine croire l'à-propos de ses mots. J'ai tourné les pages pour lire encore.

Sous une photo d'une mariée que le père donnait en mariage, papa a écrit : « Combien j'étais fier de descendre l'allée avec toi, Charlotte! »

Près d'une copie du Notre-Père, il avait gribouillé : « J'ai toujours trouvé la force dont j'avais besoin, mais seulement avec l'aide de Dieu. » Quel réconfort!

J'ai tourné jusqu'à une photo d'un jeune garçon assis sur le gazon avec un bon chien colley qui avait la tête sur ses genoux. Sous la photo, il y avait ces mots : « J'ai eu un colley comme celui-ci quand j'étais garçon. Elle a été frappée par une automobile et elle est disparue. Trois semaines plus tard, elle est revenue en boitant, la patte cassée, la queue coupée. Elle s'appelait Queenie. Elle a vécu encore plusieurs années. Je l'ai vue donner naissance à sept chiots. Je l'aimais beaucoup. Papa. »

Mes yeux humides se sont voilés en lisant une autre page. « Chère Charlotte, écoute tes enfants! Laisse-les parler. Ne les repousse jamais. Ne considère jamais leurs propos insignifiants. Prends la main de Bob chaque fois que tu le peux. Prends les mains de tes enfants. Tu transféreras ainsi beaucoup d'amour, beaucoup de chaleur dont ils se souviendront. » Quel trésor de conseils adressés à moi, une épouse et une mère! Je me suis accrochée aux mots de mon père, dont la grosse main douce tenait souvent la mienne.

Pendant ces moments où je feuilletais l'album, un réconfort incroyable se gravait sur le canevas gris de ma vie. Sur mon canevas, le jour de son enterrement, mon père a eu un « dernier mot » d'amour. Une surprise si précieuse, sans doute permise par Dieu, a jeté une lumière victorieuse sur l'ombre de mon chagrin. J'ai pu continuer ma vie, soutenue par une toute nouvelle force.

Charlotte Adelsperger

Un héritage dans un chaudron à soupe

Avez-vous déjà remarqué que plus votre vie semble occupée, plus elle vous paraît vide? Je me souviens d'avoir ouvert mon livre de rendez-vous tôt un lundi matin — beaucoup de réunions, d'échéances et de projets m'attendaient, qui dérangeaient mon esprit et sollicitaient mon attention. Je me rappelle avoir pensé pour la énième fois : *Quelle réelle importance a tout cela?*

Plus tard, dans toute cette introspection, je me suis souvenue de ma grand-mère adorée. Grand-maman avait une sixième année, une abondance de sagesse toute simple et un merveilleux sens de l'humour. Tous ceux qui l'ont connue pensaient que le jour de sa naissance était très approprié, le premier avril — le jour des farces, des rires et de l'humour — et elle a certainement passé sa vie à remonter le moral de chacun.

Elle n'était pas intellectuelle. Mais pour un enfant, elle personnifiait Disney World. Toutes les activités avec grand-maman constituaient un événement, une occasion de célébrer, une raison de rire. En y repensant, je constate que l'époque était différente, le milieu était différent. La famille, le plaisir et la nourriture jouaient un rôle important.

La vie de grand-maman gravitait autour des repas — des occasions qu'il fallait planifier, savourer et aimer. Les petits-déjeuners chauds et assis étaient obligatoires. La préparation du dîner commençait à 10 h 30 chaque matin, avec une soupe qui mijotait, et la planification du souper débutait à 15 h 30 par un coup de téléphone au boucher du coin pour une livraison. Grand-maman a passé sa vie à répondre aux besoins les plus essentiels de sa famille.

En faisant un arrêt pour prendre, une fois de plus, un repas à emporter pour dîner, mon esprit s'est envolé vers sa cuisine. La vieille table de cuisine en chêne, avec un seul pied… les chaudronnées de soupe toujours présentes, les ragoûts et les sauces qui mijotaient toujours sur le feu… les nappes accueillantes tachées de l'amour d'un précédent repas. *Mon Dieu,* ai-je pensé. *J'ai plus de quarante ans et je n'ai encore jamais fait une chaudronnée de soupe ou un ragoût à partir des restants!*

Soudain, les contenants de carton de repas à emporter à côté de moi avaient l'air presque obscènes. J'avais l'impression d'avoir reçu un héritage extraordinaire et, pour une raison ou une autre, je n'avais jamais réussi à le transmettre.

Le lendemain, j'ai fouillé le grenier à la recherche d'une boîte de carton qui avait été entreposée là. Cette boîte m'avait été donnée il y a vingt-cinq ans, quand grand-maman avait décidé de déménager de sa vieille maison de ferme. Adolescente, je me souviens vaguement d'avoir regardé mon « héritage ». Chaque petite-fille avait reçu un sac à main. Le mien était un sac de soirée agrémenté de pierreries, qui datait environ des années 1920. Je me souviens de l'avoir porté pour ma graduation. Par contre, comme j'étais une adolescente impétueuse au moment où j'ai reçu mon « héritage », je ne me suis jamais vraiment occupée des autres choses. Elles sont demeurées emballées dans cette même boîte, enterrée quelque part au grenier.

Il n'a pas été difficile de repérer la boîte, et il a été encore plus facile de l'ouvrir. Le ruban adhésif était vieux et a cédé facilement. En ouvrant la boîte, j'ai vu que grand-maman avait enveloppé certains articles dans de vieilles serviettes de lin — un beurrier, un vase et, au fond, un de ses vieux chaudrons à soupe. Le couvercle était fixé au pot lui-même avec du ruban adhésif. J'ai décollé le ruban et enlevé le couvercle.

Au fond du chaudron, il y avait une lettre écrite de la main de grand-maman:

Ma chère Barbara,

Je sais que tu trouveras ceci un jour, peut-être dans bien des années. En lisant cette note, souviens-toi combien je t'aimais, car je serai avec les anges et je ne pourrai pas te le dire moi-même.

Tu as toujours été si impétueuse, si rapide, si pressée de grandir. J'ai souvent souhaité pouvoir te garder bébé toujours. Quand tu cesseras de courir, quand le temps sera venu pour toi de ralentir, je veux que tu sortes le vieux chaudron de ta grand-maman et que tu fasses de ta maison un foyer. J'ai inclus la recette de ta soupe favorite, celle que j'avais l'habitude de te faire quand tu étais mon bébé.

N'oublie pas que je t'aime, et l'amour est éternel.

Ta grand-maman

Je me suis assise pour lire et relire cette note ce matin-là, pleurant de ne pas l'avoir plus appréciée quand elle était près de moi. *Tu étais tellement précieuse,* me suis-je dit en moi-même. *Pourquoi ne me suis-je même pas préoccupée de regarder dans ce chaudron pendant que tu étais encore en vie!*

Ce soir-là, mon porte-documents est resté fermé, le répondeur a continué à clignoter et les désastres du monde extérieur ont été mis en attente. J'avais une chaudronnée de soupe à préparer.

Barbara Davey

À propos des auteurs

Jack Canfield

Jack Canfield est l'un des plus grands spécialistes américains du développement du potentiel humain et de l'efficacité personnelle. Il est un conférencier dynamique et divertissant, et un formateur très en demande. Jack possède un talent extraordinaire pour informer et amener ses auditoires vers des degrés élevés d'estime de soi et de rendement maximum.

Il est l'auteur et le narrateur de nombreuses cassettes et vidéocassettes à grand succès, dont *Self-Esteem and Peak Performance, How to Build High Self-Esteem, Self-Esteem in the Classroom* et *Bouillon de poulet pour l'âme* — enregistrées devant un auditoire. On le voit régulièrement à la télévision dans des émissions telles *Good Morning America, 20/20* et *NBC Nightly News.* Jack est coauteur de nombreux livres, dont la série *Bouillon de poulet pour l'âme, Dare to Win* et *The Aladdin Factor* (tous avec Mark Victor Hansen), *100 Ways to Build Self-Concept in the Classroom* (avec Harold C. Wells) et *Heart at Work* (avec Jacqueline Miller).

Jack est très souvent le conférencier invité auprès d'associations de professionnels, de commissions scolaires, d'agences gouvernementales, d'églises, d'hôpitaux, d'équipes de vente et de sociétés. Parmi ses clients, on compte American Dental Association, American Management Association, AT&T, Campbell Soup, Clairol, Domino's Pizza, GE, ITT, Hartford Insurance, Johnson & Johnson, Million Dollar Roundtable, NCR, New England Telephone, Re/Max, Scott Paper, TRW et Virgin Records. De plus, il est enseignant à Income Builders International, une école pour entrepreneurs.

Jack dirige un séminaire annuel de huit jours, le programme *Training of Trainers*, dans les domaines de l'estime de soi et de la maximisation de la performance. Ces séminaires attirent des éducateurs, des conseillers, des formateurs dans l'art d'être parent, des formateurs dans le domaine des affaires, des conférenciers professionnels, des membres du clergé et d'autres personnes intéressées à améliorer leurs compétences de conférenciers et d'animateurs de séminaires.

Mark Victor Hansen

Mark Victor Hansen est un conférencier professionnel qui, pendant les vingt dernières années, a donné au-delà de 4 000 conférences à plus de deux millions de personnes dans trente-deux pays. Dans ses exposés, il parle de stratégies et d'excellence dans la vente; de la croissance personnelle et de l'art de se prendre en main, et comment tripler vos revenus et doubler vos temps libres.

Toute sa vie, Mark s'est donné pour mission de changer profondément et positivement la vie des gens. Pendant toute sa carrière, il a inspiré des milliers de gens à se bâtir un avenir plus fort et plus significatif pour eux-mêmes, tout en stimulant la vente de produits et services pour des milliards de dollars.

Mark est un auteur prolifique. Il a signé les livres *Future Diary, How to Achieve Total Prosperity* et *The Miracle of Tithing*. Il a cosigné la série *Bouillon de poulet pour l'âme, Dare to Win* et *The Aladdin Factor* (avec Jack Canfield) et *The Master Motivator* (avec Joe Batten).

Mark a également produit une bibliothèque complète de programmes sur audio et vidéocassettes à propos de s'assumer personnellement, ce qui a permis à ses auditeurs de reconnaître et d'utiliser leurs aptitudes innées dans leur vie professionnelle et personnelle. Son message a fait de lui une personnalité populaire de la télévision et de la radio. Il a participé à des émissions sur ABC, NBC, CBS, HBO, PBS et CNN. Il a aussi été photographié en page couverture de nombreux magazines, dont *Success*, *Entrepreneur* et *Changes*.

Mark est un grand homme avec un cœur et un esprit à sa mesure. Il est une inspiration pour tous ceux qui cherchent à s'améliorer.

Jennifer Read Hawthorne

Jennifer Read Hawthorne est une des auteurs #1 des best-sellers du *New York Times*, de *Bouillon de poulet pour l'âme de la femme* et *Bouillon de poulet pour l'âme d'une mère.* Elle travaille présentement à la préparation de nouveaux livres *Bouillon de poulet pour l'âme,* et elle donne des conférences à l'échelle nationale sur le thème de *Bouillon de poulet pour l'âme* dans lesquelles elle partage des histoires inspirantes d'amour et d'espoir, de courage et de rêves.

Jennifer est reconnue comme une conférencière dynamique et perspicace qui a un grand sens de l'humour et un talent pour raconter des histoires. Depuis son enfance, elle a développé un grand amour de la langue que lui ont transmis ses parents. Elle attribue son goût de conteuse à l'héritage de son défunt père, Brooks Read, un maître conteur renommé dont les histoires originales de Brer Rabbit ont rempli son enfance de magie et du sens de la puissance des mots.

À titre de volontaire du Peace Corps, en Afrique de l'Ouest, où elle enseignait l'anglais comme langue seconde, Jennifer a découvert que les histoires sont un moyen universel d'enseigner, d'émouvoir, de motiver et de relier les gens. Ses conférences *Bouillon de poulet pour l'âme* font pleurer et rire ses auditoires; plusieurs personnes ont dit que leur vie s'était améliorée après l'avoir entendue.

Jennifer est une des fondatrices de The Esteem Group, un société spécialisée dans l'estime de soi et les programmes de motivation pour les femmes. Conférencière professionnelle depuis 1975, elle a parlé devant des milliers de personnes partout dans le monde sur la croissance personnelle, le développement personnel et le succès professionnel. Parmi ses clients, elle compte des associations professionnelles, des entreprises du Fortune 500, et des organismes gouvernementaux et éducatifs tels AT&T, Delta Airlines, Hallmark Cards, The American Legion, Norand, Cargill, l'État de l'Iowa et l'Université Clemson.

Jennifer est née à Baton Rouge, en Louisiane, où elle a obtenu un diplôme en journalisme de l'Université d'État de la Louisiane. Elle vit à Fairfield, Iowa, avec son mari, Dan, sa belle-fille et son beau-fils, Amy et William.

Marci Shimoff

Marci Shimoff est une des auteurs #1 des best-sellers du *New York Times,* de *Bouillon de poulet pour l'âme de la femme* et *Bouillon de poulet pour l'âme d'une mère.* Elle est aussi conférencière professionnelle et formatrice qui, depuis 17 ans, inspire des milliers de personnes par son message de croissance personnelle et professionnelle. Elle dirige des séminaires et donne des conférences sur l'estime de soi, la gestion du stress, les habiletés de communication et l'optimisation de la performance. Depuis 1994, elle s'est spécialisée dans les conférences sur le thème de *Bouillon de poulet pour l'âme* qu'elle donne dans le monde entier.

Marci est une des fondatrices et présidente de The Esteem Group, une société spécialisée dans l'estime de soi et les programmes de motivation pour les femmes. Conférencière recherchée par des sociétés du Fortune 500, Marci compte parmi ses clients AT&T, General Motors, Sears, Amoco, American Airlines et Bristol-Meyers Squibb. Elle a aussi été conférencière vedette devant des auditoires de nombreuses sociétés professionnelles, universités et associations de femmes. Elle est réputée pour son humour vif et son débit dynamique.

Marci a su allier son style énergique à une solide formation de base. Elle détient un MBA de UCLA; elle a aussi étudié pendant une année en Europe et aux États-Unis pour obtenir un certificat d'études supérieures à titre de consultante en gestion du stress. Depuis 1989, Marci a étudié l'estime de soi avec Jack Canfield, et elle l'a assisté dans son programme annuel Training of Trainers destiné aux professionnels.

En 1983, Marci a été une des auteures d'une étude très réputée sur les cinquante plus importantes femmes d'affaires en Amérique. Depuis ce temps, elle s'est spécialisée dans les conférences devant des groupes de femmes, où elle se concentre à les aider à découvrir l'extraordinaire en elles.

De tous les projets qu'elle a touchés au cours de sa carrière, aucun ne lui a donné plus de satisfaction que la création des livres *Bouillon de poulet pour l'âme.* Elle travaille présentement à des éditions futures de *Bouillon de poulet pour l'âme* et elle est ravie d'avoir la chance d'aider à toucher les cœurs et à remonter le moral de millions de personnes dans le monde.

Autorisations

Nous aimerions remercier les personnes et les éditeurs qui nous ont permis de reproduire le matériel suivant. (Remarque : Les histoires qui sont du domaine public ou qui ont été écrites par Jack Canfield, Mark Victor Hansen, Jennifer Read Hawthorne ou Marci Shimoff ne sont pas incluses dans cette liste.)

Le portefeuille. Reproduit avec l'autorisation de Arnold Fine. © 1998 Arnold Fine.

Un cadeau pour Robby. Reproduit avec l'autorisation de Toni Fulco. © 1998 Toni Fulco.

Un miracle d'amour. Reproduit avec l'autorisation de Shirlee Allison. © 1998 Shirlee Allison.

Un rêve devenu réalité. Reproduit avec l'autorisation de Teresa Pitman. © 1998 Teresa Pitman.

Le plus beau des cadeaux; Un accouchement forcé et *Prends ma main.* Reproduits avec l'autorisation de LeAnn Thieman. © 1998 LeAnn Thieman.

L'étoile de Noël. Reproduit avec l'autorisation de Susan Adair. © 1998 Susan Adair.

Mon papa. Reproduit avec l'autorisation de Barbara E. C. Goodrich. © 1997 Barbara E. C. Goodrich.

Retrouvailles. Reproduit avec l'autorisation de Mary J. Davis. © 1998 Mary J. Davis.

L'amour en action. Extrait de *No Greater Love* par Mère Teresa. Reproduit avec l'autorisation de New World Library. © 1997 New World Library.

Le véritable esprit de Noël. Reproduit avec l'autorisation de Carolyn S. Steele. © 1998 Carolyn S. Steele.

Les bébés de Veronica. Reproduit avec l'autorisation de George M. Flynn. © 1997 George M. Flynn.

Voir avec le cœur. Reproduit avec l'autorisation de Barbara Jeanne Fisher. © 1998 Barbara Jeanne Fisher.

Un bonbon à la gelée pour l'Halloween. Reproduit avec l'autorisation de Evelyn M. Gibb. © 1998 Evelyn M. Gibb.

Concours de beauté. Reproduit avec l'autorisation de Carla Muir. © 1998 Carla Muir.

La cicatrice. Reproduit avec l'autorisation de Joanna Slan. © 1998 Joanna Slan.

Métissage. Reproduit avec l'autorisation de Isabel Bearman Bucher. © 1998 Isabel Bearman Bucher.

Les vieilles gens. Reproduit avec l'autorisation de Betty J. Reid. © 1998 Betty J. Reid.

Totalement libre. Reproduit avec l'autorisation de Elizabeth Bravo. © 1998 Elizabeth Bravo.

Une femme policière. Reproduit avec l'autorisation de Chris Mullins. © 1998 Chris Mullins.

En retard à l'école et *Le treillis.* Reproduit avec l'autorisation de Daniel Schantz. © 1998 Daniel Schantz.

Colore ma vie. Reproduit avec l'autorisation de Sharon M. Chamberlain. © 1997 Sharon M. Chamberlain.

Il m'a appris à voler. Reproduit avec l'autorisation de Cynthia Mercati. © 1998 Cynthia Mercati.

Le véritable amour. Reproduit avec l'autorisation de Frankie Germany. © 1998 Frankie Germany.

Le médaillon. Reproduit avec l'autorisation de Geery Howe. © 1998 Geery Howe.

La dot. Reproduit avec l'autorisation de Roy Exum. © 1998 Roy Exum.

Je ne comprendrai jamais ma femme. Reproduit avec l'autorisation de Steven James. © 1998 Steven James.

Châteaux de sable. Reproduit avec l'autorisation de Sue Monk Kidd. © 1998 Sue Monk Kidd.

Le dernier « Je t'aime ». Reproduit avec l'autorisation de New Leaf Press. © 1996 par Robert Strand.

Aimer Donna. Reproduit avec l'autorisation de Ron C. Eggertsen. © 1998 Ron C. Eggertsen.

Main dans la main. Reproduit avec l'autorisation de Helen Troisi Arney. © 1998 Helen Troisi Arney.

L'histoire et la chimie. Reproduit avec l'autorisation de E. Lynne Wright. © 1998 E. Lynne Wright.

Comme une deuxième peau. Reproduit avec l'autorisation de Caroline Castle Hicks. © 1998 Caroline Castle Hicks.

Ron. Reproduit avec l'autorisation de Dan Clark. © 1998 Dan Clark.

Ry. Reproduit avec l'autorisation de Joyce Meier. © 1998 Joyce Meier.

Retrouver un fils. Reproduit avec l'autorisation de Lin Faubel. © 1998 Lin Faubel.

Quatre-saisons et lilas. Reproduit avec l'autorisation de Lisa Marie Finley. © 1998 Lisa Marie Finley.

La petite princesse. Reproduit avec l'autorisation de Wendy Miles. © 1998 Wendy Miles.

Quand a-t-elle grandi?. Reproduit avec l'autorisation de Beverly Beckham. © 1998 Beverly Beckham.

Les enfants prêtés. Reproduit avec l'autorisation de Norma R. Larson. © 1998 Norma R. Larson.

Les vertus. Reproduit avec l'autorisation de Colleen Trefz. © 1998 Colleen Trefz.

Le partage. Reproduit avec l'autorisation de Drue Duke. © 1998 Drue Duke.

Une vie à la fois. Reproduit avec l'autorisation de Gina Bridgeman. © 1998 Gina Bridgeman.

De bons voisins et *La petite annonce.* Reproduits avec l'autorisation de Marsha Arons. © 1998 Marsha Arons.

Lettres au père d'Anne Frank. Extrait de *Love Otto : The Legacy of Anne Frank* par Cara Wilson. Reproduit avec l'autorisation de Cara Wilson. © 1997 Cara Wilson.

Une raison de vivre. Reproduit avec l'autorisation de Jerry Perkins. © 1998 Jerry Perkins.

Le soir où j'ai écrit mon prix Pulitzer. Reproduit avec l'autorisation de Shinan Barclay. © 1998 Shinan Barclay.

La théière parfaite. Reproduit avec l'autorisation de Roberta Messner. © 1998 Roberta Messner.

Un lunch avec Helen Keller. Reproduit avec l'autorisation de Carey Harrison. Extrait de *Change Lobsters And Dance.* © 1975 par Lilli Palmer.

Un enfant à la fois. Reproduit avec l'autorisation de Sarah Ann Reeves Moody. © 1998 Sarah Ann Reeves Moody.

Faible en gras et heureuse. Reproduit avec l'autorisation de Teresa Collins. © 1998 Teresa Collins.

Message de graduation. Reproduit avec l'autorisation de Robert A. Concolino. © 1998 Robert A. Concolino.

Notre garçon de Noël. Reproduit avec l'autorisation de Shirley Barksdale. © 1998 Shirkey Barksdale.

L'anniversaire de Judy. Reproduit avec l'autorisation de Shelley Peterman Schwarz. © 1998 Shelley Peterman Schwarz.

Les Jeux Olympiques spéciaux. Reproduit avec l'autorisation de Denaé Adams. © 1998 Denaé Adams.

L'ange et son balai à franges. Reproduit avec l'autorisation de Lizanne Southgate. © 1998 Lizanne Southgate.

Grand-maman a recouvré la santé. Reproduit avec l'autorisation de Margaret McSherry. © 1998 Margaret McSherry.

Le père Noël du magasin à rayons. Reproduit avec l'autorisation de Sally A. Breslin. © 1998 Sally A. Breslin.

Les anges de l'Halloween. Reproduit avec l'autorisation de Steven J. Lesko Jr. © 1998 Steven J. Lesko Jr.

Les sous de la chance. Reproduit avec l'autorisation de Jill Williford Mitchell. © 1998 Jill Williford Mitchell.

Faisons connaître nos besoins. Reproduit avec l'autorisation de Donna Kay Heath. © 1998 Donna Kay Heath.

Noël dans l'Œuf d'argent. Reproduit avec l'autorisation de Mechi Garza. © 1998 Mechi Garza.

Un coca-cola et un sourire. Reproduit avec l'autorisation de Jacqueline M. Hickey. © 1998 Jacqueline M. Hickey.

Le sourire derrière les larmes. Reproduit avec l'autorisation de Helen Luecke. © 1998 Helen Luecke.

Le cadeau de Noël un peu défraîchi. Reproduit avec l'autorisation de Harrison Kelly. © 1998 Harrison Kelly.

L'amour peut être éternel. Reproduit avec l'autorisation de Deb Plouse Fulton. © 1998 Deb Plouse Fulton.

Héros de la route. Reproduit avec l'autorisation de Carol A. Price-Lopata. © 1998 Carol A. Price-Lopata.

Plusieurs couchers de soleil. Reproduit avec l'autorisation de Cindy Jevne Buck. © 1998 Cindy Jevne Buck.

Maman, pourrais-tu user de ton influence?. Reproduit avec l'autorisation de Carol Allen. © 1998 Carol Allen.

Ne jamais, jamais abandonner. Reproduit avec l'autorisation de Diane Novinski. © 1998 Diane Novinski.

La couverture de bébé. Reproduit avec l'autorisation de Winona Smith. © 1998 Winona Smith.

Histoires sur une tête de lit. Reproduit avec l'autorisation de Elaine Pondant. © 1998 Elaine Pondant.

Les mains de maman. Reproduit avec l'autorisation de Louisa Goddisart McQuillen. © 1998 Louisa Goddisart McQuillen.

Toute femme a besoin d'un champion. Reproduit avec l'autorisation de Carol Vogel. © 1998 Carol Vogel.

Un dernière lettre à un père. Reproduit avec l'autorisation de Gail Rosenblum. © 1998 Gail Rosenblum.

Un sou économisé. Reproduit avec l'autorisation de Carita Barlow. © 1998 Carita Barlow.

Les bouquets d'Emma. Reproduit avec l'autorisation de Pamela George. © 1998 Pamela George.

Entre les lignes. Reproduit avec l'autorisation de Charlotte Adelsperger. © 1998 Charlotte Adelsperger.

Un héritage dans un chaudron à soupe. Reproduit avec l'autorisation de Barbara Davey. © 1998 Barbara Davey.

SÉRIE
BOUILLON DE POULET POUR L'ÂME

2e bol

ISBN 2-89092-208-1
304 PAGES

3e bol

ISBN 2-89092-217-0
304 PAGES

4e bol

ISBN 2-89092-250-2
304 PAGES

5e bol

ISBN 2-89092-267-7
336 PAGES

Enfant

ISBN 2-89092-257-X
336 PAGES

Ados

ISBN 2-89092-285-5
336 PAGES

Ados Journal

ISBN 2-89092-266-9
336 PAGES

Ados II

ISBN 2-89092-285-5
336 PAGES

Chrétiens

ISBN 2-89092-235-9
288 PAGES

Survivant

ISBN 2-89092-277-4
304 PAGES

Femme

ISBN 2-89092-218-9
288 PAGES

Mère

ISBN 2-89092-232-4
312 PAGES

Travail

ISBN 2-89092-248-0
288 PAGES

Couple

ISBN 2-89092-268-5
288 PAGES

Golfeur

ISBN 2-89092-256-1
336 PAGES

Ami des bêtes

ISBN 2-89092-254-5
304 PAGES

PUBLICATIONS DISPONIBLES

1er bol
2e bol
3e bol
4e bol
5e bol
Ados
Ados II
Ados — JOURNAL
Aînés
Amérique
Ami des bêtes
Célibataires
Chrétiens
Concentré (poche)
Couple
Enfant
Femme
Femme II
Golfeur
Mère
Survivant
Tasse (poche)
Travail

PROCHAINES PARUTIONS

Livre de recettes
Mère II
Grands-parents
Golfeur II

PROJETS

Preteen (10-12 ans)
Infirmières
6e bol